《建造·性能·人文与设计》系列丛书

张　宏　主编

构件成型·定位·连接与空间和形式生成

——新型建筑工业化设计与建造示例

张　宏　朱宏宇　吴　京　王海宁

张莹莹　刘　聪　张李瑞　王　玉　著

东南大学出版社

·南京·

序

2013 年秋天，我在参加江苏省科技论坛“建筑工业化与城乡可持续发展论坛”上提出：建筑工业化是建筑学进一步发展的重要抓手，也是建筑行业转型升级的重要推动力量。会上我深感建筑工业化对中国城乡建设的可持续发展将起到重要促进作用。2016 年 3 月 5 日，第十二届全国人民代表大会第四次会议的工作报告中指出，我国应大力推进新型建筑工业化，推动建筑产业现代化发展。可见，中国的建筑行业正面临着由粗放型向可持续型发展的重大转变。新型建筑工业化是促进这一转变的重要保证，建筑院校要引领建筑工业化领域的发展方向，及时地为建设行业培养新型建筑学人才。

张宏教授是我的学生，曾在东南大学建筑研究所工作近 20 年。在到东南大学建筑学院后，张宏教授带领团队潜心钻研建筑工业化技术研发与应用十多年，参加了多项建筑工业化方向的国家级和省级科研项目，并取得了丰硕的成果，这本书就是阶段性成果，后续有系列化的“建造 · 性能 · 人文与设计”系列丛书陆续出版发行。

我和张宏经常讨论建筑工业化的相关问题，从技术、科研到教学、新型建筑学人才培养等等，见证了他和他的团队一路来的艰辛与努力。作为老师，为他能取得今天的成果而高兴。

这本书只是记录了一个开始，希望张宏教授带领团队在未来做得更好，培养更多的新型建筑工业化人才，推进新型建筑学的发展，为城乡建设可持续发展做出贡献。

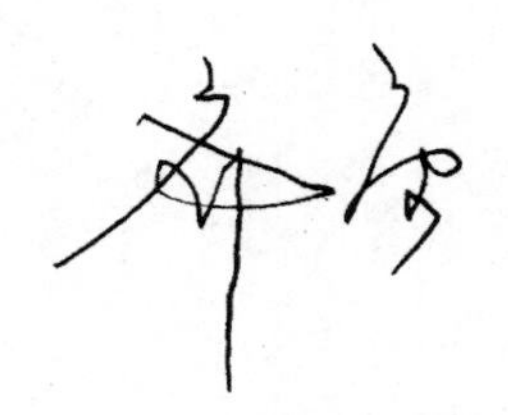

2016 年 3 月

目录

第一章　混凝土历史简析

1.1　混凝土的由来

混凝土作为现阶段我国建筑业使用量最大的建筑材料，无论是直接裸露在外还是被隐藏在结构体之中，它充斥着人们日常生活的每个角落，提供着安全坚固的设施遮蔽空间。混凝土作为一种广泛使用的材料，其发展经历了漫长的过程。

1.1.1　天然材料的混凝土

古罗马时期产生了诸多像万神庙、阿皮亚古道、空中引水渠类型的著名建筑和构筑物，它们之所以能够经历战乱、岁月侵蚀和自然灾害的洗礼，屹立至今，不光与其精妙的结构设计和完美的传力路线有关，其中更重要的原因在于所用建筑材料的耐久性。其中位于那不勒斯的一段建于公元前 37 年的古罗马防波堤，经过了 2000 年海水冲刷后依然继续抵挡着风浪[1]。

古罗马建筑耐久性的秘密在于其使用了含有特殊配方的混凝土，相当于现代水泥中添加的石灰石与矿渣。据史料考证，古罗马作家老普利尼所著的书中提到：“最好的水泥是由那不勒斯，特别是波佐利的火山灰制作而成的。”

火山灰由岩石、矿物、火山玻璃碎片组成，其主要成分为氧化硅和氧化铝。玻璃体由火山喷发出的酸性岩浆遇水急速冷却后形成。火山灰混凝土的形成有两个主要反应阶段：①其中的水泥原料遇水反应后产生氢氧化钙这一碱性物质；②火山灰中的氧化硅与氧化铝与 1 阶段产生的氢氧化钙发生反应，产生水化硅酸钙。2 阶段的产物为强胶性材料，可将其他材料黏结成整体，且由于反应的不断进行，此胶性材料在增强混凝土强度的基础上，还能起到阻塞混凝土中的毛细孔隙的作用，进而显著提高混凝土的整体抗腐蚀能力。相对于现代的钙硅结构的水泥，古罗马人使用的钙铝硅结构的火山灰水泥更加坚固，耐久性也更高。

图 1–1　万神庙穹顶内部

作为天然材料的混凝土，罗马人将其材料的特性发挥到了极致，考虑到其抗压强度远远高于抗拉强度，因此创造性地采用了拱券结构来解决大跨度问题，建于公元 118—128 年的古罗马万神庙在空间跨度上达到了 43.3 米（图 1–1），这一记录一直保持到 1000 多年后的工业革命时期，才在 1867 年被以金属作为结构材料的巴黎博览会机械展览馆的 115 米的跨度所超越。

1.1.2 人工材料的混凝土（第一次进步）

18世纪处于工业革命的发展时期，大量新兴建筑拔地而起，但是传统的砖石砌筑的施工方式效率太低且整体性不佳，古罗马时期的天然混凝土的配方也已经失传，关键是天然混凝土需要大量的优质火山灰，可大多数地区连火山都没有。如果在整个欧洲大量采用天然混凝土，意大利地区的火山灰会迅速被消耗殆尽。因此，人们迫切需要一种高效率、高质量的建筑材料的诞生。

1774年，工程师约翰·史密顿（John Smeaton）在修筑灯塔的工程中，克服了水下砌筑的问题，通过多次试验，最终采用石灰石、黏土、沙子和铁渣经过烧制、粉碎并用水调和后注入水中的方法，成功地在英吉利海峡筑起了第一个航标灯塔。英国烧瓦工人约瑟史·阿斯普丁（Joseph Aspdin）根据前人的经验，摸索出石灰石、黏土及铁渣的最合适配比，进一步完善此种人造石头的生产工艺[2]，并于1824年成功申请专利。由于此种胶质材料硬化后的颜色和强度与波特兰出产的石材接近，故取名为“波特兰水泥”。

至此，人类可以在不受地域限制的情况下，大量使用混凝土进行建设，而人工混凝土的主要材料——石灰石，广泛存在于天然石材中，可以在世界上的任何地区找到。此时期的混凝土主要使用在市政交通领域，作为大体量主要受压构件而被使用。由于没有解决受拉问题，作为建筑结构材料使用仅能用于墙、柱。

1.1.3 具有结构计算理论与方法的混凝土（第二次进步）

此种材料虽有诸多优点，但是同时也具有与石材一样的缺点，抗拉、抗冲击强度低且易脆断。基于以上研究，法国工程师约瑟夫·莫尼尔（Joseph Monier）利用钢筋抗拉强度高与水泥硬度大的特点，首先提出了将钢筋引入水泥的设想，并于1861年成功地采用水泥、钢筋和砂石筑起了一座水坝，并取名为“混凝土”水坝，标志着“混凝土”正式进入人类舞台并被广泛使用。到1867年他取得了用格子状配筋制作桥面板的专利，该年为全世界公认最早的钢筋混凝土桥架设的一年，混凝土工艺得到了迅速的发展[3]。

混凝土作为单一结构材料在19世纪中期开始得到应用。由于当时水泥和混凝土的质量都较差，同时设计计算理论尚未系统建立，所以发展速度较为缓慢。直到19世纪末以后，随着生产的发展、实验工作的开展、计算理论的研究、材料施工技术的改进，这一技术才得到较快发展，为现代建筑的蓬勃发展提供了技术保障。1887年德国人科尼恩（Konen）提出了采用混凝土承受压力而钢筋承受拉力的受力计算模型，德国科学家约翰·包辛格（John Bauschinger）提出并研究了混凝土中钢筋抗锈蚀等问题[4]。

随着现代主义建筑的蓬勃发展，以及20世纪两次世界大战所造成的大量房屋的损毁，人们迫切希望在短时间内得到大量建筑产品来弥补家园受损而造成的建筑短缺，此时混凝土成为了建筑师和工程师在民用建筑方面最喜欢使用的材料。作为现代主义设计理念的“新建筑五项原则”与新“国际风格”都与混凝土有着紧密的关联。第一次世界大战以后，混凝土开始在世界范围内使用。而二战之后，在许多饱受战争蹂躏的国家中，混凝土被认为是大规模住房建造和公共建筑建造的主要材料，而在欧洲、北美和日本以外的地区，混凝土也被认为是现代化建设必可不少的基础建筑材料之一。

1.1.4 作为商品的混凝土（第三次进步）

早期混凝土的制备工作全部集中在工地现场进行，虽然可以在第一时间将制备完毕的混凝土马上进行浇筑，但是由此带来了一系列的问题。如现场需要大量的水泥、黄沙及石子等物料堆场，需要为每个工地提供大型的搅拌设备，且混凝土质量不能得到有效的保证。而作为钢筋混凝土施工，从时间角度来讲，浇筑仅仅是整个施工过程很小的一部分，因此堆场及搅拌设备在工地现场大量的时间中处于闲置状态，却占用了宝贵的土地、资金成本。

商品混凝土的出现完美地解决了上述问题，其以集中的方式，将原本散落在工地的物料及设备集中在混凝土搅拌站（图 1–2），采用订单模式进行生产制备，而后采用混凝土搅拌车快速运送至工地进行浇筑，其包括搅拌、运输、泵送和浇筑等工艺。商品混凝土提供方同时提供相应泵送浇筑服务，施工方仅需要提供少量工人进行作业配合即可（图 1–3）。由于生产模式与生产方法的革新，在降低混凝土价格的同时，提高了混凝土的质量及售后保障，也降低了工地现场的仓储及作业负担。

图 1–2 商品混凝土搅拌站

图 1–3 混凝土泵车与搅拌车进行浇筑作业

商品混凝土的蓬勃发展，是围绕混凝土为中心的，对于混凝土早期制备与运输的集成化、装备化发展，它采用工厂化、大批量的模式代替了现场的手工、小批量的零散制备运输工作，对于后续建筑工业化以及以混凝土为主体的定型定位技术的研发奠定了装备物质基础及市场供应模式。

1.1.5 装备化定型定位技术的混凝土（第四次进步）

混凝土作为一种大量性使用的建筑材料，经过了现代主义建筑时期的普及发展后，其应用范围也被大大扩展，从原先的大量用于工业建筑及住宅扩展到各种其他建筑类型。

早期的建筑工业化主要集中在住宅建设领域，由于战后急需大量的住宅以弥补家园重建问题，此时建造速度成为了第一要素，混凝土又因为其造价低廉成为了大量住宅建设的理想材料，其拌和浇筑过程较为简便快捷，但是混凝土成型定位过程的模板支护较为耗时耗力且效率过低，大量工地建造时间被花费在此过程上。因此建筑工业化在此背景下发展起来，简而言之即通过设计、生产、运输、吊装及建造技术的整合，将工地现场耗时耗力的工作转移到设备及环境更佳的工厂内完成。早期建筑工业化具体形式为预制装配工法，在工厂阶段将梁、板、墙、柱加工成预制混凝土构件，通过公路运输至工地进行安装作业。此种建造模式对于混凝土的生产制备提出了更高的要求，由于采用重型构件现场定位组装，对于构件的尺寸具有一定的精度要求。

为了提高效率，对于构件的形式种类进行了控制，以降低模板数量和现场施工的难度，但是同时也带来了一些问题。特别是随着“数量时代”的结束，伴随着居民生活水平提高所带来的需求提高，工业化建筑的一些问题也渐渐显露出来。如以 20 世纪 70 年代的法国为例，其主要问题集中在以下几点：①住宅区选址不合理，受到周边交通和工业设施干扰；②功能单一，缺乏活力，居民早出晚归，“卧城”效应明显；③平面设计呆板，建筑缺乏个性，面貌单调且难以识别；④住宅公共设施缺乏，在使用功能上存在诸多缺陷；⑤住宅保温隔热性能不良，部件接口存在渗漏现象；⑥住宅区与周围环境不协调，交通阻塞严重。以上 6 条中有 4 条与混凝土的成型定位技术息息相关。

随着第一次石油危机所带来的世界经济环境的极大变化，多数国家进入经济衰退期，政府投资的集合住宅建设量锐减，原先千户以上的大工程大多变成了不足百户的小工程。人们对建筑的质量要求提高，工业化也呈现出多样化发展趋势，从单调向丰富转变。从建造方式上看，多种体系并存发展且均以工业化预制装配构件为主，形成了一个完整及系列化的建造体系，这其中以混凝土体系居多，如法国在 1981 年选定的 25 个建造体系中，除少部分为木结构与钢结构外，绝大部分为混凝土预制体系。由于构件的多样化、小批量发展趋势，对于混凝土构件的生产制备提出了新的要求，同时由于进入工业化领域的厂家数量激增，对于构件的生产要求不光局限于精度方面，而在通用互换性方面也提出了新的需求。丹麦是世界上第一个将模数法制化的国家，ISO 模数标准即以丹麦标准为蓝本。丹麦采用“产品目录设计”为中心推动通用体系发展，将通用部件称为“目录部件”。设计人员可以任意选用总目录中的产品进行设计。其主要通用部件有混凝土预制楼板和墙板等主体结构构件，部件的连接构造符合模数协调标准，因此不同厂家的同类产品具有一定的互换性。

混凝土作为一种材料贯穿建筑工业化发展的全过程，它的构件化的生产、加工、建造方式的发展及优化是工业化建筑逐步走向成熟的技术见证。其为人类提供建筑的同时，自身的成型定位技术也在一个个项目的推进过程中得到稳步提升。混凝土作为流体材料，其浇筑施工速度较快，特别是随着商品混凝土及其相关设备的采用，浇筑工程所占整个建筑施工的比重较小，但是其定型定位过程却耗费了大量的时间与精力，钢筋混凝土建筑工业化的研究方向主要集中在采用装备化高效率、安全地解决定型与定位问题。

1.2 混凝土的性能及用途

混凝土作为我国乃至世界上使用量最多的建筑材料，它也是少有的一种可以建造高层房屋的，同时可以制作梁、板、墙和柱，不需要后期特殊护理的材料。它的广泛使用具有一定的优势和特点。混凝土作为一种成分多元化的复合材料，它的构成与成型技术不同于一般普通的建筑材料，所应用的领域也更加广泛。

1.2.1 混凝土材料构件建造的难点和材料的性能缺陷

1）复合成型材料

混凝土作为多种材料组合而成的复合成型材料，为了达到预定的强度、密实度、耐久度、经济性等，需要对各部分材料进行精确配比，如水灰比不正确将严重影响其强度形成，同时造成孔隙过多而影响后期耐久性。在保证配比的情况下，各材料的大小和形态也严重影响着混凝土的性能，如骨料的级配不佳、骨料的粒径过大等因素均会影响混凝土的强度和密实度。各部分的化学成分也会严重影响质量，如骨料中硫与碱含量过高会造成钢筋的腐蚀以及混凝土的碱骨料反应，这些都严重影响着其耐久性。

2）成型过程中的难点

混凝土为胶凝性气硬材料，未凝固的混凝土具有极佳的流动性，正是因为此特征使其具有可塑性及施工便利性。但正是上述特性也造成了成型和定位过程的繁琐与复杂。以一般高层住宅为例，虽然整层的混凝土浇筑作业仅需不到6个小时就能完成，但是前期准备工作却需要整整5天的时间，这其中包括脚手架支护2天，模板架设1天，钢筋绑扎2天。以上三部分均对后期混凝土的质量产生深远影响，如脚手架与模板不光共同承托钢筋与流质混凝土的重量，还要承受泵车浇筑时所带来的竖向及侧向冲击荷载，同时还要尽量避免渗漏问题的产生。而钢筋绑扎作业同样至关重要，如钢筋与模板保护层厚度设定不足会造成钢筋腐蚀加快而带来结构安全性的影响；主筋、腰筋及箍筋等相互间距不足会造成混凝土空鼓，影响强度及耐久性。

3）裂缝处理困难

混凝土会产生裂缝，而板与梁是带缝工作的，特别是板底与梁底的受拉部分，可以说任何混凝土材料都会产生裂缝。而裂缝恰恰是结构耐久性的大敌，它会造成钢筋的腐蚀从而带来内部应力的激增，挤压周围的混凝土，最终造成块状剥落。虽然裂缝问题不可能完全避免，仅能通过一定的技术手段将其控制在安全区域，如采用预应力混凝土、提高配筋率、表面涂抹柔性高分子材料等手段，同时也可以采用主动手段处理该问题，即引导裂缝发生在预先设定的对整体结构影响最小的区域。

4）高碳排放材料

混凝土作为一种重型材料，其物料的运输过程中需要耗费大量的能源。作为主材料的水泥、石子与黄沙三类材料，水泥的生产制备要经过两磨一烧的过程，石子的生产需要进行爆破、粉碎、分拣等过程，而黄沙也要通过机械从河底挖出。以上过程会耗费能源，产生大量二氧化碳。且混凝土结构拆除后会产生大量无法回收使用的建筑垃圾，而相应的钢结构与木结构的主体材料均能进行二次利用，进入下一个物质循环。由此看来，碳排放量高和不可持续性是混凝土作为大量性建筑材料的短板。

1.2.2 混凝土材料优点

1）复合用途

混凝土作为复合用途材料，可以独立形成梁、板、墙、柱等几乎所有的建筑构件类型，这在人类建筑的发展史上是十分鲜见的。砖石作为一种古老的材料，建造方面，受力性能好且较为耐久，但是砖石材料仅能组成墙和柱，不能直接形成较大跨度的梁与板，仅能通过拱券的形式达到目的，虽然带来了极佳的形式感，但是也难以避免空间浪费、建造复杂程度高等问题。木材与钢材虽然可以形成以上四种建筑构件，但是其耐久性、防火性与隔声性能均不能满足要求。混凝土除了可以独立形成梁、板、墙、柱，混凝土还可以形成壳体结构，实现形式感与经济性的统一。

2）安全耐久有保证

混凝土作为一种人造石材，本身具有很好的安全性与耐久性。唯一影响安全性的因素为其抗拉强度低、韧性差，但是随着增强材料如钢筋、纤维的加入，混凝土的安全性得到了极大的改善提高，同时由于增强材料被混凝土基质包裹，也避免了增强材料的腐蚀。因此，作为复合材料的混凝土，其内部各成分之间相互促进，从材料角度共同为整体结构的安全与耐久提供保障。

3）受力合理、各司其职

混凝土材料适用于现阶段大多数的结构类型，如框架结构、剪力墙结构、壳体结构、桁架结构、巨框结构等。其整体受力合理，不同材料之间各司其职，并充分利用各种组成材料的力学特性，发挥优势屏蔽弱点。如水泥与骨料形成的人造石材部分抗压强度大于抗拉强度，而增强材料则恰恰相反。由此在结构计算中，受拉应力均由增强材料承受，压力荷载由混凝土与钢筋整体承受，钢筋等增强材料通常与受力方向平行排布，周围被混凝土固定又避免了失稳造成的刚度缺失的问题。

1.2.3 总结

混凝土作为一种古老而优良的建筑材料，在过去与现在深刻地影响着建筑的进程，也将继续影响着我国未来建筑工业的发展。纵观混凝土的发展历史，建筑工业化是该材料应用的关键，而工业化方面的研究也大多围绕着以混凝土为材料的建筑体系来进行。针对混凝土本身的成分、配比、运输、浇筑、保养等方面的研究已有许多，但是对应前端部分——定型定位技术的研究较为缺乏，而此领域恰恰是影响施工效率与后期质量的关键所在。因此本书以此视角为切入点阐述了对于此领域的研究工作及成果。

同时应当清醒的认识到，由于上述归纳的种种特性，从宏观开发角度来讲，钢筋混凝土比较适合作为高层建筑的结构体部分。但是由于其环保、绿色及可持续性方面的短板，因此需要逐步控制使用量，使其作为一种过渡性的建筑产品，而作为国民终极居住目标的实现来讲，应该大力发展多、低层的房屋系统，共同促进城乡建设的可持续发展。

参考文献

[1] 叶苏紫 . 神奇的古罗马混凝土 [J]. 百科新说 , 2015(04)：50-51

[2] 陈家珑，方源兴 . 我国混凝土骨料的现状与问题 [J]. 建筑技术 , 2005(01)：23-25

[3] 罗洪波 . 混凝土发展史 [J]. 城市建设理论研究 , 2015(05)：45-47

[4] 彭一春，马守才，张粉芹 . 混凝土孔结构和抗盐腐蚀性能关系的研究 [J]. 中国建材科技 , 2011(04)：15-17

第二章　混凝土构件成型技术和定位技术的发展

2.1　混凝土构件成型技术的发展历程研究

混凝土结构起源于古罗马。由于混凝土可以有效地抵抗压力，但受拉和受扭能力较差，所以早期的混凝土多为拱形结构，其代表建筑为罗马万神殿。万神殿混凝土结构的成型与建造采用了临时脚手架和模板，而这项技术不止用于混凝土浇筑，也广泛用于石材砌筑中。早期混凝土的主要成分是石灰与火山灰混合物，在很长时间内，混凝土的使用都受到了材料生产地域与材料性能的限制。19 世纪初硅酸盐水泥的出现，使得混凝土在拥有了良好的建筑性能的同时，突破了使用区域的限制。而钢筋等受拉材料的出现，让混凝土能够形成受拉受弯构件，并可同时形成墙、板、梁、柱等多种构件类型，一次成型结构体，从而迅速替代其他建筑材料。

混凝土构件的成型过程主要包括浇筑和捣实，模具系统是混凝土结构浇筑成型的模壳及支架，它的选择和使用是混凝土施工的关键因素之一，直接影响混凝土的质量和整体性。而混凝土构件的成型技术也随着模具系统的更新，不断地向前发展。

2.1.1　混凝土构件现浇成型技术的发展

在混凝土施工中，模具系统是混凝土成型的构造设施，其构造包括面板体系和支撑体系。面板体系包括面板和所联系的肋条；支撑体系包括纵横围囹、承托梁、承托桁架、悬臂梁、悬臂桁架、支柱、斜撑与拉条等。模板分类见表 2–1。在现浇混凝土结构工程中，模板工程一般占混凝土结构工程造价的 20% ~ 30%，占工程用工量的 30% ~ 40%，占工期的 50% 左右[1]。模板技术对于提高工程质量、加快施工进度、降低工程成本和实现文明施工，都具有重要的影响。

表 2–1　混凝土模板分类

类型	内容	类型	内容
模板体系	（1）组合式 （2）工具式 （3）永久式	按结构分类	（1）基础模板 （2）柱模板 （3）楼板模板 （4）楼梯模板 （5）墙模板 （6）壳模板 （7）烟囱模板
按材料分类	（1）木模板 （2）钢木模板 （3）胶合板模板 （4）钢模板 （5）塑料模板 （6）玻璃钢模板 （7）铝合金模板	按施工方法分类	（1）现场装拆模板 （2）固定式模板 （3）移动式模板

1. 模板发展历程

现浇混凝土模具多采用板材模具系统。最初的混凝土模板是采用木制散板，按照结构形状拼装成混凝土的成型容器。这种模板安装与拆卸都很费时费力，拆模后形成一堆散板，很难再次使用，板材损耗很大。20 世纪初开始出现了具有标准尺寸的木模板（图 2–1）。根据工程需要，预先设计出一套定型模板，在工厂生产完成。施工时，按照结构形式预先做好配板设计，在现场进行拼装，模板拆除后还可周转使用。

20 世纪 70 年代末从日本引进开发了薄板钢材制作而成的具有一定比例模数的定型组合钢模板（图 2–2），用“U”形卡、“L”形插销、钩头螺栓、蝶形扣件等连接件拼成形态各异的模板[2]。这种钢模板采用模数制设计，通过标准板块的组合，实现不同尺寸要求，拆除后可以多次重复使用。

由于组合钢模板存在尺寸小、拼缝多等问题[3]，20 世纪 90 年代后，随着高层建筑和超高层建筑的大量兴建，大规模基础设施和城市交通、高速公路的飞速发展，全钢大模板得到了大量的推广应用。全钢大模板板面平整、拼缝少、使用次数多、能适应不同板面尺寸的要求，整体刚度好，具有很高的强度和稳定性，拆模后的混凝土墙面平整、顺直、光滑，只要薄刮抹便可达到装饰效果，大大减少了湿作业工作量[4]。但是，全钢大模板的一次性投入大，造价高，而且由于重量过大，施工中过多的依靠塔吊，工作效率不高。

随着我国建筑结构体系的发展，工程质量要求越来越高，施工技术也更加复杂，因此，建筑施工技术在新旧并举、不断创新的形式下，模板技术也有了新的发展。采用新材料的建筑模板如铝合金模板、塑钢模板、新型钢木模板、钢网免拆模板等模板使用也越来越广泛。免拆模板和半免拆模板的使用比一般模板具有更好的应力强度及形状的自由性，因而对工程质量、结构安全、降低施工成本有良好的作用。在模板体系创新上，不仅各种通用性较强的新型组合式模板层出不穷，还结合工程结构构件的构造特点和工艺要求，研制开发了适应竖向和水平结构构件施工的工具式模板和永久式模板，使我国的模板技术逐步朝着多样化、标准化、系列化和商品化方向发展[5]。

图 2–1　混凝土木模板

图 2–2　混凝土钢模板

2. 模板的应用

1）组合模板的应用

木胶合板模板（图 2–3）具有材质轻、性能好、表面平整光滑、容易脱模、耐磨性强、能多次重复使用等特点，适用于墙体、楼板等各种结构施工。随着木胶合板模板的胶合性能和表面处理等技术的不断进步，木胶合板模板已经成为国外许多国家应用最广的模板之一 [6]。我国早在 20 世纪 70 年代的建筑施工中已采用过木胶合板模板，近几年在国家新技术示范工程中，也有不少施工单位采用了木胶合板模板。由于我国木材资源缺乏，因此不可能大量推广应用 [7]。

我国的木材资源相对匮乏，但竹材资源十分丰富，竹材年产量占世界竹材年产量的 1/3[8]。竹材还具有生长周期短，再生能力强的特点。因此，在我国木材资源短缺的情况下，以竹材为制作原料的竹胶合板模板（图 2–4），具有资源丰富、使用性能好、表面平整光洁、周转次数多、价格较低等特点，是用作建筑模板的理想材料，主要适用于楼板、平台等水平结构施工。近十几年来，竹胶合板模板的使用经历了从盲目使用、制定标准、规范市场发展到逐步推广使用的过程，其中双面覆膜胶合板模板占据了主导地位。竹胶合板模板在各地重点工程及国家新技术示范工程中都已得到大量应用，使用效果也较好 [9]。

图 2–3　木胶合板模板

图 2–4　竹胶合板模板

组合钢模板是一种定型的工具式模板，可用连接构件拼装成各种形状和尺寸，适用于多种结构形式。新型钢模板支撑体系采用伸缩主梁、钢包木次梁、阴阳角等技术（图 2–5）[10]，实现墙板梁柱一次性整体浇筑。采用钢模板可以节省劳动力，提高施工质量，加快工程进度，提高了施工效率。组合钢模板多用于工业与民用建筑结构的模板，也可用于隧道施工、水坝、高大构筑物等。由于大型高层现浇剪力墙建筑急剧增加，全钢大模板也得到广泛使用。将模数化板材自由组合，可以满足不同建筑物施工的需求，极大地提高了剪力墙结构施工的效率和质量。全钢大模板可以重复使用 500 次以上，浇筑后的剪力墙平整度优于国家标准 [11]。

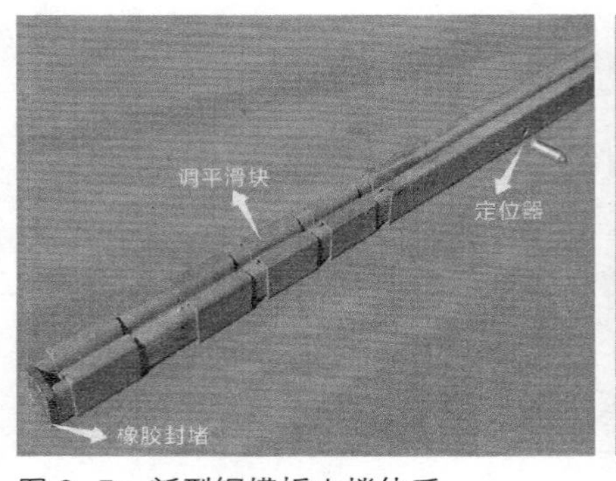

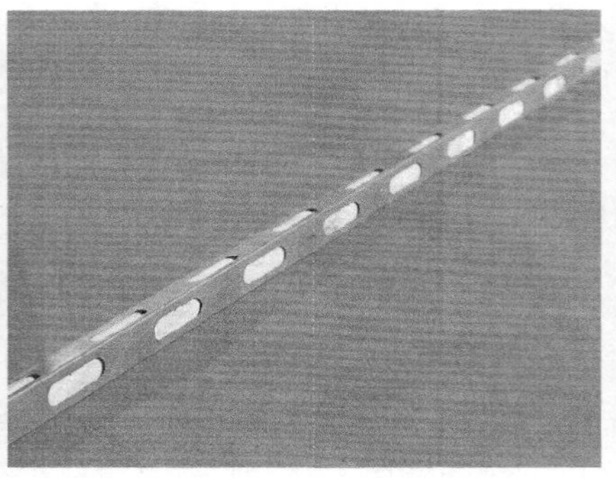

图 2–5　新型钢模板支撑体系

钢木混合模板体系（图 2–6）是以扣件式钢管为支撑和主龙骨，胶合板作为面板，方木为龙骨。这种模板体系因价格有优势、质量有保证、工艺简单且连接件少等特点，目前正成为我国现浇混凝土结构模板工程中的主导模板。但钢木模板仍存在许多缺点，如模板体系不成系统、钢管浪费严重、劳动力需求量大、胶合板和方木次龙骨抗弯强度低等。

塑钢模板（图 2–7）是一种节能型和绿色环保产品，是继木模板、组合钢模板、竹木胶合模板、全钢大模板之后又一新型换代产品，能完全取代传统的钢模板、木模板、方木，节能环保，摊销成本低。塑钢模板周转次数能达到 30 次以上，还能回收再造。温度适应范围大，规格适应性强，可锯、钻，使用方便。模板表面的平整度、光洁度超过了现有清水混凝土模板的技术要求，有阻燃、防腐、防水及抗化学品腐蚀的功能，有较好的力学性能和电绝缘性能。能满足各种长方体、正方体、L 形、U 形的建筑支模的要求。

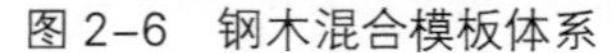
图 2–6　钢木混合模板体系

图 2–7　塑钢模板

铝合金模板（图 2–8）体系是利用高强度铝板材和型材制作而成的新一代绿色建筑模板技术，其设计研发及施工应用是建筑行业一次大的发展。自 20 世纪 60 年代在美国问世以来，铝合金模板体系在美国、加拿大、巴西、印度等国家和我国澳门、香港地区的建筑中得到广泛应用[12]。我国内地则在近几年才开始使用，还处于探索研究阶段。铝合金模板体系由铝模板系统、支撑系统、紧固系统和附件系统组成，除了支撑系统及小五金配件基本可以循环利用外，其他铝合金模块中的 70% 部分可以多个项目循环使用[13]。铝合金模板可以一次性完成墙、柱、梁、板、阳台、飘窗、外装饰线条等混凝土结构的施工。拆模后的混凝土表面非常平整，比钢模板的浇筑效果更好。铝合金模板系统采用独立钢支撑，可以取代传统木模板的木方、支撑。以销钉和楔片为主的连接方式，使铝合金模板的装拆极为简便。而且铝合金材料自重轻，可以不需要使用塔吊，完全由人工转运[14]。

图 2–8　铝合金模板

塑料建筑模板是一种节能型和绿色环保复合材料，能完全取代传统的钢模板、木模板、方木，节能环保，摊销成本低。塑料建筑模板周转次数能达到 30 次以上，还能回收再造。温度适应范围大，规格适应性强，可锯、钻，使用方便。模板表面的平整度、光洁度超过了现有清水混凝土模板的技术要求，有阻燃、防腐、防水及抗化学品腐蚀的功能，有较好的力学性能和电绝缘性能，能满足各种长方体、正方体、L 形、U 形的建筑支模的要求。易安特建筑模板（图 2–9），即长纤维增强热塑性复合材料组合模板，是一种新型高科技塑料建筑模板。模板以聚丙烯树脂为原料，添加长玻璃纤维、阻燃剂等，具有良好的耐热性和力学性能。模板两层边肋中间用加强筋连接，能有效减少模板收缩变形，且可减轻模板的单板重量[15]。

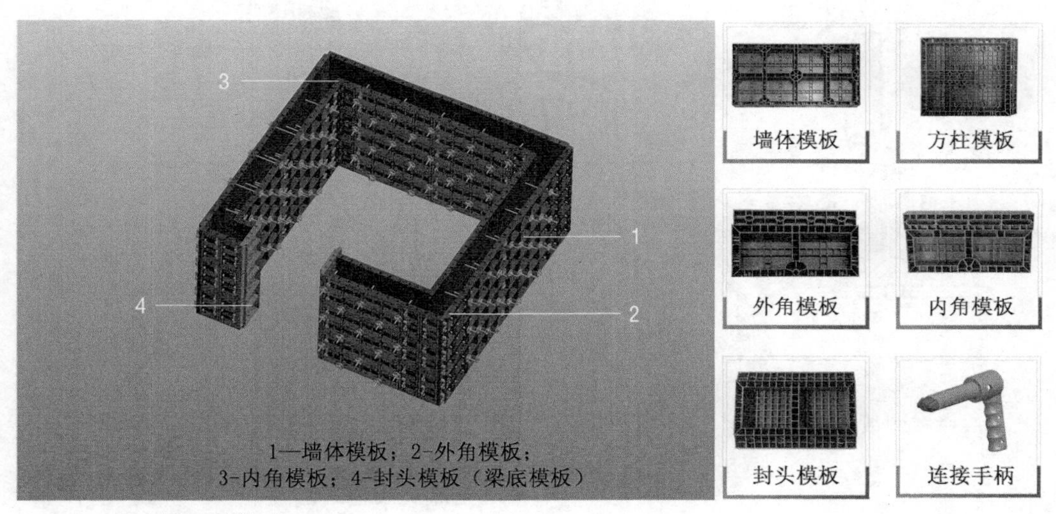

图 2–9　易安特建筑模板

2）早拆工艺的应用

早拆模板技术是指楼板模板浇筑 3~4 天后，混凝土强度达到设计强度的 50% 以上时，可提前拆除横楞和模板，而柱头顶板、梁中、板中仍然支撑着现浇结构体，直到混凝土强度达到符合规范允许拆模数值为止的模板施工技术。早在 20 世纪 80 年代，我国就开始使用模板早拆工艺。随着建筑技术的不断发展，早拆工艺也在实践中不断地被改进和完善。在现浇楼板施工中，如何加快承重模板的周转速度，对减少模板的投入、降低施工费用、提高施工效率，有直接影响。按照常规支模方法，最少需要配置 3 层段的支撑和模板进行周转。采用早拆工艺就是依据《混凝土结构工程施工质量验收规范》（GB50204–2015），对 ≤ 2m 跨度的水平结构，其混凝土拆模强度可比 >2 m 跨度的水平结构减少 20%，即达到设计强度的

50% 即可拆模。所以，通过合理的模板支撑设计和增加支撑点，将楼板处于短跨（≤ 2 m）的受力状态，当混凝土强度达到设计强度的 50% 时即可拆除楼板模板及部分支撑，而柱间、立柱及可调支座仍保持支撑状态，拆除后的模板周转到下个工位。

早拆模板可以采用竹（木）胶合板模板、钢框胶合板模板、组合钢模板和塑料模板等。早拆支撑体系由早拆柱头（支撑顶板 + 托架）、模板主梁、高度调节器（丝杠）等组成（图 2–10）[16]。模板采用早拆工艺的关键点在于支柱上安装早拆柱头。目前，常用的早拆柱头有 4 种，即螺旋式早拆柱头、斜面式早拆柱头、支承锁板式早拆柱头和组装式早拆柱头 [17]。早拆模板体系主要有用于无梁楼盖的箱形梁钢框竹胶板体系、门架式早拆模板体系、碗扣式脚手架加早拆模和插卡式脚手架加早拆头 [18]（图 2–11）。由于早拆模板的周转次数多，可以大量节省模板一次投入量，经济效益显著。模板早拆支架构造简单、操作方便灵活，支拆快捷，与传统支模方式相比较，工作效率可提高 3 倍左右 [19]，缩短了施工工期，加快了施工进度。

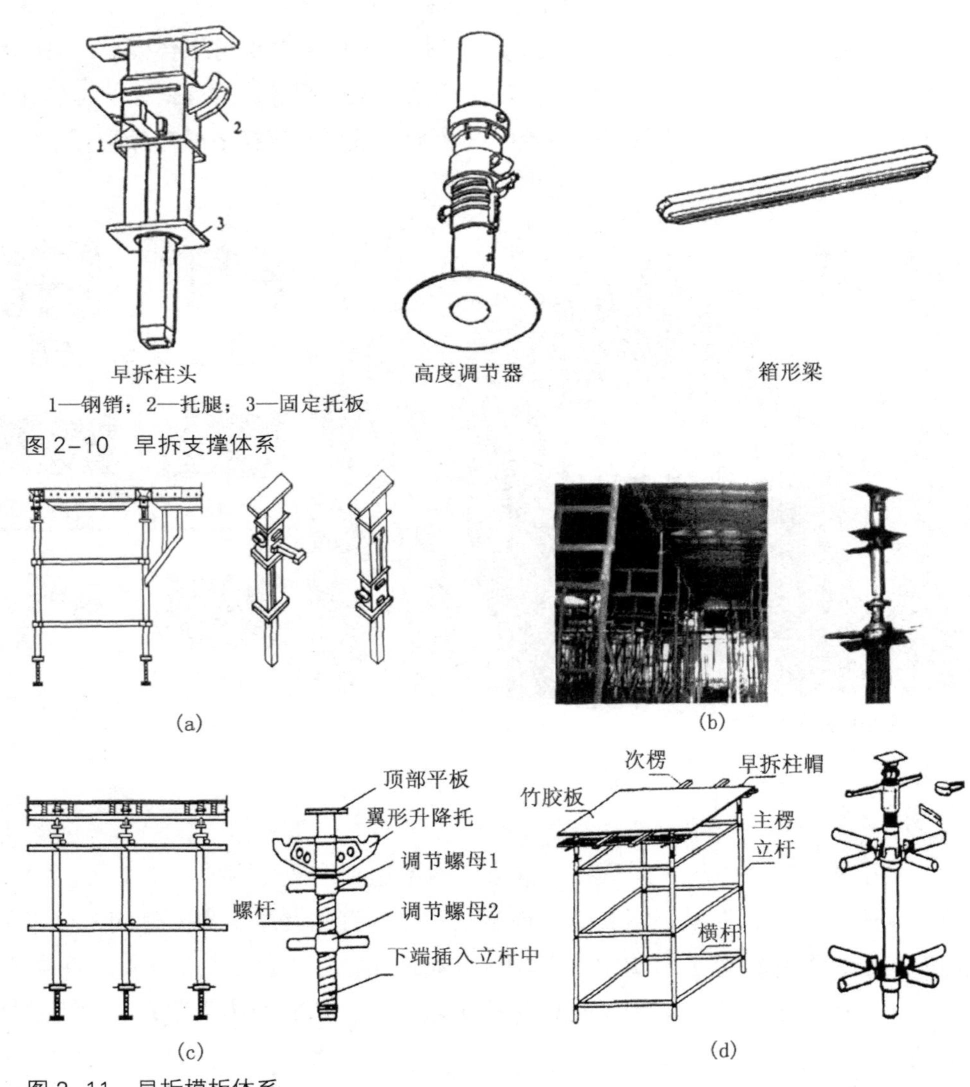

图 2–10 早拆支撑体系

图 2–11 早拆模板体系
（a）用于无梁楼盖的箱形梁钢框竹胶板体系（b）门架式早拆模板体系
（c）碗扣式脚手架加早拆模（d）插卡式脚手架加早拆头

3）免拆模板的应用

免拆模板，即永久性模板，作为一次性消耗模板，在现浇混凝土结构浇筑后不再拆除。其中有的模板与混凝土结构一起组成共同受力构件，或成为保温层。由于免拆模板多为预制构件，其生产可实现工业化、标准化。在保证模板性能的同时，其材料的选用可因地制宜，充分开发利用工业废料，推动模板材料从传统向新型复合材料过渡。免拆模板还具有耐久性强，人工费与材料损耗低，施工简便，施工进度快的优点。

20 世纪 80 年代初研制成功的快易收口型网状免拆模板（图 2–12），以一种薄形热浸镀锌钢板为原料，经加工成为有单向 U 型密肋骨架和单向立体网格的永久性混凝土模板 [20]，其力学性能优良，自重轻，特别适应分段浇注混凝土，具有先进的科学性和广泛的实用性。免拆模板包括连续凸起的 U 型网骨及钢网面两部分。连续平行排列的 U 型网骨为钢网强度的主要来源，钢网可沿 U 形平行方向弧形弯曲。钢网面上具有整齐的孔洞，孔洞上凸起的牙板具有加强钢网和材料间结合的功能，同时也方便穿筋和连续绑扎钢筋。混凝土浇筑时砂浆通过网格渗透到界面而成一种抗剪性能理想的粗纹理界面，给下一次继续灌注提供良好的结合面。浇筑过程可通过网孔直接监察，降低孔隙和蜂巢出现的风险。免拆模板自重轻，只是普通定型钢模板的十分之一，安装快速，运输方便，尤其适合高空作业。而网状孔眼可协助分散浇筑时水泥砂浆所产生的水压，使得免拆模板所承受的侧压力仅为一般模板的 60%，故而可减少 40% 的模板支撑龙骨量，减少人工及材料费用。免拆模板有利于环保，使工地保持洁净，又可减少木材的使用，对国家资源保护也有积极作用。

图 2–12　快易收口型网状模板

钢网构架混凝土结构体系（图 2–13）是由腹板开孔冷弯薄壁型钢制作的墙体钢骨架、楼板钢骨架、钢板网、保温复合板等构成钢网构架，在其间直接浇筑混凝土而形成的整体墙、板受力构件 [21]，其构造见图 2–14[22]。其特点是钢构件有刚度、免拆模板，利用钢网构架本身实现对结构构件的成型与定位，并承受施工荷载，减少脚手架。钢构骨架的生产可实现标准化、工业化、装配化，大大减少人工、材料损耗，提高劳动生产率，加快施工进度，降低造价。钢构骨架外侧固定的免拆网模的孔隙，改变了木、胶合板、钢板、铝板等封闭式模板产生的容器效应，有效地降低了混凝土对模板的侧压力。钢网构架模板结构混凝土浇筑成型后，形成了一个理想的粗糙界面，不需要进行粗琢作业即可以进入下一道工序施工。外保温与钢模网相配套一次性装配，保证了保温层的质量，又减少了施工工序。存在的问题是与国家现行钢筋混凝土规范不符，需要进行大量的实验研究，推广上有难度。

绝热混凝土模板（ICF，Insulated Concrete Form）采用保温绝热板材（EPS 聚苯乙烯板、XPS 挤塑板、

图 2-13　钢网构架混凝土模板

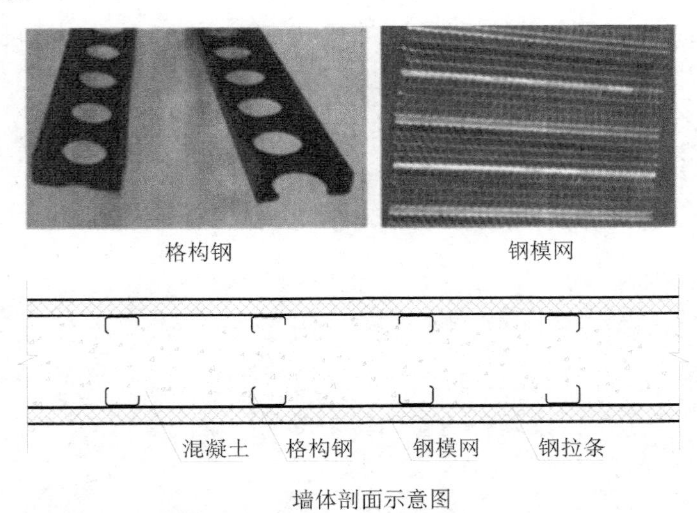

图 2-14　钢网构架混凝土墙板构造

ALC 蒸压轻质混凝土板等）为保温性永久性模板，内侧浇筑混凝土，通过连接件将双面层复合保温板与混凝土连接在一起，共同形成现浇钢筋混凝土复合保温结构体系（图 2-15）。ICF 模板可进行工厂模块化生产，现场装配施工，浇筑完混凝土后不拆除，成为墙体的一部分。由于具有内外两层保温板，ICF 模板体系的节能效果远远优于单层保温墙体。而且内外保温层通过连接件与内侧混凝土相连，实现节能与结构一体化，其整体性和寿命均高于一般固定方法。

各类 ICF 产品的主要不同之处在于内外模板的连接方式和模板的规格。源于德国的泰锘石（Styro Stone，图 2-16）ICF 免拆模板体系于 2007 年引入中国，包括墙体模板、楼板模板和支撑系统。小尺寸的墙体模板通过上下企口的插接安装组成大面积墙体，用高强度塑料连接件将内外侧模板拉接成整体，并利用专门的支架固定和调节模板（图 2-17）。泰锘石的聚苯保温楼板模板也采用企口插接的拼装形式，将楼板模板安装在墙体顶部的桁架钢梁上。由于梁预先设置了反拱，跨度小于 4.5 m 的楼板在浇筑混凝土时无需任何支撑。这就可省去大量设置模板竖向支撑的工作量[23]。

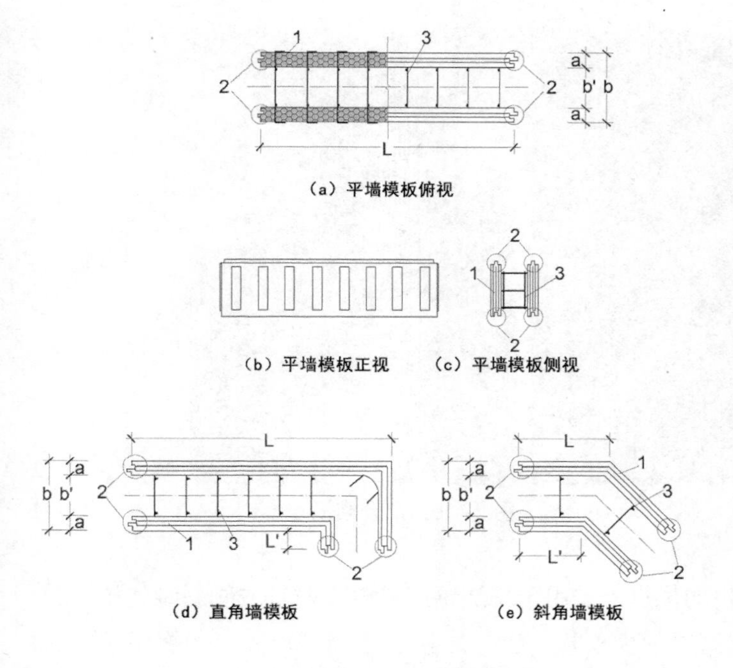

整体式聚苯墙板模板

1-聚苯板；2-企口；3-横拉杆

L-模板基本长度；L'-模板转角长度；a-模板厚度；b-总厚度；b'-模板厚度

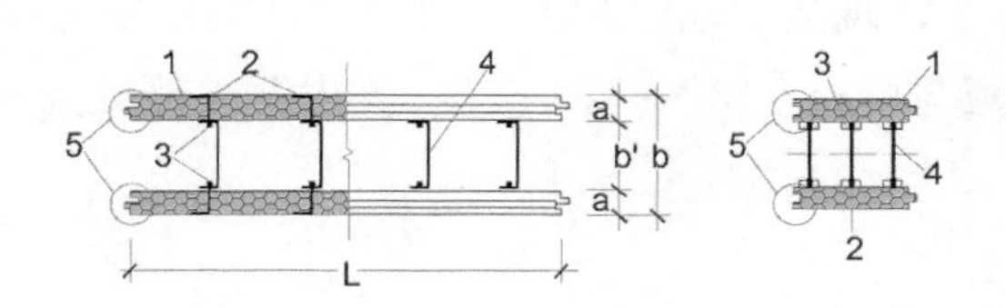

装配式聚苯墙板模板

1-聚苯板；2-内埋钢片；3-固定件；4-连接杆；5-企口

L-模板基本长度；L'-模板转角长度；a-模板厚度；b-总厚度；b'-模板厚度

图 2–15 聚苯墙体模板构造

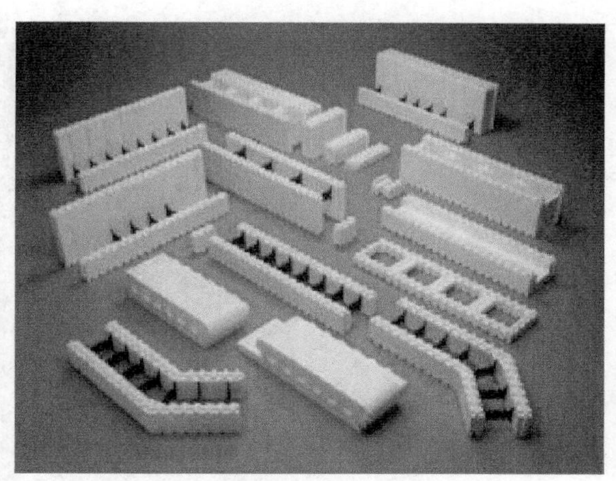

图 2–16 泰锘石模板构件

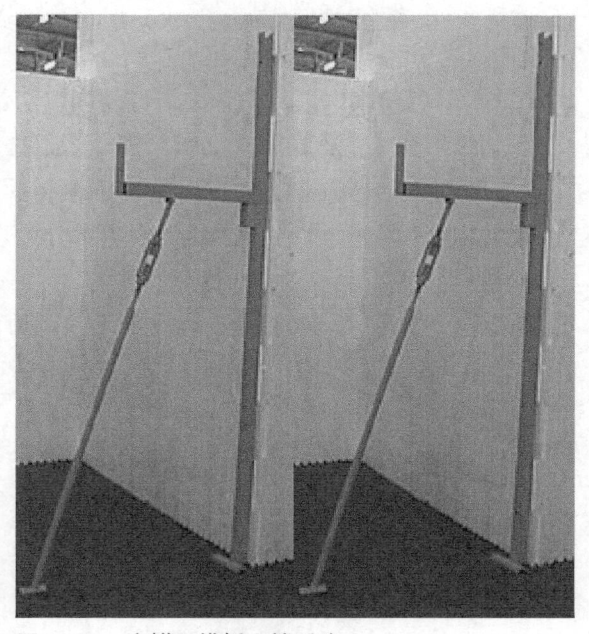

图 2–17 泰锘石模板支撑系统

4）工具模板的应用

滑动模板（简称滑模）施工（图 2–18），是现浇混凝土工程的一项施工工艺。滑模施工时模板一次组装完成，上面设置有施工人员的操作平台。并自下而上采用液压或其他提升装置沿现浇混凝土表面，边浇筑混凝土边进行同步滑动提升和连续作业。滑模施工适用于外形简单整齐、上下壁厚相同的结构，故多用于高层建筑的竖向结构，如核心筒、剪力墙、框架梁和柱等。与常规施工方法相比，这种施工工艺具有施工速度快、整体结构性能好、机械化程度高、可节省支模和搭设脚手架所需的工料、能较方便地将模板进行拆模和灵活组装，并可重复使用。滑模和其他施工工艺相结合（如预制装配、砌筑或其他支模方法等），可为简化施工工艺创造条件，更好地取得综合的经济效益。

爬升模板（图 2–19）是一种以混凝土竖向结构为支撑，利用爬升设备自下而上逐层施工的工具型混

图 2-18 滑动模板

图 2-19 爬升模板

凝土模板。这种模板工艺结合了大模板和滑动模板的优点，适用于现浇钢筋混凝土竖直或倾斜结构施工，尤其适用于超高层建筑施工。爬升模板采用整层高度的大模板，以一层楼层为施工单元，一次组装，自下而上逐层竖向施工，直到完成全部混凝土后再拆模。这样做既免去了每层频繁拆模，又可以保证混凝土构件的尺寸和表面的平整。爬升模板可分为“有架爬模”（即模板爬架子、架子爬模板）和“无架爬模”（即模板爬模板）两种。中国的爬模技术，“有架爬模”始于20世纪70年代后期，在上海研制应用；“无架爬模”于20世纪80年代首先用于北京新万寿宾馆主楼现浇钢筋混凝土工程。爬升模板现已逐步发展形成“模板与爬架互爬”“爬架与爬架互爬”和“模板与模板互爬”三种工艺，其中第一种最为普遍。

2.1.2 混凝土构件预制成型技术的发展

1. 全预制混凝土构件成型技术

建筑工业化改变了原有的建筑模式，由传统现浇工法改为预制构件工厂加工后到现场组装的装配工法。建筑构件预制成型，工业化装配施工，具有节约成本与劳动力、提高生产效率、克服季节影响、便于常年施工等优点。在预制构件生产过程中，模具的摊销费用约占5%–7%，模具设计合理与否直接影响了预制构件自动化生产线中拆模、组模的效率和构件尺寸的精度。所以无论是从成本角度、生产效率还是构件质量方面考虑，模具是关系到构件成型质量和工业化建造成败的关键性因素。在经过制备、组装、清理并涂刷过隔离剂的模板内安装钢筋和预埋件后，即可进行构件的成型。成型工艺主要有以下几种：

（1）平模机组流水工艺。生产线一般建在厂房内，适合生产板类构件，如民用建筑的楼板、墙板、阳台板、楼梯段，工业建筑的屋面板等。在模内布筋后，用吊车将模板吊至指定工位，利用浇灌机往模内灌筑混凝土，经振动工具（或振动台）振动成型后，再用吊车将模板连同成型好的构件送去养护。这种工艺的特点是主要机械设备相对固定，模板借助吊车的吊运，在移动过程中完成构件的成型。

（2）平模传送流水工艺。生产线一般建在厂房内，适合生产较大型的板类构件，如大楼板、内外墙板等。在生产线上，按工艺要求依次设置若干操作工位。模板自身装有行走轮或借助辊道传送，不需吊车即可移动，在沿生产线行走过程中完成各道工序，然后将已成型的构件连同钢模送进养护窑。这种工艺机械化程度较高，生产效率也高，可连续循环作业，便于实现自动化生产。平模传送流水工艺有两种布局，一是将养护窑建在和作业线平行的一侧，构成平面循环；一是将作业线设在养护窑的顶部，形成立体循环。

（3）固定平模工艺。特点是模板固定不动，在一个位置上完成构件成型的各道工序。较先进的生产线设置有各种机械如混凝土浇灌机、振捣器、抹面机等。这种工艺一般采用振动成型、热模养护。当构件达到起吊强度时脱模，也可借助专用机械使模板倾斜，然后用吊车将构件脱模。

（4）立模工艺。特点是模板垂直使用，并具有多种功能。模板是箱体，腔内可通入蒸汽，侧模装有振动设备。从模板上方分层灌筑混凝土后，即可分层振动成型。与平模工艺比较，可节约生产用地、提高生产效率，而且构件的两个表面同样平整，通常用于生产外形比较简单而又要求两面平整的构件，如内墙板、楼梯段等。

立模通常成组组合使用，称成组立模，可同时生产多块构件。每块立模板均装有行走轮。能以上悬或下行方式作水平移动，以满足拆模、清模、布筋、支模等工序的操作需要。

（5）长线台座工艺。适用于露天生产厚度较小的构件和先张法预应力钢筋混凝土构件，如空心楼板、槽形板、T 形板、双 T 板、工形板、小桩、小柱等。台座一般长 100~180 米，用混凝土或钢筋混凝土灌筑而成。在台座上，传统的做法是按构件的种类和规格现支模板进行构件的单层或叠层生产，或采用快速脱模的方法生产较大的梁、柱类构件。20 世纪 70 年代中期，长线台座工艺发展了两种新设备——拉模和挤压机。辅助设备有张拉钢丝的卷扬机、龙门式起重机、混凝土输送车、混凝土切割机等。钢丝经张拉后，使用拉模在台座上生产空心楼板、桩、桁条等构件。拉模装配简易，可减轻工人劳动强度，并节约木材。拉模因无需昂贵的切割锯片，在中国已广泛采用。挤压机的类型很多，主要用于生产空心楼板、小梁、柱等构件。挤压机安放在预应力钢丝上，以每分钟 1~2 米的速度沿台座纵向行进，边滑行边灌筑边振动加压，形成一条混凝土板带，然后按构件要求的长度切割成材。这种工艺具有投资少、设备简单、生产效率高等优点，已在中国部分省市采用。

（6）压力成型法。是预制混凝土构件工艺的新发展。特点是不用振动成型，可以消除噪声。如荷兰、德国、美国采用的滚压法，混凝土用浇灌机灌入钢模后，用滚压机碾实，经过压缩的板材进入隧道窑内养护。又如英国采用大型滚压机生产墙板的压轧法等。

全预制混凝土构件所构成的建筑体系，如装配式框架结构、装配式剪力墙结构，在施工现场拼装后，采用构件间竖向连接缝现浇、上下墙板间主要竖向受力钢筋浆锚连接以及楼面梁板叠合现浇形成整体的结构形式。由于预制混凝土构件尺寸过大，重量过重，一般的吊装设备难以满足其安装条件，所以高层建筑中很难做到全装配式结构。

2. 现浇 – 预制混凝土构件成型技术

1）叠合板

我国现行规范对装配式混凝土框架结构的抗震等级及高度限制要求比较严格，主要是基于我国目前的装配技术研究成果缺乏，以及材料、设计、施工水平与发达国家相比差距较大。为了保证建筑的整体性和提高抗震强度，我国的装配式混凝土建筑多采用现浇与预制相结合的方式，预制构件也多采用叠合板[24]。

叠合板结构体系是由叠合楼板、叠合墙板辅以必要的现浇混凝土连接构件共同形成的复合混凝土剪力墙结构。叠合板结合了预制和现浇混凝土的工艺与优点，为半预制式体系，实现了板式构件的分步成型。叠合板由预制部分和现浇部分组成，其安装施工采用工业化生产方式，预制部分多为薄板，在预制构件加工厂完成后运到项目现场，使用起重机械将叠合式预制板构配件吊装到设计部位，然后浇筑叠合层及加强部位混凝土，将叠合式预制板构配件及节点连为有机整体。预制薄板作为现浇部分的模板，二者共同承担荷载。

叠合式楼板（图 2–20）为现场安装预制混凝土楼板，以其为模板，辅以配套支撑，设置与竖向构件的连接钢筋、必要的受力钢筋以及构造钢筋，再浇注混凝土叠合层，与预制板一起形成横向受力构件。叠合楼板整体性好，刚度大，抗震能力好，可节省模板，简化施工工序，加快施工速度，集合了工业化生产和传统现浇混凝土的优点，具有较好的市场前景。

叠合式墙板（图 2–21）为预制混凝土墙板，由两层预制板与格构钢筋制作而成，现场安装就位后，在两层板中间浇注混凝土，采取规定的构造措施，提高整体性，共同承受竖向荷载与水平力作用[25]。与传统现浇混凝土墙体相比，叠合式墙板工序复杂，施工难度大，施工质量不易保证，成本较高。除了安徽省出台了《叠合板混凝土剪力墙结构技术规程》之外，并没有其他关于叠合墙板的规范，无法为其施工提供有力依据，未来推广难度较大。

图 2–20　叠合式楼板

图 2–21　叠合式墙板

2）CL 结构墙板

CL 建筑结构体系（Composition Light–weight Building System）（图 2–22），是一种复合混凝土剪力墙体系，是由 CL 墙板（CL 网架板为内外两侧浇筑混凝土后构成的一种钢筋焊接网架混凝土复合墙体）（表 2–2）、实体剪力墙组成的剪力墙结构。其核心构件 CL 复合墙板是由两层冷拔低碳钢丝网用斜插丝连接的空间骨架，中间夹聚苯乙烯泡沫板形成 CL 网架板，内外侧浇筑混凝土后形成的兼承重、保温、隔音为一体的剪力墙[26]。CL 网架板为主要承重构件的骨架，以高压高强石膏板作为施工浇筑混凝土的永久性模板；同时，内隔墙采用高压高强石膏空心砌块砌筑而成。CL 网架板由大型自动化生产线生产整体加工而成，最大尺寸可达 6 m × 3.3 m，无需现场二次裁剪加工[27]，实现标准化、工业化和复合性能（集墙体受力钢筋和保温层于一体）。

CL 结构体系具有以下特点：

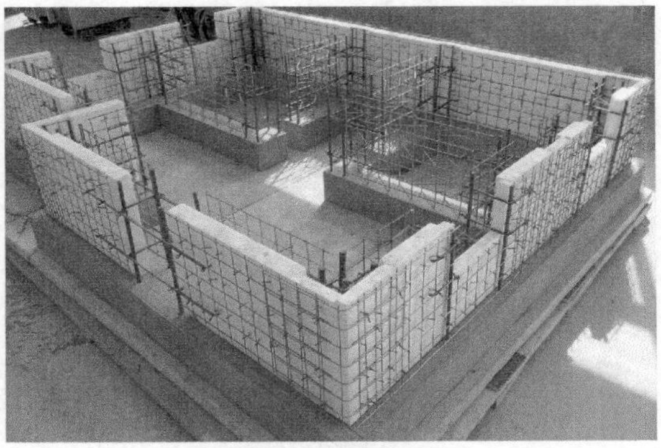

图 2–22　CL 建筑结构体系

（1）可靠的结构形式。CL 网架板是一种立体空间桁架，除了作为剪力墙配筋外，还将两层混凝土有机连接，使其可以很好地协同工作来承受竖向力、水平力和剪力。由于 4 个方向斜插的钢丝形成了桁架，增加了网架板的刚度，能承受各种施工荷载。

（2）更强的抗震性。CL 结构体自重轻，比砖混结构减轻 50%。抗震性能好，同级设防的 CL 建筑体系比砖混结构提高了 2~3 个地震烈度，优于框架结构。

（3）良好的保温性能。CL 墙板由两层混凝土和保温层组成，室内混凝土厚度至少为 100 mm，室外一侧 50 mm 的混凝土可以对保温层起到保护作用。这种保温做到剪力墙里的方法加大了有效使用面积，提高了保温效果，保温隔热性能达到了国家规定 50% 的节能要求。同时保温层具有良好的耐久性，可以达到与建筑主体基本同寿命。

（4）快速生产，文明施工。在 CL 结构体系中，CL 模板为永久性模板，不用拆卸，结构整体性好，可缩短施工工期。CL 体系中 70% 的构件在工厂预制完成，实现了工业化生产，减少了现场的工作量。

（5）节能环保。CL 建筑结构体系同其他结构相比，可不用黏土制品，节约耕地、能源，减少大气污染。

表 2–2　CL 墙板构造详表

型号		Ⅰ型 CL 墙板	Ⅱ型 CL 墙板	Ⅲ型 CL 墙板
主要适用范围		多层	36 m 以下小高层	36 m 以上高层
		CL 结构体系		CL 复合保温技术
简图		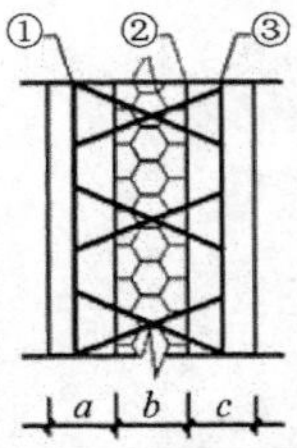	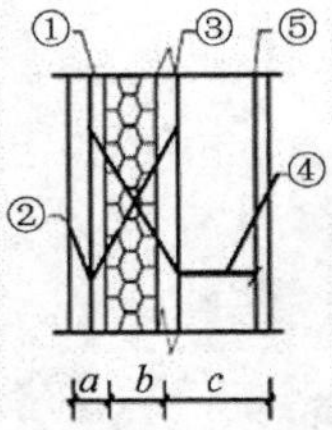	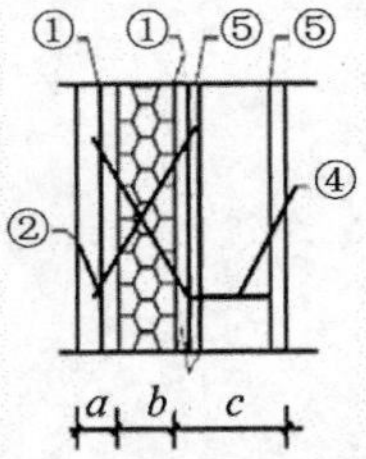
构造说明	混凝土层厚度 a（mm）	现浇时 50 mm，预制时 40 mm		
	保温板厚度 b（mm）	EPS(XPS) 板，厚度根据节能标准确定		
	现浇混凝土层厚度 c（mm）	100	$140 \leqslant c \leqslant 160$	$c > 160$
	钢筋焊接网①	双向 ϕ3@50（外保护层为 30mm）		
	斜向焊接腹筋②	ϕ3mm,200 个 /m^2	ϕ3.5mm,100 个 /m^2	根据焊网规定确定
	钢筋焊接网③	双向 ϕ4@50（外保护层为 35 mm）	双层双向 ϕ5@100（保护层均为 25 mm）	双向 ϕ8@150/200（外保护层为 25 mm）
	钢筋焊接网④	无		双向 ϕ8@150/200（外保护层为 25 mm）
	绑扎水平拉筋⑤			设计确定
	CL 网架板生产	完全工厂化生产		钢筋④⑤现场安装

3）多功能复合式组装浇筑仿生建筑体系

在 CL 建筑结构体系的基础上，昆山生态屋建筑技术有限公司研发的多功能复合式组装浇筑仿生建筑体系中的墙体采用 5 层复合式墙体（图 2–23），即：第一层为集成表面（皮层），第二层为空间网架 + 自密实混凝土（骨筋承重层），第三层为内芯（髓芯层），第四层为空间网架 + 自密实混凝土（骨筋承重层），

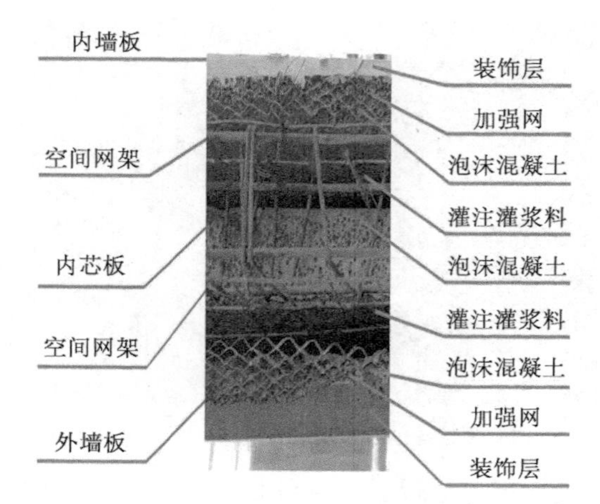

图 2–23 复合式组装浇筑仿生建筑体系墙体构造

第五层为集成表面（皮层）（图 2–24）[28]。工厂预制墙体内外墙板、空间网架和内芯板，运送到现场依次拼装好后，浇筑自密实混凝土。

此体系的楼板采用部分免拆模、部分周转使用的构件成型定位工法，形成新型密肋楼板，即拼接式空间网架楼板。具体生产成型流程为：工厂预制的 U 型钢板模板与钢筋桁架拼装成楼板空间网架（图 2–25），并在楼板的钢肋中放置发泡混凝土内芯填充块（图 2–26），铺置好钢丝加强网后，浇筑混凝土，楼板成型后拆除 U 型钢板模板以备下次使用（图 2–27）。多功能复合式组装浇筑建筑体系抗震性能好，建筑保温、隔热、隔音、防火性好，工业化的生产建造方式用工量低，施工周期短，综合成本低，建筑质量高，与现行的现浇钢筋混凝土规范能较好地衔接，具有广泛的使用前景。

图 2–24 复合式组装浇筑仿生建筑体系墙体材料构件（从左到右依次为：空间网架 + 自密实混凝土、内芯、集成表面）

图 2–25 拼接式网架密肋楼板

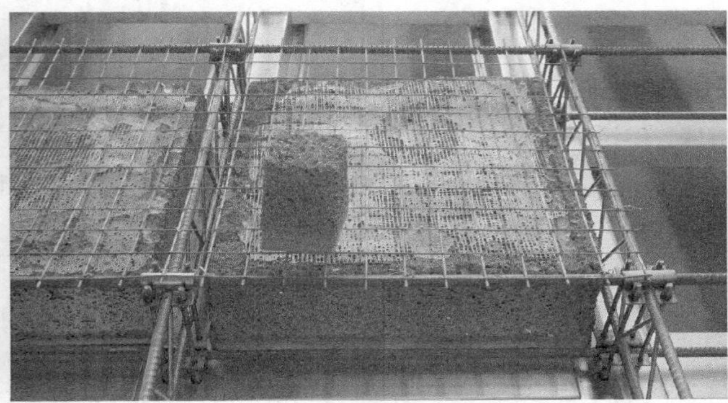

图 2-26　发泡混凝土内芯填充块

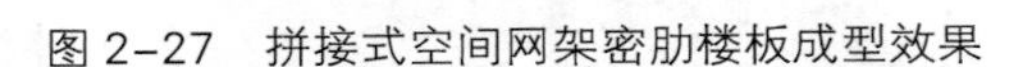

图 2-27　拼接式空间网架密肋楼板成型效果

图 2-28　自动房屋建造系统

4）北京市公租房标准化设计与现场工业化高层建筑建造体系（LIHBS）示范

住宅科技产业技术创新战略联盟在“北京市公租房标准化设计与现场工业化高层建筑建造体系（LIHBS）示范”重大项目中，设计研发了一套自动房屋建造系统（图 2–28）。此系统可以由低到高，一层一层地把整幢房屋的墙壁和楼面“喷”出来，一次性解决了混凝土构件的成型和定位问题。如今，虽然已经完成了关键设备样机运行和试验示范工程一层浇筑及脱模，但这套自动房屋建造系统仍未真正投入生产使用。

2.2　构件定位技术的发展研究

2.2.1　传统建筑构件定位技术

1. 测量定位技术

为了满足测图需要，在建筑施工定位之前需要针对场地环境和精度要求而设置施工控制网。施工控制网的常用形式有：

（1）平面控制：道路工程多用导线控制；桥梁工程多用三角网或三角锁；工业与民用建筑过去多用建筑方格网或建筑基线，目前多用全站仪导线。

（2）高程控制：多用水准测量，首级用三等或四等水准。

传统的建筑施工与构件定位采用的是手工定位测量（表 2–3）和仪器定位测量的方法（表 2–4）。

表 2–3 手工定位测量方法

名称	内容
皮数杆传递高程	砌筑时用皮数杆控制墙体竖向尺寸及各部位构件的竖向标高，并保证灰缝厚度的均匀性
钢尺直接丈量	在标高精度要求较高时，可用钢尺沿某一墙角自 ±0.00 起向上直接丈量，把标高传递上去。然后根据由下面传递上来的高程立皮数杆，作为该层墙身砌筑和安装门窗、过梁及室内装修、地坪抹灰时掌握标高的依据
悬吊钢尺法	在楼梯间吊上钢尺，用水准仪读数，把下层标高传到上层

表 2–4 仪器定位测量方法

仪器名称	测量技术	图片
全站仪	全站仪坐标法放样技术	
激光测距仪	测距仪高程传递技术	
激光准直仪	高层建筑垂直控制技术	
经纬仪	水平和竖直角度测量技术及距离测量技术	

随着新型测量仪器的出现，测量工程也进入了数字时代。新型全自动全站仪，如徕卡（Leica）TCA 系列全站仪具有自动搜索、锁定目标、自动观测、记录、联机控制及无线电遥控等多种功能。利用全自动全站仪的自动照准和锁定跟踪功能，可以实现动态目标的跟踪定位，从而进一步预报判断动态目标的空间位置和姿态：

（1）大跨构件的动态挠度变形测量；

（2）大型构件拼装测量；

（3）轨道式龙门吊定位测量（图 2–29）。

图 2–29 徕卡 (Leica)TCA 系列全站仪对轨道式龙门吊定位测量

徕卡（Leica）全自动三维建筑测量仪（图像测量全站仪）3D Disto

（图 2-30），可以独立地从一个房间的特征点上测量、扫描或者投影到一个房间的任意位置上，或者围绕着一个建筑物三维坐标进行图像测量，同时可在触屏上快速记录数据。徕卡 3D Disto 定义了智能测量工具的范畴，适合于 BIM（建筑信息模型）和室内建筑工地布局。适用于需要高精度测量、布局、检验复杂建筑要素的非测量人员使用。

主要功能有：

（1）图像测量——所测及所指；

（2）空间扫描——高精度空间轮廓采集；

（3）简单快速作业；

（4）格网投影——平面图案快速投影方案；

（5）测站拼接。

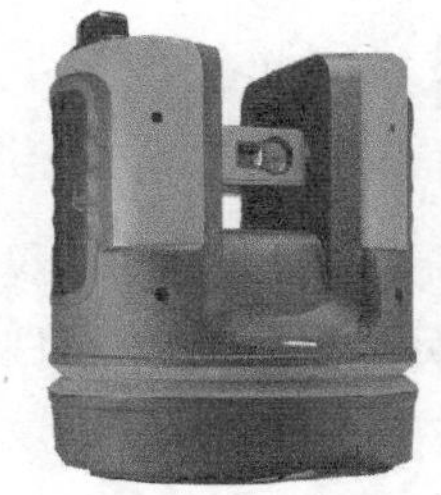

图 2-30　徕卡（Leica）3D Disto

2. 模板定位安装

对于常规模板，使用经纬仪等测量仪器引测柱、墙等构件轴线，根据图纸弹出模板内边线，以便于模板的安装和校正。根据模板实际的要求用水准仪把建筑物水平标高直接引测到模板安装位置。在用水泥砂浆或设置模板承垫条带等方法找平后，根据墙、板、梁、柱等不同构件类型，分别安装模板。

对于定型组合模板的预制拼装，应对拼装场地夯实平整，条件许可时应设拼装操作平台。安装模板之前，放好轴线、模板边线、水平控制标高，模板底口应做找平，并绑扎好钢筋，预埋水电等管线。安装模板时，相邻的模板之间用销子销紧（图 2-31），并用角钢、钢管等制成的抱箍，按照一定间距将模板箍住（图 2-32），安装拉杆或斜撑。安装梁和楼板模板时，通过调整支柱的标高，来定位底板的标高（图 2-33）。

图 2-31　模板销子

图 2-32　模板抱箍

图 2-33　模板支柱

2.2.2　建筑构件电子定位追踪技术

在装配式建造逻辑生产方式下，构件在整条供应链上要经过设计、物料计划、订单、生产、运输、施工现场监控、现场堆放、施工安装、运行维护、回收再利用等阶段，每个阶段都面临未知的变化，需要对构件状态数据进行及时采集和分析，更新项目进度计划，保证建造过程的顺利进行。电子定位法基于建筑信息化模型（BIM）技术平台，结合无线射频技术、全球定位技术等现代信息与通信技术，在建筑装配化生产条件下，对构件进行全生命周期管理，实现对其实时定位、追踪和监控，及时获取构件基本状态、使用情况、位置方位等信息，并进行信息处理。电子定位技术贯穿建筑全生命周期，对运输吊装、施工装备定位、构件定位装配等起重要作用。

电子定位技术特点在于：

（1）与 BIM 技术结合，提供建筑全生命周期构件定位与装卸技术；

（2）有效管理工程装备，将其结合成整体；

（3）电子定位的可视化特性，细化物理定位的各个环节；

（4）虚拟现实，实时监控，信息交互。

1. 电子定位相关技术简介

1）建筑信息化模型（Building Information Modeling, BIM）

建筑的全生命周期各个阶段的工作原本是相对零散的过程，这就使得在整个生产建造中信息传递与更新非常滞后缓慢，从而降低了施工效率和建筑质量，所以需要行之有效的办法将各个行业与工种整合为一个整体。BIM 是以建筑工程项目的各项相关信息数据作为模型的基础，进行建筑模型的建立，通过数字信息仿真模拟建筑物所具有的真实信息。它具有可视化、协调性、模拟性、优化性和可出图性等特点。从 BIM 设计过程的资源、行为、交付三个基本维度，给出设计企业的实施标准的具体方法和实践内容。BIM 不是简单地将数字信息进行集成，而是一种数字信息的应用，是一种可以用于设计、建造、管理的数字化方法。这种方法支持建筑工程的集成管理环境，可以使建筑工程在其整个进程中显著提高效率、大量减少风险。

2）全球定位系统（Global Positioning System，GPS）

全球定位系统是美国从 20 世纪 70 年代开始研制的用于军事部门的新一代卫星导航与定位系统，由空间卫星星座、地面监控站及用户设备三部分构成。GPS 定位的基本原理是根据高速运动的卫星瞬间位置作为已知的起算数据，采用空间距离后方交会的方法，确定待测点的位置。

GPS 技术具有高精度、高效率和对基准点依赖性低的特点，在建筑构件定位中取得了良好的效果，相对于传统建筑施工定位技术，具有如下优点：

（1）施工测量控制网一次测定到位，无误差的传递和积累，定位精度高；

（2）数据测定和分析均使用计算机处理，避免了人为误差产生；

（3）其观测基准点主要用于确定起算点和起算方向，互相不通视，变换观测基准点均不影响观测精度，即使发生一个观测基点破坏的情况，仍可正常建立楼层施工控制网；

（4）对楼层施工控制网基点的选择约束较少，各点之间可以互相不通视，点数和点位也可以根据实际要求变化，均不影响定位精度，并能准确测定建筑物的日照变形和振动变形。

虽然大量工程实践已体现了 GPS 的优越性，但也暴露出了一些问题，主要有：

（1）虽然 GPS 高程测量能够达到一定的精度，但 GPS 施测的市政工程测量控制点，应进一步用常规仪器进行水准连测，保证高程精度满足市政工程建设的需要。

（2）GPS 测量中所选择的控制点位置的差异直接影响到观测点位的精度。由于 GPS 测量是通过接收卫星发射的信号经过数据处理而得到点位坐标的，因此任何可能影响信号接收的情况发生时，所测定的点位坐标都可能产生误差。

（3）GPS 测量的几种模式均无法给出观测站的实时定位结果，也不能对观测数据的质量进行实时检验，难以避免以后处理数据时发现不合格的测量成果，造成需进行返工重测的情况。

3）RFID 技术 (Radio Frequency Identification)

射频识别，即 RFID 技术，又称电子标签、无线射频识别，是一种非接触式的自动识别技术。RFID 系统由电子标签、阅读器和微型天线组成，可通过无线电讯号识别特定目标并读写相关数据，识别工作无需人工干预，抗油、抗灰尘污染，可应用于各种恶劣环境与天气。

RFID 系统由两个主要部分组成（图 2-34）：阅读器和标签。标签中的电子芯片用来储存对象信息，阅读器通过射频信号读取和输入 RFID 标签信息，然后传送到 RFID 中间件，在信息服务器 IS 处，可以通过对象名解析服务 (ONS) 机制获取所需信息，同时在网络上也可以满足厂家、分销商、用户等的访问和查询请求 [29]。读写范围取决于工作频率（低、高、超高和微波）和标签是否需要电池（主动与被动）。标签基本分为两种：只读标签，即标签内的信息无法更新；读写标签，标签内的信息可以被更新。虽然 RFID 技术是物联网应用中的一项关键技术，已广泛应用于其他行业（如汽车生产、物流、电子商务、仓储管理等），但在建筑施工与管理中使用还处在起步阶段。

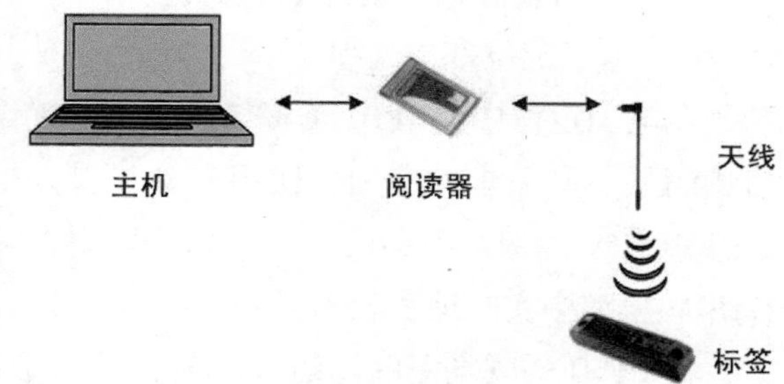

图 2-34　RFID 系统基本架构

2. 电子定位法基本流程

1）标签数据结构

在建造的全生命周期中，RFID 标签中的数据的结构需要满足更新信息的需要，并且可以根据不同的安全等级，分级加密数据。因此，信息储存空间可以分成以下几个部分（表 2-5）：① ID Identification；②规范；③状态；④过程数据；⑤历史数据；⑥环境数据；⑦位置数据 [30]。

表 2-5　数据的概念性结构（译）

名称	ID	规范	状态	过程数据	历史数据	环境数据	位置数据
说明	唯一性	构件规范	安装、运输、组装等	各阶段的相关信息，如安装阶段中的安装工法	生命周期中累计的数据	构件所处的环境	构件吊装件与连接件基准点坐标

（1）ID

为了方便在 BIM 数据库中查找到某构件，需要赋予此构件一个具有唯一性的 ID。

（2）规范

主要用于构件的设计和生产阶段。这部分的信息保存在整个生命周期中，如安全信息和有害物质信息。

（3）状态

包含了构件现阶段所处的状态（如正在维修、安装完成、制造完成和组装完成等），以及下一步的状态（如使用中，准备检查）。状态信息决定了使用哪种软件来更新过程数据。

（4）过程数据

过程数据主要储存构件在生命周期中某一阶段中的数据信息，这些信息能够实时更新（例如，在装配阶段显示安装说明）。并且要严格限制过程数据的使用权限，以防被随意更改。使用权限也应根据所处的阶段而及时更新。

（5）历史数据

为了方便构件的维护和修理，RFID 标签中也应该储存此构件的一些历史数据。

（6）环境数据

环境数据中不包括构件自身的信息，仅显示外部空间信息，如建造地点、构件所在空间的功能、使用者的资料和建筑平面等。

（7）位置数据

构件在吊装时，吊装件基准点的三维坐标；构件在安装时，连接件基准点的三维坐标。

2） 电子定位基本流程

在电子定位中，RFID 负责信息采集的工作，通过互联网传输到信息中心进行信息处理，经过处理的信息满足不同需求的应用。使用 BIM 模型来处理信息，在 BIM 模型中建立所有构件和部品部件与 RFID 信息一致的唯一编号（ID），那么这些构件和部品部件的状态就可以通过 RFID、智能手机、互联网技术在 BIM 模型中实时地表现出来。

将 RFID 的现场跟踪功能和 BIM 的信息管理功能相结合，部品部件的状况通过 RFID 的信息收集形成了 BIM 模型的 4D 模型，现场人员对施工进度、构件定位追踪、重点部位、隐蔽工程等需要特别记录的部分，根据 RFID 传递信息，把现场资料自动记录到 BIM 模型的对应部品部件上，管理人员即可对现场发生的情况和问题了如指掌。

RFID 标签中与构件定位有关的信息包括：①当前位置（临时、固定和可移动的构件）；②安装后的最终位置（固定构件）；③临时位置（构件在存储与堆放时的位置）；④路线信息；⑤构件附属物位置；⑥处理位置[31]。在设计阶段，构件 ID 和位置信息被输入到 RFID 标签和 BIM 信息数据库中。其中构件 ID 和最终位置被确认后就不可改变，各阶段的临时位置信息可根据所处的状态而更新。基于 BIM 和 RFID 技术的全生命周期电子定位系统的主要工作流程为（图 2–38）：

（1）规划设计阶段：将构件 ID 和最终位置信息输入至 RFID 标签中，临时位置信息可储存在过程数据中，这些临时位置信息可便于在运输、存储、施工吊装的过程中对构件进行管理。将 RFID 标签固定在建筑构件上（图 2–35）。

图 2–35　将 RFID 标签放置在预制构件上（Chin et al. 2008）

（2）生产运输阶段：根据现场的实际施工进度，迅速将信息反馈到构件生产工厂，调整构件的生产计划。在生产运输规划中主要应考虑 3 个方面的问题：一是根据构件的大小规划运输车次，某些特殊或巨大的构件单元要做好充分的准备；二是根据存储区域的位置规划构件的运输路线；三是根据施工顺序规划构件运输顺序。

（3）建造施工阶段。装配式建筑的施工管理过程中，应当重点考虑构件入场的管理和构件吊装施工中的管理两方面的问题。在此阶段，以 RFID 技术为主追踪监控构件存储吊装的实际进程，并以无线网络即时传递信息，同时将 RFID 与 BIM 结合，信息准确丰富，传递速度快，减少人工录入信息可能造成的错误（图 2-36），如在构件进场检查时，甚至无需人工介入，直接设置固定的 RFID 阅读器，只要运输车辆速度满足条件，即可采集数据（图 2-37）。

（4）运营维护管理阶段。装配式建筑的改扩建、拆除过程中，结合运用 BIM 和 RFID 标签也可以起到很好的管理作用。应用 RFID 标签和 BIM 数据库，可以及时准确地将这些填充体构件（如内隔墙、厨卫设备、管线等）安装到对应客户的房间中。当建筑物寿命期结束时，通过 RFID 标签和 BIM 数据库中的信息，还可以判断其中的某些构件是否可以回收利用，可减少材料能源的消耗，满足可持续发展的需要。

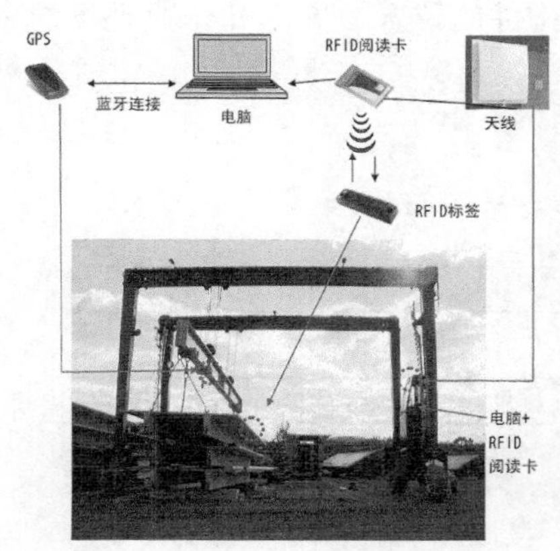

图 2-36　使用电子设施在堆场追踪定位构件

图 2-37　工人使用 RFID 接收构件

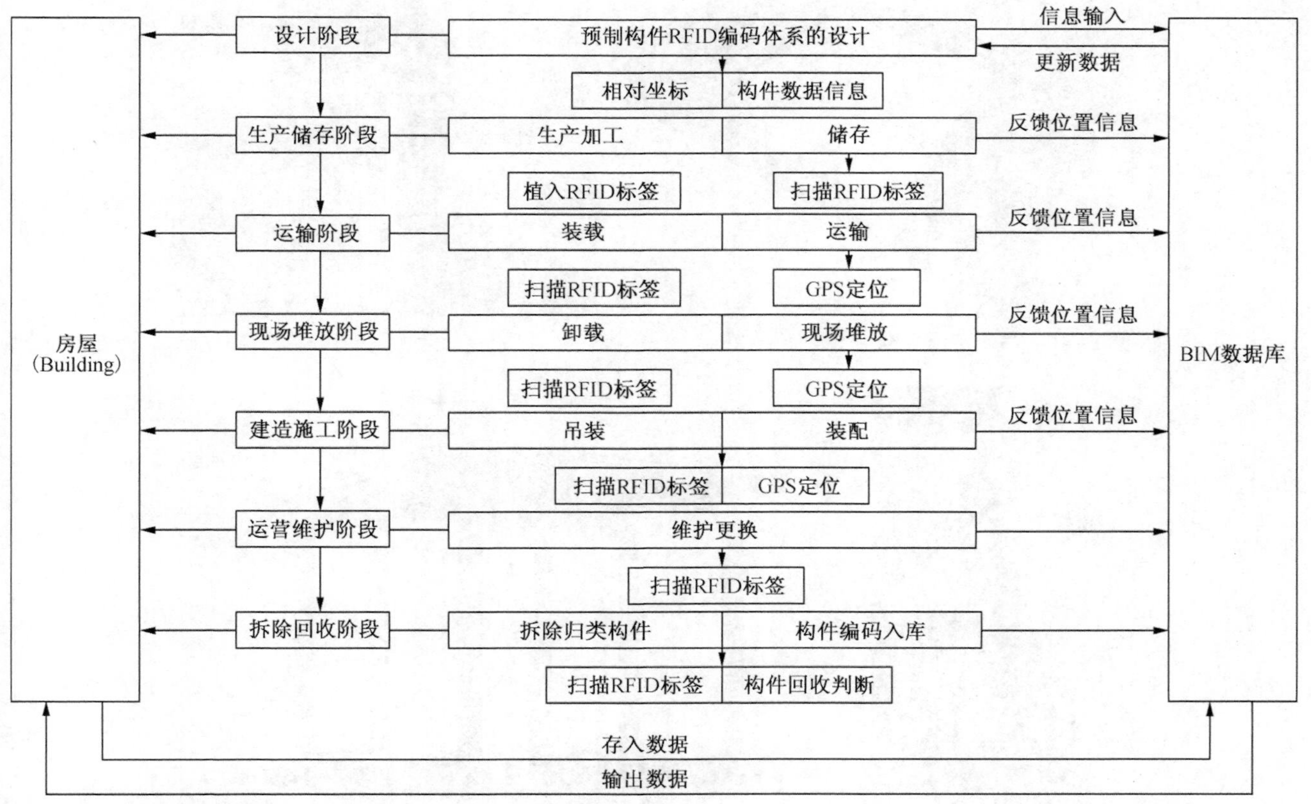

图 2-38　电子定位流程图

3. 电子定位与物理定位的关系

构件电子定位与物理定位的交叉联系主要有三个阶段，即生产性辅助定位、物流定位和构件现场定位（图 2–39）。

（1）生产性辅助定位：在设计阶段，确认各构件 ID 及吊装件与构件连接件的定位基准点，此定位基点根据构件所处的状态进行分类，如吊装基准点（图 2–40），安装定位点（图 2–41）。将构件 ID 以及定位基准点数据发送到定位服务器中，通过服务器确定构件的位置、方向和作业现场的全球坐标系，

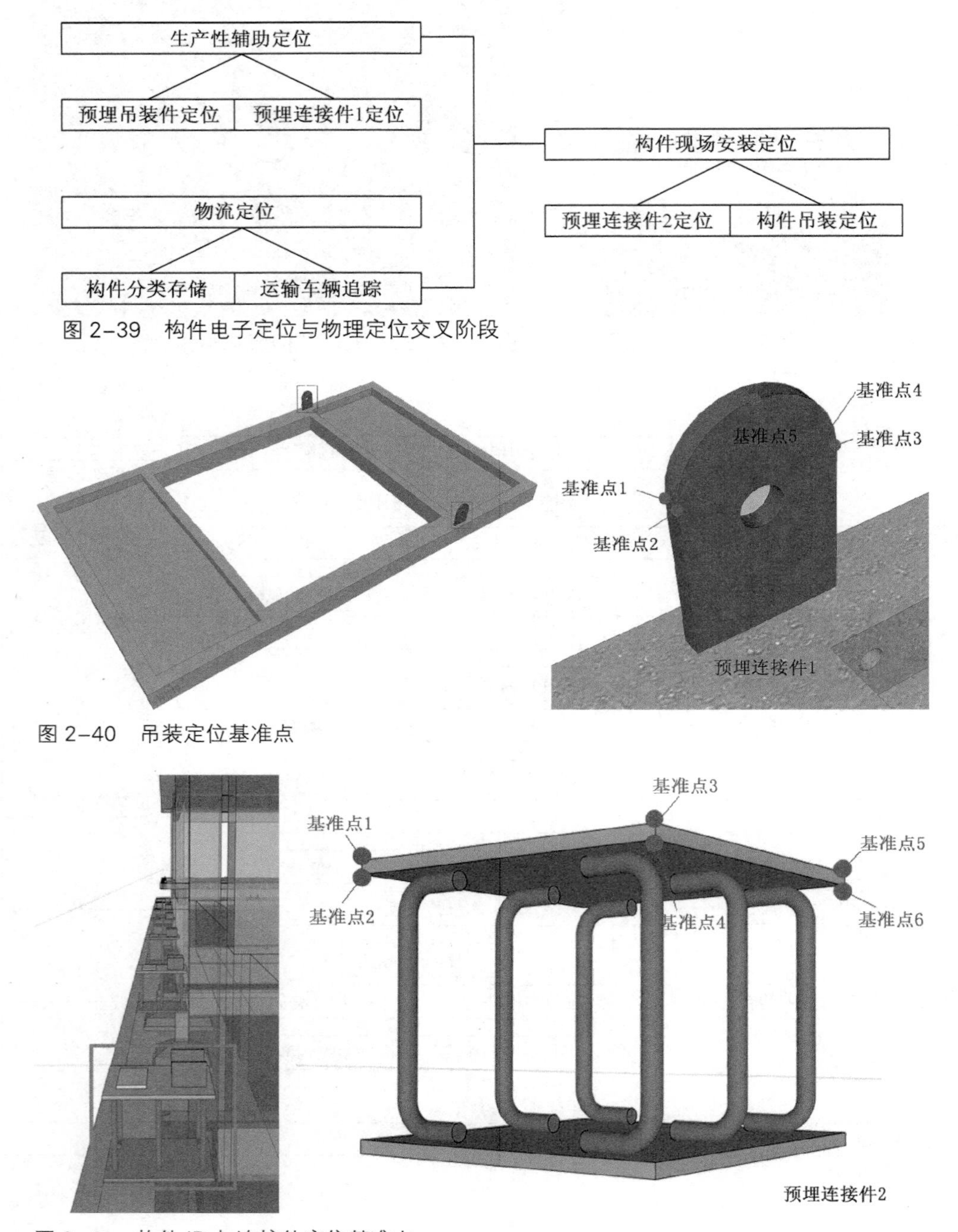

图 2–39　构件电子定位与物理定位交叉阶段

图 2–40　吊装定位基准点

图 2–41　构件 ID 与连接件定位基准点

然后数据库根据此数据来跟踪当前对象状态。

（2）物流定位：通过专用运输装备，将构件整体运输（图 2–42）。通过对专用运输装备的定位，对运输车辆与构件进行实时追踪。

（3）构件现场吊装定位：在施工进场阶段，通过对构件标签的扫描，获取构件 ID，以确定构件配置堆放的准确位置，减少人工操作失误。构件起吊时，通过激光扫描仪、全站仪等仪器，获取构件吊装最佳起吊位置基准点的三维坐标，将此坐标信息与数据库中设计信息相比较（图 2–43），确认吊装的准确性和接下来安装的可行性。

（4）构件现场安装定位：将构件吊装至安装位置时，扫描标签获取构件连接件基准点坐标，以确定安装的准确性。同时获取安装步骤，以指导工人正确安装构件。

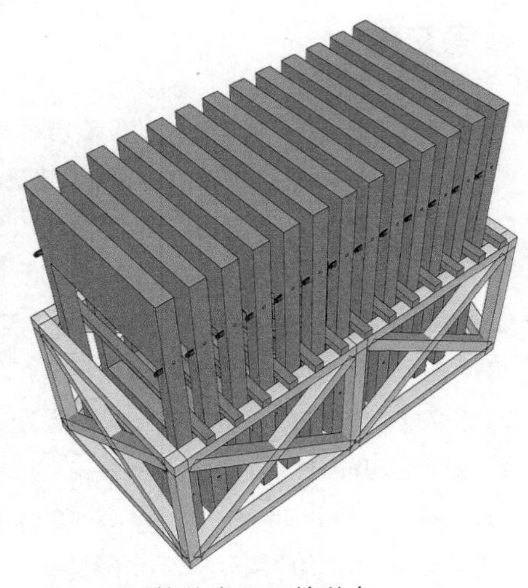

图 2–42　构件专用运输装备

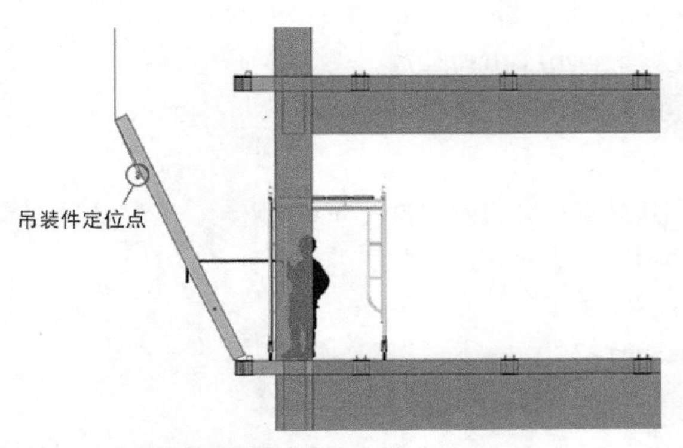

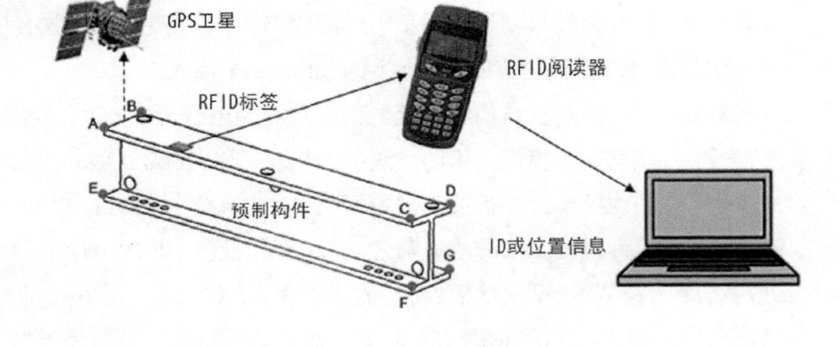

图 2–43　构件吊装时电子定位

2.3　总结

混凝土构件的成型与定位技术是建筑施工建造的关键技术，决定了整个项目的完成效率与质量。总体上说，混凝土构件的成型分为现场现浇成型与工厂预制成型两种方法，模具的发展为构件成型技术的进步提供了有力支撑。构件定位技术分为物理定位技术与电子定位技术。物理定位技术是构件装配与建造的关键。电子定位技术贯穿建筑全生命周期，辅助装配与建造，基于 BIM 信息平台和信息通讯系统，为物理定位提供可视化操作，细化定位的各个环节，控制物理定位的精确性，实时监控，及时传递与更新信息。

参考文献

[1] 叶海军，史鸣军．建筑模板的发展历程及前景 [J]. 山西建筑，2007, 33(31): 158–159

[2] 汪国辉，徐向华，沈泽勋，等．降低建筑木模板损耗的研究 [J]. 城市建设理论研究，2012(28)

[3] 糜嘉平．《组合钢模板技术规范》GB/T50214–2013 修订介绍 [J]. 施工技术，2014(5)：21–23

[4] 蔡金涛．全钢大模板体系的推广应用及存在问题 [J]. 施工技术，2015, 36(2)：45–47

[5] 侯君伟．我国新型模板技术的发展 [J]. 建筑技术，2002, 33(8)：568–570

[6] 糜嘉平，我国木胶合板模板的发展及存在的问题 [J]. 中国人造板，2010(5)：5–8

[7] 陈家珑，高淑娴，鲁铁兵．竹模板施工应用特性研究 [J]. 施工技术，1999(3)：47–48

[8] 张齐生，我国竹材加工利用要重视"科学"和创新 [J]. 竹子研究汇刊，2002，21(4)：12–15

[9] Noack D．Evaluation of Properties of Tropical Timber[J].Wood Sci，1973，5(5)：32–33

[10] 北京冀龙京达商贸有限公司易德筑新型模板支撑体系产品手册

[11] 叶海军，史鸣军．建筑模板的发展历程及前景 [J]. 山西建筑，2007, 33(31): 158–159

[12] 刘雪红，程海寅，陆建飞，等．铝合金模板体系施工技术及其效益分析 [J]. 施工技术，2012, 41(23): 79–82

[13] 邵广鑫．铝合金模板在建筑工程中的应用及其经济效益分析 [J]. 建设科技，2013(10): 75–77

[14] 戴桂扬．铝合金模板在建筑施工中的应用 [J]. 中国住宅设施，2012(10): 51–53

[15] 福建易安特新型建材有限公司官网：http://www.eante58.com/

[16] 杨嗣信．现浇混凝土结构中模板、钢筋及混凝土施工中的几个问题 [J]. 建筑技术，1994(02)：76–80

[17] 侯君伟．我国新型模板技术的发展 [J]. 建筑技术，2002, 33(8)：568–570

[18] 糜嘉平．国内外早拆模板技术发展概况 [J]. 建筑技术，2011, 42(8)：686–688

[19] 芦文江．早拆模板工艺的改进与建议 [J]. 建筑技术，2010, 41(8)：704–707

[20] 吕文良．快易收口型网状模板 [J]. 施工技术，2003, 32(2)：26–27

[21] 淳庆，张宏，朱宏宇．钢网构架混凝土复合结构住宅体系的关键技术研究综述 [J]. 工业建筑，2010(S1)：449–453

[22] 初明进，冯鹏，侯建群，等．钢网构架混凝土复合结构多层住宅墙体抗震性能试验研究 [J]. 土木工程学报，2009(07): 36–45

[23] 吴叶茂，张宏，王洪祥．泰锘石绝热混凝土模板住宅建造技术研究 [J]. 安徽建筑工业学院学报：自然科学版，2014(4):70–76

[24] 蒋勤俭．国内外装配式混凝土建筑发展综述 [J]. 建筑技术，2010, 41(12): 1074–1077

[25] 叠合板混凝土剪力墙结构技术规程（DB34）(安徽省地方标准)

[26] 李云峰．CL 结构体系应用技术研究与探讨 [J]. 建设科技，2008 (22): 59–61

[27] 李云峰，李军，张亚琴．CL 结构体系特点及应用 [J]. 建设科技，2008(08): 79–83

[28] 昆山生态屋建筑技术有限公司官网：http://www.livingbuilding.cn/Index.asp

[29] 袁昌立．集成 RFID 的智能化建筑系统研究．微计算机信息，2007,23(2):264–265

[30] Hammad A. Lifecycle Management of Facilities Components Using Radio Frequency Identification and Building Information Model[J]. International Journal of Canor Journal International Da Concer, 1985,35(6):799–807

[31] Ergen E, Akinci B, Sacks R. Life-cycle Data Management of Engineered-to-order Components Using Radio Frequency Identification[J]. Advanced Engineering Informatics, 2007, 21(4): 356–366

第三章　模架一体化装备的物质构成

3.1　基本情况介绍

混凝土结构施工过程，可概括为“运送、定型、定位、连接”；追根溯源，解决混凝土施工问题必须要找到两个“模”，一个是定型模，一个是定位模；而“模”之所以为“模”，其核心不在于“板”和“杆”，而在于“框”和“架”；而能形成模的“框”和“架”，其根基必须是“方”而不是“圆”；模不仅仅实现构件定型，更是工法和工艺的载体——定型系统以“框”为载体，“定位”系统以“架”为载体，把杂乱无章的物料组织起来形成集成模；该系统的目的在于设计一种框、架合一的施工装备。

3.2　建造设计逻辑

3.2.1　研发目标

用一套装备来实现钢筋混凝土结构体的定型与定位的一体化问题。为充分发挥现浇混凝土结构的原理性、本质性优势，适应我国国情，适用我国现行钢筋混凝土规范，顺应我国现有产业模式及施工组织模式，基于我国现有钢筋混凝土建筑结构特点和优点，利用现已形成的混凝土机械以及生产、运送的技术基础、装备基础、产业基础，面对混凝土结构施工问题，尤其针对现有结构配筋、脚手架、模板施工存在的问题，避免预制装配混凝土构件技术的根本问题和先天不足，而开发的用于现浇混凝土结构预组合装配、机械化建造的技术系统。

3.2.2　研发逻辑

混凝土结构施工的根本问题在于模板和支架的粗放型的施工方法，和由此产生的一次一安拆、人工搬运、高空作业的劳动方式；产生问题的原因在于没能弄清施工原理造成的思维逻辑、方法逻辑混乱。

因此研发逻辑达成以下四点规则：①定型定位一体化；②整体安拆；③架模分离；④钢筋组装后没有强度和刚度，不能承担施工荷载。

（1）混凝土结构施工过程，可概括为定型、定位、连接、浇筑；追根溯源，解决混凝土施工问题，必须要找到两个模，一个是定型模，一个是定位模，而模之所以为模，其核心不在于板和杆，而在于框和架；而能形成模的框和架，其根基必须是方而不是圆；模不仅仅实现形体，更是工艺载体，定型系统以框为载体，定位系统以架为载体，把杂乱无章的施工材料组织起来集结成模架。

（2）定型、定位、连接、浇筑施工过程的施工荷载用什么方法承载，是由模架完全承担，还是由架和钢筋构件共同承担，从而使装配施工更便捷，是要探索研究的关键问题。

3.2.3 实现功能

该工业化建造设计方法要求设计一种模、架合一的装备设施及施工方法，同时实现以下功能。

（1）预装功能——必须让模板、支架工程脱离工位完成，才能避免高空作业，才能利用地面或工厂装备进行施工。

（2）运送功能——必须实现组装好的装备整体搬运，以避免重复作业，反复安拆。

（3）吊装功能——必须能实现整体吊装，用机械化完成建筑施工。

（4）定型功能——必须提供可靠的混凝土定型的强度、精度，可以灵活拼合，反复周转。

（5）定位功能——必须能为建筑结构施工提供可靠的定位保障和操作保障。

（6）周转功能——必须能实现部配件的高效周转。

（7）通用功能——主要配件必须通用化、标准化、系列化。

（8）加工功能——装备部配件必须方便机械化加工，最好以冷加工、冷连接方式实现精密加工，精密组装。

（9）维修功能——各种部配件相对独立，避免焊接，避免一件破损连累其他。

（10）应变功能——必须具备适应各种结构和各种构件的可变性、灵活性要求。

（11）独立功能——必须能够独立完成上述任务。

3.3 宏观建造设计方法

从宏观来讲，本次实验由模板和脚手架这两个大部分组成，它们两个恰恰是现阶段传统手工建造方法中最占用人工、最拖延工期、最容易出现隐患、最难控制质量及机械化程度最低的两个部分，其他施工部分，如土方工程、运输工程、混凝土浇筑工程等装备化及模块化程度较高，发展也较为完善。这两大部分是制约现阶段钢筋混凝土结构体装配施工技术，尤其是高层钢筋混凝土结构体装配施工技术发展的两块短板。

3.3.1 组合框模

该工业化建造设计方法中，采用组合框模来实现对于传统木模及钢模的替代，以实现在模板工程上的工业化优化进步。

组合框模、构件框模、模架结构及其安装和拆卸方法。组合框模是由模框、模筛和模箍组合形成的平面或立体组合网格框模（图 3–1）。该框模可以相互拼装形成墙、板、梁、柱构件框模，还可以与构件钢筋拼装成

图 3–1 组合框模

配筋构件框模，还可以继续拼装形成吊装框模组块或包括墙、板、梁、柱构件框模配套的整体模架结构。该框模体系可以实现大件组块的整体吊装以避免大量的高空作业。同时模筛所包括的渗滤模板可减少混凝土侧压力，提高混凝土性能。模框、模筛和模箍能够方便标准化、产品化配套加工，可以轻松、快捷、规整、准确、安全完成模板工程，从根本上改善传统模板施工方法。

3.3.2　独立模架

该脚手架是基于方管的脚手架体系，其可以独立支撑、独立就位、独立搁置，因此成为独立架。该螺杆销夹板节由节核、夹板和螺杆销组合构成。一榀独立架由 4 根立杆、8 根横杆、8 个螺杆销夹板节相互组合连接形成的框架单元组成，或是由 2 个及以上框架单元拼装而成的拼合框架。独立模架包括独立架、模板和定位杆（图 3–2）。该建造设计方法将通用配件连接成平面框或架，实现以框为模，以架为体，组合形成整体模架装备，根据混凝土施工工艺特点，组织形成集成装备，利用大机械化吊装施工。在施工过程中以独立模架作为施工辅助周转装置，简单、便捷、灵活、实用、多用、多能，以机械化方式完成整体预装、搬运、吊装、定位、定型、合模、脱模的全过程周转性施工，实现减少搬运、安全操作、减少损耗、节约环保、精准施工。

图 3–2　独立模架

3.4　模架一体化装备的物质构成

生产阶段各类构件的生产加工步骤按照下述表格层级顺序进行，从最初级的一级工厂化散件生产、二级工厂化的组件，到最后三级工厂化完成后生产出可以直接供给工地使用的吊装构件。下述表中内容即工厂产品生产的全部过程，其中三级工厂化全部在工厂端完成，后续项目开展可以直接在工地车间完成，从而提高运输效率，降低成本（见表 3–1，图 3–3）。

表 3-1 层级构件汇总表

<table>
<tr><td></td><td colspan="6">独立架</td><td colspan="5">模板</td><td colspan="2">堵头</td></tr>
<tr><td>一级工厂化</td><td>主杆</td><td>斜拉</td><td>顶杆</td><td>节核</td><td>底座</td><td>托梁</td><td>模框</td><td>模筛</td><td>模箍</td><td>抱杆</td><td>抱槽</td><td>模框</td><td>模箍</td></tr>
<tr><td>二级工厂化</td><td colspan="6">独立架</td><td colspan="3">单片模板</td><td colspan="2">抱箍</td><td colspan="2" rowspan="2">梁柱堵头
梁板堵头</td></tr>
<tr><td>三级工厂化</td><td colspan="11">柱模架、梁模组、板模组</td></tr>
<tr><td>现场总装</td><td colspan="13">组合模架</td></tr>
</table>

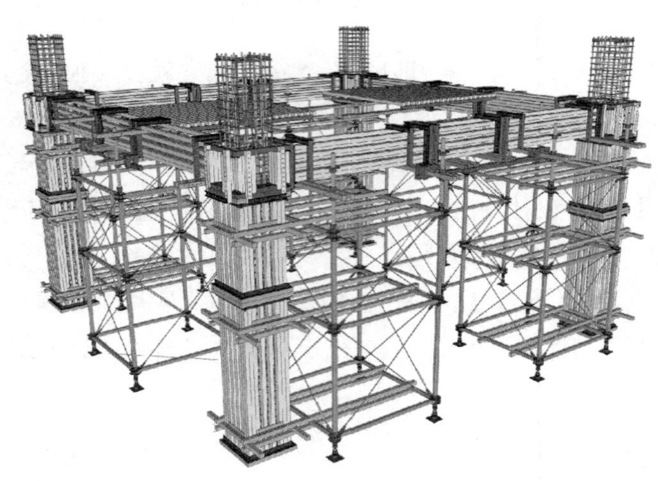

图 3-3 构件层级

3.4.1 一级工厂化阶段

1. 独立架部分

1）主杆

主杆的加工原料为 60 mm 镀锌方管，壁厚 4 mm，每米重量为 7.02 kg，原材料单根长度为 6 000 mm。主杆目前有三个型号，即主杆 -1800、主杆 -1500、主杆 -1200，实际长度分别为 1 740 mm、1 440 mm、1 140 mm。加工步骤为先使用锯床准确切割成需要的尺寸，然后通过摇臂钻床在各距两端 30 mm 的部分钻直径 16 mm 的对穿孔，至此主杆加工完毕。

后续改进措施：由于对穿孔中心距端头一律为 30 mm，如果采用冲床加工对冲圆孔，再加以相应模具辅助，可以极大地提高生产效率。

2）斜拉

斜拉为保证独立架横向稳定的支撑构件，由溧新冶金机械配件有限公司（以下简称溧新机械）加工。斜拉以固定斜拉和活动斜拉 2 个组成一副，固定斜拉由直径 16 mm 圆钢和 2 个斜拉节板组成；活动斜拉由 2 段直径 16 mm 丝杆、1 个 16 mm 花篮扣和 2 个斜拉节板组成。圆钢、丝杆与花篮扣均为市场采购件，斜拉节板为自生产件，生产步骤为：（1）使用剪板机将 5 mm 厚钢板剪成需要轮廓尺寸；（2）使用数控线切割加工斜边、开槽及开中心圆孔；（3）使用折弯机折到固定角度。斜拉节板加工完毕后分别与圆钢和丝杆采用氩弧焊接成整体（图 3-4）。

3）顶杆

该部件为独立架最顶端承托托梁上端荷载的竖向构件，该部件由三部分组成，分别为 50 mm 直径 T 形扣丝杆，螺距 12 mm，长度 1 200 mm；配套螺母；120 mm 直径中空托盘，中心钻直径 55 mm 圆孔，厚度 10 mm。每根丝杠配套三个螺母与两个托盘，其中两个托盘和两个螺母焊接一体。托盘中空部分由摇臂钻床打孔加工而成，托盘与螺母采用氩弧焊接（见图 3–5）。

图 3–4　斜拉

4）节核

节核为独立架内部连接各向杆件的节点，由节板、节套和节芯三部分组成，节板和节套通过焊接成为整体，节芯与节套通过两颗 M16 螺栓连接。

图 3–5　顶杆

节板由 5 mm 厚钢板加工而成，本次加工采取两种方式。①由激光雕刻机床直接雕刻而成，加工速度快，实测时间为 1 分 20 秒；整体精度高，但由于该厂家的激光雕刻机功率较小，烧灼温度低，节板边缘有不同程度的毛刺存在，需要做二次精加工。②溧新机械提供了第 2 种手工加工方式，即第 1 步先用剪板机将钢板剪成轮廓尺寸；第 2 步使用台式乙炔切割机将四角切掉（图 3–6）；第 3 步使用线切割割掉中心方孔；第 4 步使用摇臂转床加工 4 个圆孔。

图 3–6　节板切割

节套为 4 mm 厚 60 镀锌方管加工而成，加工方为溧新机械冶金机械配件有限公司。具体步骤为先使用锯床切割成 180 mm 的小段，然后使用摇臂钻分别在距离两端 30 mm 处加工 16 mm 直径圆孔。

节芯为 3 mm 厚 50 无缝圆管满打 16 mm 圆孔。由于截面为圆形且开孔量巨大，采用手工方式加工质量不能保证，而且价格较高，如 1 200 mm 的范围内需要开 80 个圆孔，厂房采用数控冲管机报价为 80 元每根且包含材料费，南京地区使用钻床手工开孔的加工费要 3 元每孔，经过测算光加工费每根就需要 240 元。

后续改进措施：节板的加工是整个节核加工过程中最费时费工的一步，如果采用大功率大型数控激光雕刻机床即可解决边缘毛糙的问题，避免二次精加工，节省一步工序从而提高生产效率。

5）底座

底座是整个独立架分项最为复杂的部分，也是功能要求最严苛的部分。不同于一般脚手架的可升降底座，高度改变的同时需要底板自身旋转，这也就导致了整个底座的上下部分之间会产生相对转动。而本独立架由于后续安装步骤及周围配套设置的原因，对底座提出了两点要求：①可升降，这点很容易达成；②升降的同时上下端不能产生相对转动。基于以上要求进行调研及设计，利用成熟工业产品——轴承来解决升降且不相对转动的问题，由于是成熟产品，每个轴承的价格为 12 元，如果采用低速轴承，采购成本还可以降低 30%。

底座由下部底板、中间丝杆和上部套管组成（见图 3-7）。下部底板由 10 mm 厚 180 mm × 180 mm 钢板、100 mm 长度 90 mm 直径 4 mm 厚无缝钢管、2 个 80 mm 直径轴承、120 mm 直径中空圆盘和 20 mm 长 50 无缝钢管组成。中部由 40 mm 直径 T 扣丝杆和 1 个配套螺母组成，其中螺母需要铣出 10 mm 深 54 mm 直径凹槽，然后将丝杆与底板部分轴承内侧焊接成一体，接着将铣过的螺母套进丝杆，旋转至内沿距离底板 3 mm，就位后将螺母和丝杆焊接。上部套管由 600 mm 长 50 无缝钢管与螺母组成，其中钢管需要冲孔，与节核部分的节套为同一部件，钢管与螺母需要焊接。

图 3-7　底座

此底座在解决了以上 2 点要求的同时具有防尘效果，由于底部部分上端与内凹螺母互相咬合，一定程度上避免了水泥浆灌入轴承内部而影响使用寿命。现场使用时如果能够外加塑料套袖将其保护，可以保证下次使用时升降的顺畅程度。

6）托梁

托梁是梁和板的荷载传向独立架的中继部件，其自身的强度和刚度与混凝土施工过程的稳定性休戚相关。托梁为 60 mm × 120 mm 薄壁 C 型格构钢，壁厚 5 mm，长度有 2 400 mm 和 3 000 mm 两种型号。由于本次加工数量较少，故采用折弯机加工，具体步骤为通过校平机和剪板机将成卷的 5 mm 厚镀锌钢板加工成所需要 C 型钢的展开尺寸，然后通过折弯机将平面板材经过四道折弯工序加工为成品。此产品由大友钢材加工。

后续改进措施：折弯机效率低且精确度不高，量大的情况下可直接使用专用 C 型格构钢加工机器加工，效率和成本都可以得到相应的优化。

2. 模板堵头部分

1）模框

由 2 mm 厚 60 镀锌方管加工而来，原料成品长度 6 000 m。定尺截断时需用锯床进行切割，如用砂轮切割机会导致切口不平整，影响二级工厂化的完成质量。模框顾名思义，实际为单片模板的内部支撑框架，模板能否达到强度、刚度及多次周转取决于模框的强度与刚度。

2）模筛

模筛为 0.7 mm 厚穿孔镀锌钢板，冲孔直径为 2 mm，孔间距 10 mm，本次使用的加工尺寸为 2 000 mm × 600 mm。该散件的作用为在现场混凝土浇筑时与模框一起为其塑形，同时穿孔板表面的小孔可以将混凝土中的一部分水分滤出而保证将混凝土拦在内部。此种做法的好处有两点：①降低混凝土侧压力，降低模板的应力荷载；②相对减小混凝土水灰比，提高表面强度。具体安装方法为通过手电钻用燕尾自攻钉将模筛钉在模框上，钉眼密度不大于 300 mm；由于厚度较小，不同张数间可以层叠钉在一起。

3）模箍

模箍为单片模板之间的连接过渡件，由两部分组成：①冲孔 60 方管，厚度 4 mm，满开 16 mm 圆孔，孔距 60 mm；②冲孔 60 角钢，厚度 3 mm，满开 16 mm 圆孔，孔距 60 mm。冲孔方管与冲孔角钢由 M16×40 螺栓连接。模箍分为正负两款，其中正款为冲孔方管长度大于冲孔角钢，一边长度大于 60 mm；负款的冲孔方管与角钢的相对位置相反，每边冲孔角钢大于冲孔方管 60 mm。

4）抱杆

抱杆为模板与独立架拉结的中转构件，由 4 mm 厚 60 镀锌方管对穿冲孔加工而来，孔距 60 mm，孔径 16 mm。

5）抱槽

抱槽为在抱杆上固定模板的构件，由 3 mm 厚 60 mm×30 mm 槽钢冲孔加工而来，孔距 60 mm，孔径 16 mm。

3.4.2　二级工厂化阶段

1. 独立架部分

独立架由主杆、斜拉、顶杆、节核、底座和托梁 6 部分通过 M16 螺栓拼合而成，无焊接点连接。本次使用的平面轴线尺寸一律为 1 800 mm×1 800 mm，后续根据具体建筑平面布局，还会出现 1 200 mm×1 200 mm、1 200 mm×1 500 mm、1 200 mm×1 800 mm、1 500 mm×1 500 mm、1 500 mm×1 800 mm、1 800 mm×2 400 mm 等尺寸。立杆高度为 1 200 mm、1 500 mm、1 800 mm 三种，根据层高合理组合，小于 300 mm 的尺寸通过转动顶杆来进行调节。

具体安装步骤为先在工装平面上进行底部框架的侧向成片的安装，然后将其竖直再安装中间连接横杆及斜拉，至此底部一榀框架安装完毕。然后以此为基础，进行上部框架的安装，步骤为：①先装四个立杆；②进行四个顶部节核的安装；③顶部四个横杆安装；④安装八个斜拉；⑤四个顶杆安装；⑥托梁安装。每个独立架的安装清单见表 3-2、图 3-8。

表 3-2　单榀独立架安装清单

序号	名称	数量
1	主杆 -1 800	12 根
2	主杆 -1 500	4 根
3	主杆 -1 200	4 根
4	斜拉 -1 800×1 500	4 对
5	斜拉 -1 800×1 200	4 对
6	顶杆	4 个
7	节核	12 个
8	底座	4 个
9	托梁	4 个

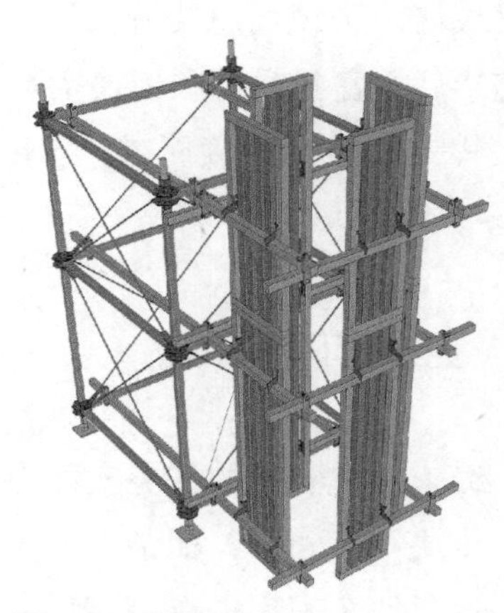

图 3-8　单榀独立架

2. 模板部分

1）单片模板

此步骤为模框、模筛和模箍三者组合成单片模板。加工顺序为：①根据单片模板的外延尺寸调节工装夹具，此处采用下公差，即实际尺寸略小于设计尺寸；②将预先切割好的模框杆排入夹具中，长向杆件间距不大于 60 mm，模框杆之间采用氩弧焊接；③将模筛铺设在模板表面，相互之间搭接长度不小于 60 mm，纵向多余的部分使用手持切割机切除；④使用手电钻通过燕尾自攻钉将模筛固定在模框上，固定间距不大于 300 mm；⑤将模箍方管焊接在模板两侧，模箍角钢采用两个 M16 螺栓与模箍方管连接。至此，单片模板加工完毕，模板的双向最大尺寸均不大于 2 400 mm。

2）抱箍

抱箍为模板安装在独立架上的连接构件，二级工厂化阶段的工作为一级工厂化阶段的产品——抱杆和抱槽两个散件的拼接，步骤较为简单：通过 M16 螺栓将两根抱杆和抱槽铰接。

3. 堵头部分

堵头部分为现场阶段连接不同种类模板之间的中介部件，本次加工所有堵头由溧新机械生产。

1）梁柱堵头

梁柱堵头为现场总装阶段柱模架和梁模组安装就位后连接柱、梁模板及密封两者之间空隙的部件，该物品加工精度要求高且应具有一定的误差调节能力（图 3–9）。主体部分采用 60 薄壁镀锌方管焊接成型，端头加焊 60 壁厚 4 mm 冲孔镀锌方管作为现场阶段的连接法兰，具体型号由柱宽及梁高梁宽这 3 个尺寸决定，该部件为非通用定制件。

图 3–9　梁柱堵头进行吊装实验

2）梁板堵头

梁板堵头为现场总装阶段梁柱堵头及板模组安装完毕后，密封梁模和板模空隙的部件，由 60 薄壁镀锌方管组合焊接而成，长度有 2 400 mm、1 800 mm、1 500 mm、1 200 mm、900 mm、600 mm 及 300 mm 共 7 种尺寸。

3.4.3　三级工厂化阶段

三级工厂化阶段的任务实际上并不是集中在工厂阶段完成，理想的完成地点为建造现场，在工地上开辟一小块“车间”，配备小型龙门吊、工装平台等相应辅助机具，二级工厂化的产品生产完毕后通过运输到达工地车间，进行组装后由塔吊直接吊装到工位，这样三级工厂化到现场总装阶段的运输过程不受公路运输尺寸的限制。但是由于本次操作过程的种种客观限制，三级工厂化阶段的所有工作在溧新机械完成。

此阶段任务简单概述为：独立架与单片墙模板通过抱箍组成墙模架；单片梁、板模板之间组成长度不超过 2 400 mm 的梁模组和板模组。安装好的构件可以直接装车通过公路运输到工地，通过塔吊吊装就位。如果信息系统畅通且有效，可以做到运输终点不卸车直接吊装就位，节省场地。

第四章　江北车库建造示例

该建筑工业化实验基地位于南京市江北地区江苏省建工集团下属商品混凝土搅拌站院内，建筑面积较小，仅为 6 600 mm 开间三跨，4 800 mm 进深一跨。麻雀虽小但五脏俱全，钢筋混凝土主体结构中所能接触到的墙、板、梁、柱四种构件中本案涉及其中的三样（图 4–1）。该项目作为工业化建造项目的第一个实验基地，实验目的在于以下两个方面：

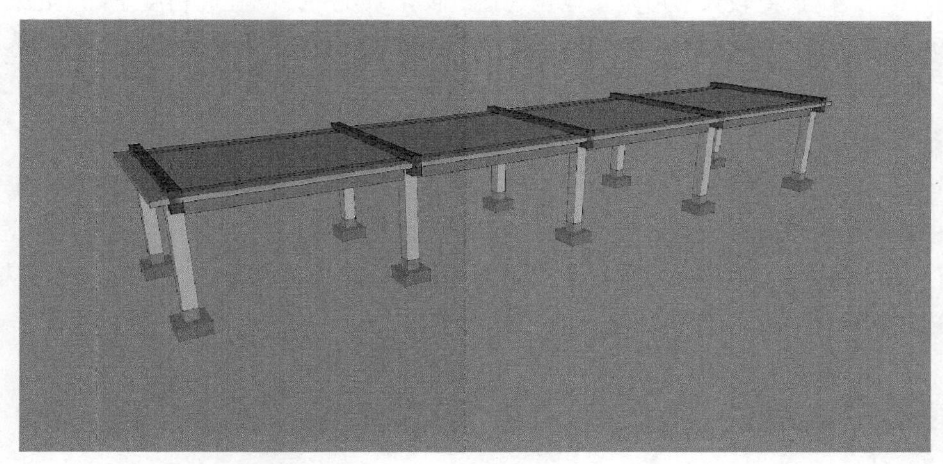

图 4–1　实验结构体示意图

从宏观上来讲，验证此套钢筋混凝土工业化建造设计方法的逻辑正确性、技术路线方向性和承重技术的可行性。

从微观上来讲，验证支撑起此套建造设计方法的各单项技术点的正误，是否达到预期目标、后期可研发性及技术可解决性。

因此本案的实验结果成功与否不是以一般工程项目的标准来衡量的，更多的关注在建造设计逻辑本身以及技术的可实施和后续发展能力。

4.1　基本情况概述

4.1.1　地点选择

实验地点位于浦口区聚龙路尽端的江苏省建工集团商品混凝土搅拌站内，建筑占地原位置为办公楼前的停车场区。由于场地所属企业的性质，可以保证泵送混凝土的随时调用。该地离江北最大的建材加工市场——弘阳广场约 10 km，由于地处市郊，交通通行情况较好，实际从实验场地到市场开车大约 40 分钟，可以方便实验物品及器材的采购。

4.1.2 实验施工人员选择

该项目基于的建造设计逻辑与以往手工建造方式相比较为不同，因此在实际施工操作人员的选择上有着自身较为特殊的要求。

除了最后一步混凝土浇筑之外，其余全部工作均为装配作业，没有湿作业，因此建筑工地上常用的瓦工派不上用场，而钢筋工仅仅懂得钢筋的现场切割、折弯和绑扎，也不是合适的人选。

传统工地上模板和脚手架一般由木工来完成，因此在初期实验阶段启用了木工进行施工，但由于工地上的木工习惯于传统的低精度施工，普遍认为 2 cm 以内的误差都可以接受，后期瓦工可以一把灰找平，因此施工效果欠佳、装配误差较大。但是工业化建造的模架系统是建立在高精度基础上的，以装配为主，1 cm 的误差就可以造成整个模架的拼接出现问题。而且大部分木工不会电焊操作，而这在初期技术摸索阶段是经常用的加工手段。

最终经过不同批次工人的试用，确定以机修工为主体建立施工队伍。实验项目启用的 4 名机修工为该搅拌站的正式员工，日常工作为对大型混凝土搅拌设备进行日常维护，因此他们具有木工、电工、瓦工、钢筋工等多工种的专业技术背景，且由于搅拌站的混凝土生产设备较为高大，他们普遍能适应高空操作。虽然该实验项目仅有一层且工人施工工作面最高不会超过 4 m，但是能适应高空操作可以从侧面保证安全及实验施工的顺利进行。

4.1.3 场地情况

实验场地为该搅拌站办公区的小型车停车场，地势平坦但表面铺设了植草砖，西南高东北低，具有 1% 的排水坡度。场地位于厂区的围墙边沿，且对外道路畅通，为后期物料的运送提供了便利。场地附近有自来水接入，在西侧有 380 V 动力电接入。由于靠近传达室，场地上物品的安全问题可以保证。

4.2 微观关键技术点

本次试验除了验证宏观建造设计方法的可行性之外，还需要对支撑整个建造体系的各技术细节进行逐一试验评估分析，正是这些关键技术点的验证才承托起了整个宏观逻辑的可实施性。

4.2.1 模架稳定性

模架系统在钢筋混凝土工程全过程中承担所有荷载，这其中包括钢筋制作过程中人员、设备及钢筋荷载，混凝土浇筑过程中产生的冲击震动及混凝土自重，拆模过程中模板掉落的冲击荷载。因此模架自身的强度及刚度尤其重要。这虽然只是一个微观技术点，但是关系着整个新型钢筋混凝土建造方法成立与否。而在整个混凝土施工过程中，浇筑时模架承受的荷载最大。本次实验过程中，模架系统在柱、梁混凝土浇筑的过程中没有发生形变、位移或局部破坏。

4.2.2　渗滤模板

此次渗滤模板的应用目标为：①降低浇筑时模板侧压力；②降低水灰比，减少表面裂缝产生；③提高混凝土表面强度；④提高混凝土早期强度。

浇筑时未凝结的混凝土是流体，因此传统模板在进行柱或者墙的混凝土浇筑时，模板侧面的压强等于此深度流体的压强。由于混凝土密度是水的 2.5 倍，而一般公共建筑的柱高普遍在 4 m 左右，此时柱底模板的侧压力为每平方米 10 吨。如此带来了一系列的后果，直接导致了模板的承载力增加，自重同时跟着上升，而传统施工中模板的搬运完全依靠低效的人工来完成，最终导致了建造速度低，只能采用人海战术。在劳动力资源日益紧缺、工资标准节节攀升的今天，此问题尤其突出。

渗滤模板的原理是通过模板表面的小洞在浇筑时将混凝土中的自由态水分滤出，保留水泥、沙子和石子等结合态固体成分，由于自由态水的压力被释放出来，原来的流体压力变成了现在的结合态固体压力，模板表面侧压力大大降低。

本实验经过两次完成，第一次为验证 0.7 mm 镀锌钢板在 60 mm 间距模框的支撑下表面平整度，及 2 mm 孔洞对混凝土固定部分的阻隔是否有效。实验柱高 2 400 mm，截面 400 mm × 400 mm，采用木模框实验，抱箍间距 600 mm。在浇筑过程中，2 mm 孔洞可以有效地将水分滤去且仅有极少量漏浆，模筛处未发生明显变形（图 4–2）。第二次实验为验证 1.5 mm 厚金属模框的承载能力，实验柱高 3 000 mm，截面 420 mm × 420 mm，外侧抱箍间距为 1 200 mm。浇筑过程中未发生炸模变形等异常情况。两次拆模均较为顺利，未发生担心的模板黏合难以拆除的情况，简单撬动就可将模板卸下。

图 4–2　渗滤模板承载实验

4.2.3　混凝土质量

混凝土浇筑实验的模板有一部分为实心，其余部分为渗滤模板；混凝土强度 C30，室外气温 15~20 摄氏度。3 天后拆模，表面平整度较好，带有规则的 2 mm 小凸起，如果表面做抹灰处理则能提高黏结强度（图

4–3）。经过回弹仪测算，实心模板部分表面强度达到 50%，渗滤模板表面强度达到 80%。究其原因，渗滤模板将自由态水分滤出，降低了水灰比，提高了混凝土强度。

4.2.4 顶杆承载力

梁板混凝土施工时，大量的荷载通过顶杆传递到独立架上，而顶杆由于具有伸缩功能，因此形成悬臂构件且容易失稳。该独立架的单根顶杆的额定承载能力为 2 吨，为了验证其极限承载能力，采用双臂液压机对顶杆进行破坏性试验。实验结果为最大承受荷载 8.5 吨，为设计承载能力的 4.25 倍（图 4–4）。

4.2.5 可调底座

由于该模架体系为整体安拆及吊装，而非散架施工，因此对于承载面要有一定的适应能力。由于此次试验条件有限和底座设计问题，未能试验模架整体吊装，实际通过人工进行搬运。底座试验的可伸缩范围为 10 mm，通过底部可调螺杆进行高度升降，从而对整个模架系统进行调平。实验过程中，通过管钳对螺丝进行转动，模架升降过程顺畅，整个过程各部分较为平稳，未发现较大变形及局部破坏。

4.2.6 模架大模块安拆

传统模板脚手架施工采用蚂蚁搬大象式的零散施工，每块模板每根脚手架都是靠人工进行安拆，效率极低；且每次进行转场作业要将其拆成完全零碎的小件然后在下一个工位再重新装起来，重复性工作较多。本次试验将模和架分成较大的模块进行安拆，其中每个独立架自成一体，独立放置，安拆过程中为整体移动。模板则分成了 4 片，通过抱箍和独立架进行拉结以保证强度及稳定性，独立架安拆分为大型模块进行整体开合。

图 4–3 混凝土表面质量

图 4–4 顶杆承载力实验

4.3　实验结果分析

通过历经数月的实验，对于此套建造设计方法的宏观路线及微观各关键支撑技术点进行了充分的实验及实证。具体优点、存在问题和亟待解决的技术难点如下所述：

4.3.1　系统优点

（1）省时，相对传统施工方法，节省了大量的模板和脚手架装拆时间。
（2）省工，减少人工搬运，大量使用机械化作业。
（3）较少模架装拆，不用拆装脚手架。
（4）节约资源，模板反复使用。
（5）质量好，体现在精度、强度上。
（6）安全性好，减少高空作业。
（7）垃圾产生少，由于没有湿作业，现场垃圾产生量极少。

4.3.2　待解决问题

1. 底座一体化

虽然底座实现了稳定升降，但是由于关键位置技术还未解决，导致底座上下缺乏有力的连接，即螺杆是直接插在底板上的，如果进行吊装作业，底座上下会脱节，而由于后续建造会经常进行模架的整体吊装，因此要求底座的上下连接要特别可靠，仅仅使用铁丝缠在一起是完全不能保证安全的。归根结底，底座的关键点在一体化问题，即底座中间部分转动升降而上下端相对不转动且成为一体（图4–5）。

图 4–5　现阶段底座

实验过程中也发现其他问题，如经过使用一次之后发现水泥浆会在螺杆上粘连，放置一段时间之后变硬，从而造成螺母转动困难，影响下一次的使用。事后进行人工清理已被证实工作量太大且效果不好，因此需要进行构造及遮挡物设计，使水泥浆在混凝土浇筑过程中就不会粘连到螺杆上。

以上是底座下一步设计要重点攻关的关键技术点，应该借鉴机械、汽车、航空等其他相关专业的成功经验，此问题的解决需要一定时间的摸索论证，但不是不能攻克的难关。

2. 交接位置

图 4-6 交接部分混凝土脱模效果

本次实验过程中，梁柱接头位置采用 1 mm 镀锌钢板折弯后与梁柱进行自攻钉拉结，浇筑前目测效果良好，但是浇筑过程中，由于采用泵车进行输送，冲击力量较大且混凝土成分中的石子体积小速度快，对接头部位钢板局部冲击压强较高，造成局部自攻钉滑脱，接头板扭曲变形。拆模后发现所有接头部分混凝土表观质量均未达到预期目标，个别部分变形较为严重（图 4-6）。

据以上分析可知，接头部位不光承受流质混凝土对其内表面的均布荷载（此荷载沿深度方向成线性递增），且自身也需要具有足够的刚度和多向强度。原方案中接头板由于自身呈二维片状，承受多向荷载能力较差，因此难以符合要求。在新的设计中，接头部分应该以"体"代"面"，自身应具备足够的强度及刚度，且能够方便地与衔接部分进行可靠连接。

3. 顶杆设计问题

顶杆采用壁厚 4 mm 的 50 镀锌方管，对穿冲孔，直径 16 mm 孔距 60 mm。本次实验可以基本满足使用要求，但是存在以下问题：

（1）由于进行对穿冲孔加工，在周长 200 mm 长度的截面上损失了累计 32 mm 的实际受力长度，截面积损失率达到 16%，在一定极端情况下有可能影响模架上端的整体稳定性，特别是在结构板的混凝土浇筑过程中，且此种设计方法与现行脚手架规范有一定的冲突，在后续的产业化应用中需要对其单个技术点专门召开专家论证会。

（2）由于采用固定步长，因此在底座已经调平的情况下仅靠顶杆无法进行小尺寸的精准调节，如果顶端出现误差，只能依靠垫木楔子等土法来解决，现场施工时又人为地增加了一道工序，降低了施工效率（图 4-7）。

图 4-7 固定步长伸缩顶杆

4. 未完成问题

由于行政沟通方面的原因，项目实验过程中受到了城管方面的阻挠，本次试验未对板部分混凝土进行浇筑。工程完成至板模板安装完毕，板钢筋绑扎完毕。因为完整的梁板柱混凝土块施工过程缺少了最后一步，故没能在板浇筑过程中实际测试模架的稳定性。虽然最后对顶杆的承载能力进行了上机验算，但是从整个实验过程来讲还是不完整，因此后续要对该部分实验进行补充（图 4–8）。

图 4–8　实验房最终情况

第五章　工业化装备生产线研究

5.1　基本情况概述

5.1.1　区域产业分布特点

本次生产厂家的选定集中在南京及上海两地的四家不同类型的企业，但是由于本次生产加工在工业化模式下运作，产品质量要求高、加工技术复杂、不同部件间沟通工作量大，因此在初期加工时对南京、上海、浙江三地进行了企业考察。

1）江苏地区

作为全国经济发达地区的江苏，地理位置优越，钢铁生产虽然不能跟上海宝钢相比，但是省内还是有一些中型规模的钢铁企业，产品类型大多为建筑用螺纹钢等低附加值产品。具有一定数量的钢材粗加工企业及机械构配件加工企业，开放型对外加工企业的设备主要以传统手工机具为主，对外来料加工的大型数控机具较少。工人工资待遇普遍处于较低的水平，一般普通机床操作工月薪大约在 4000~6000 元。

2）上海地区

上海经济发展迅猛，对周边城市具有强烈的辐射带动作用。特别是本地具有中国首屈一指的大型钢铁生产企业——宝钢，且其生产的高附加值产品具有极高的市场占有率，如汽车使用的 1200MPa 超高强板材占了超过 50% 全国市场份额。由于靠近钢材生产端，因此相关钢材加工市场潜力巨大，各种类型的配套加工企业也遍布在上海郊区的各处。上海到南京距离为 280 km，高铁最快通行时间为 80 分钟。

上海本地钢材加工企业数量众多且技术实力雄厚，而且大多为开放型结构，普遍承接对外加工业务。如本次调研的九星不锈钢市场就是上海最大的钢材加工市场之一，位于上海外环，靠近虹桥枢纽，区位优势明显，进出市场可以避开上海市区拥堵的交通。市场内加工企业众多，各家加工设备大多以数控大型设备为主，整个市场找不到一台手工冲床，由于激光雕刻机数量众多，导致切割不锈钢时使用的液氮与切割钢材用的液氧需求量大，场内甚至配备了液氮液氧专用输送罐车，随时进行液氮液氧加注服务（图 5–1）。市场内各家加工企业的工人普遍不喜欢也不愿意使用手工机具和车床，他们认为传统方法

图 5–1　上海九星不锈钢市场内液氮运送车进行液氮加注

加工效率低下且收入太低，如上海神彩的数控机床操作工人年薪在 10~13 万。

3）浙江地区

浙江是中国经济最发达的省份之一，其省内大型钢材生产企业仅一家，为杭州钢铁集团，其他均为中小型企业，产品也大多以中低端为主。虽然浙江本地的钢材生产不算发达，但是由于本省内各类钢材需求企业众多，靠近钢材产业链的需求端，再加上由于经济全球化的发展，浙江省各地涌现出众多以出口加工为主的，甚至全部订单均为满足外需的企业。由于加工需求量大，且质量要求尤其是出口加工质量要求高，使得浙江省内的钢材加工业得以极大的发展，且由于大多数加工厂家为外向订单型，本身只做某一产品的其中几个环节，自身不具备完整的产品生产链，所以在浙江省内很容易找到对外做数控精密加工的生产企业。如本次调研的嵊州市虽然行政级别为县级市，但是 GDP 甚至超过沿海地区一些地级市，本地区钢材加工企业众多，技术实力虽然不能跟上海地区相提并论，但由于大部分业务来自外贸出口，产品质量要求高，技术实力还是处于较高的水准。所有工厂化的加工任务其实均可在该市内完成。但是浙江距离江苏省路程较远，嵊州到南京距离为 450 km。

5.1.2 生产企业选择

考虑到物流成本及人员现场指导协调等综合因素，应该就近选择生产加工企业，本次工业化建造生产阶段绝大部分工作集中在南京的两家及常州的一家生产企业完成。但是由于本地缺少对外加工数控冲管与数控激光切割的企业，少数精度要求较高的部件，如厚壁圆管冲管在南京本地没有相应具有数控冲管设备的企业做对外加工，不得已只能拿到外地进行加工，综合考虑上海和浙江两个备选方案后，最终确定在上海进行生产（图 5–2）。

图 5–2 在上海进行冲孔加工的无缝钢管

5.1.3 备选企业基本情况

本次工业化建造合作生产厂家共有四家，其中南京有两家，分别为大友钢材加工和溧新机械，两家工厂相距 70 km，分别位于浦口区与溧水区石湫镇；常州有一家，为江苏圣乐机械有限公司（以下简称圣乐机械），位于常州市武进区，距离南京 160 km；上海有一家，为上海神彩不锈钢有限公司（以下简称上海神彩），位于上海闵行区七宝镇，与溧新机械相距 290 km。四家企业通力合作，共同完成了此次工业化建造模式的生产加工任务。

1）大友钢材加工

大友钢材加工位于南京浦口区弘阳建材市场南部，厂房面积约 200m^2，工人 6 名。主营钢材粗加工、钢构维修维护。具体业务范围：为建筑业加工相关钢构件及预埋件，为交通物流业生产固定夹具，为室外构筑物及器械设施进行维护维修等。

2）溧新机械

溧新机械位于南京溧水区石湫镇工业园，厂房室内面积为约 3 000 m²，工人 10 名。主营机械配件生产加工，以往业务范围主要为冶金机械及矿山机械整机及构配件的加工、生产及维修养护。该企业是第一次涉足建筑行业，进行相关配套加工生产。

3）上海神彩

上海神彩位于上海闵行区七宝镇九星不锈钢市场内，厂房面积约 150 m²。主营不锈钢板材加工及钢板材加工，以往业务主要做室内装饰及家具的不锈钢产品生产加工，如金属隔断、座椅、屏风、广告牌等。该企业也是第一次涉足建筑行业，之前一直是做室内及广告相关行业。

4）圣乐机械

圣乐机械位于常州武进区，其厂房面积约 20 000 m²，主营业务为桥梁隧道大型混凝土工程模板、高铁钢筋混凝土工程钢模具生产等。其为四家备选企业中最大的一家，技术实力与设备硬件水平较为雄厚，具有大型数控激光切割机、大型数控等离子切割机、数控龙门铣床等设备（图 5–3，图 5–4，图 5–5）。

经过与上述四家企业的合作发现，建筑工业化要想在生产制造端进行发展，需要规模性的具有研发力量的企业进行支撑，从而让协同设计研发工作能高效率的进行。

图 5–3　大型数控激光切割机

图 5–4　大型等离子数控切割机

图 5-5 数控龙门铣床

5.2 工业化生产模式的特点及要求

由于完全不同的主观建造理念和客观现实背景，工业化建造模式和传统手工模式不仅在现场建造阶段的工作模式大相径庭，在生产阶段也呈现出完全不同的特征。工业化建造在生产阶段经过了一级工厂化、二级工厂化、三级工厂化的过程，在物质构成上经历了散件、构件、组件的过程，生产结果产生了可以直接安装到位的吊装构件。而传统手工建造的生产模式则相对较为原始，横向对比相当于工业化生产的一级工厂化阶段，产出结果为简单的散件。不仅如此，两种生产模式在以下各方面具有诸多不同。

5.2.1 独立研发能力

工业化模式需要企业具有独立的研发能力，自身建设一支高素质的研发团队，能够很好地理解上一级组织研发设计方的意图和理念，从生产的角度来与设计方进行对接并及时反馈相应信息，以弥补设计方对于机加工领域认知的不完善。通过双方的沟通合作，能够根据企业自身的设备硬件条件进行工艺设计，从而以正确、合理的方式进行生产工作（图 5–6，图 5–7）。

5.2.2 生产层级

工业化模式的每一级生产阶段均需要对应下一层级，例如一级工厂化要为二级工厂化提供散件原料，二级工厂化要为三级工厂化预留接口，三级工厂化要为最终现场总装阶段提供各种必要条件，因此其生产层级分工、目标明确。而传统手工模式不需要考虑这些问题，其加工产品为散件，在生产端没有层级关系，与现场建造端呈现直接连接的单一关系，每一生产方的产品均直接对应最终一级——即工地。

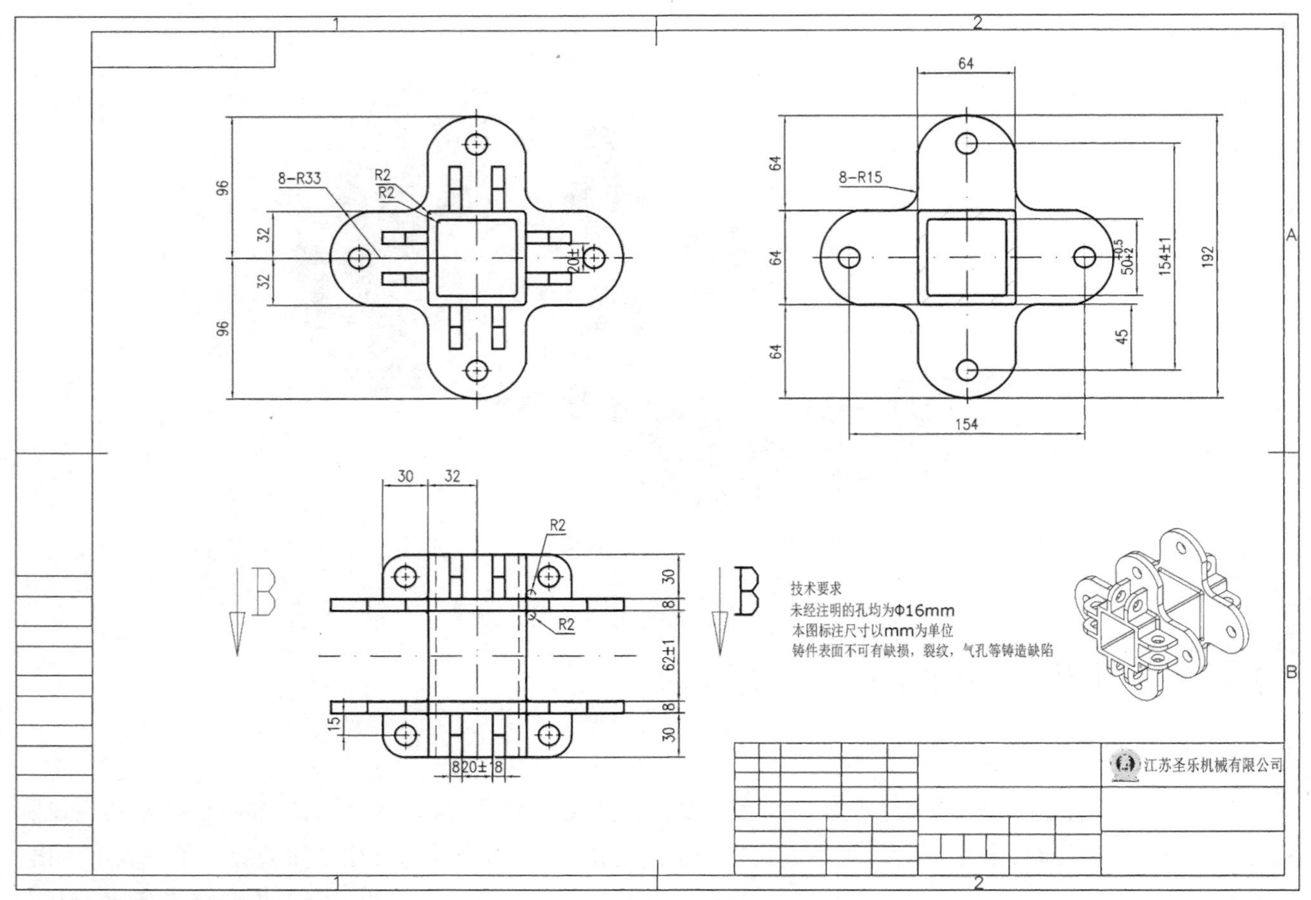

图 5-6　节核生产加工图

5.2.3　生产模式

工业化建造模式生产阶段具有规模化、专业化、机械化的生产模式特点，有科学的生产流程管理办法、完善的产品管理体系、现代化的硬件设施、精细化的管理团队与经过严格培训的产业工人团队。生产过程中相应工艺的选择保证产品质量，大型机床的应用降低工人工作强度，同时保证产品与劳动者的安全，是一种可持续发展的生产模式。

传统模式生产处于手工粗放型发展阶段，生产场地局限，有些小型作坊型工厂进行露天作业，少数甚至不具备相对平整的工作面。生产模式与一百年前手工业作坊没有本质区别，工人职业素质差，同时流动性大，生产过程较为散漫且随意性大，产品及装配质量不能得到很好的保证。此种粗放型模式在对产品质量要求较低的情况下，通过降低工资、减少场地费用、采用劣质原料等大幅度拉低成本，利用低价竞争来占据市场。由于现阶段我国钢筋混凝土结构施工大多以传统手工模式为主，也造成了传统生产模式较为盛行，市场无序恶性竞争，各厂家通过单一的比价来争夺市场，也直接或间接造成了现阶段建筑质量不佳、耐久性不好，是一种不可持续的生产模式。

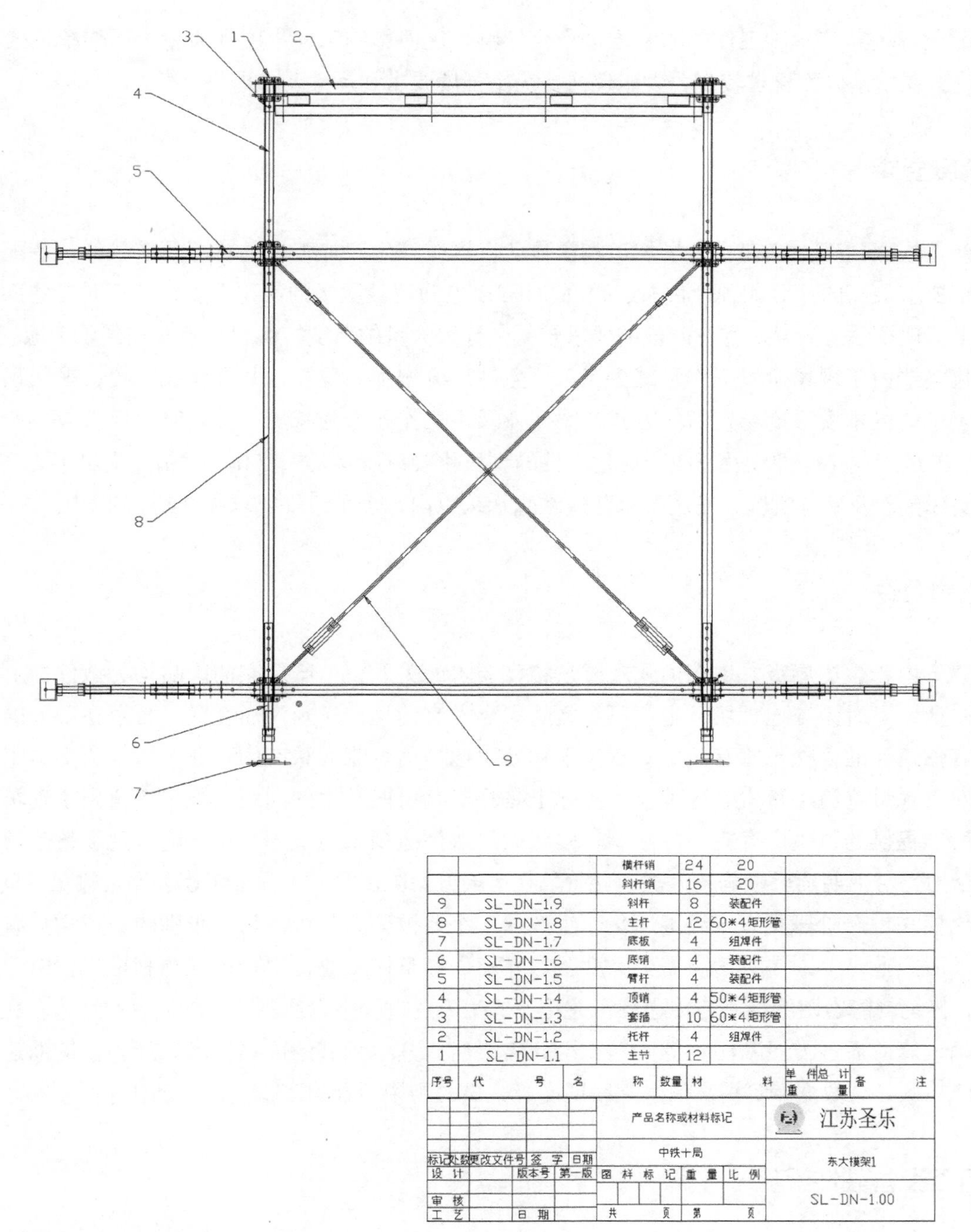

序号	代号	名称	数量	材料	单件重量	总计重量	备注
		横杆销	24	20			
		斜杆销	16	20			
9	SL-DN-1.9	斜杆	8	装配件			
8	SL-DN-1.8	主杆	12	60*4矩形管			
7	SL-DN-1.7	底板	4	组焊件			
6	SL-DN-1.6	底销	4	装配件			
5	SL-DN-1.5	臂杆	4	装配件			
4	SL-DN-1.4	顶销	4	50*4矩形管			
3	SL-DN-1.3	套插	10	60*4矩形管			
2	SL-DN-1.2	托杆	4	组焊件			
1	SL-DN-1.1	主节	12				

图 5-7 模架组装图

5.2.4 质量要求

工业化模式产品生产质量要求高，因其产品的模块化、层级化的特点，所以产品质量的要求不仅仅局限在单纯的强度和尺寸精度上，还包括整体吊装刚度、吊点疲劳强度、运输过程固定点强度、固定点位置、模块接口位置、接口与上下层级连接碰撞、表面粗糙度等等。任何一个质量要求不能达到满足，就会对后续层级乃至现场总装阶段工作的顺利推进产生影响，进而影响工程进度和质量。而传统模式下产品类型较为单一，在质量方面要求较少，大多仅需要满足强度要求和尺寸要求即可。

5.2.5 精度要求

传统建造模式由于大量存在现场加工和湿作业，因此在生产加工端的精度要求较低，装配精度要求更差，其中要求最高的部分如预埋件普遍也在 1 cm 以上乃至数厘米的累积误差，甚至对有些部分没有精度要求。由于现场建造阶段对生产阶段的要求较低，导致大量的精度控制工作被累加到了工地现场。

工业化建造由于现场阶段工作量减少，工厂生产部分增加。现场尤其是模板工程，采用预制拼装组合，不同于传统的木模板现场定做的方式，湿作业及手工作业大为减少，因此对工厂阶段生产的一级工业化散件、二级工业化构件以及三级工业化组件的模块化接口质量要求较高，对精度提出了更高的要求。根据本次实际生产及后续实验，精度要求普遍在毫米级以内，个别组件要求在 0.5 mm 以内。

5.2.6 信息互联

传统模式由于生产层级、生产模式及质量精度要求的关系，生产厂家的产品均为散件，上游为基本原料供给企业，下游为工地现场，生产厂商之间完全没有信息传送及沟通互联。分散在四处的各生产厂家之间没有信息互通，处于相互孤立的状态下。处于此种信息流通状态的企业，各自负责本工厂生产任务并统一对工地最终施工负责。这种模式实际上是将所有可能发生的问题和疑难点留到了现场工地，而这一阶段所能提供的再生产客观条件限制较多，如果散件运到工地上才发现问题，现场整改需要耗费诸多时间和精力且对工期延后影响较大。但此阶段在运输方面限制少，不需要考虑公路运输尺寸问题。

工业化模式生产阶段具有三级工厂化，生产加工企业被分为三级，每一级别的企业均具有相应的上游企业和下游企业，上下层级信息需要高度互通才能保证整体工业化生产进程顺利推进。由于信息需要高度整合，传统的静态图纸绘制与传递在工业化模式生产的过程中也遇到一定的问题，普遍存在效率低、表述不准确、修改后各方更新困难等问题。因此需要引入其他领域的成熟技术和经验，借助建筑信息模型（BIM）、CAM 与数据库等提高信息互联层度，减少人为中转参与度，提高自动化水平。

5.2.7 加工设备硬件设施

传统模式在生产阶段大都采用手工模式粗放型生产，机加工采用小型低精度工具甚至手动工具，如切割机、小型台钻、钢筋折弯机、手电钻、乙炔切割，手动等离子切割等。生产场地较为简陋，普遍为一间临街或者位于建材市场的小作坊，由于空间较小，室内物品放置杂乱，且经常存在占道生产经营的现象。

工业化模式由于精度要求高，产品模块尺寸较大，加工工艺要求复杂，因此需要大型精密机加工设备。根据本次工厂试制情况，传统建筑钢构加工厂，甚至网架生产企业的设施完全不能满足工业化模式的需求。能够满足加工要求的备选单位一般为机械配件加工企业，此类企业以往加工的产品类型与现阶段工业化建造的产品类型要求相似，具有高精度、精细化、模块化、产品化等特性。加工设备需具备打孔、一维切割、二维切割、二维焊接、三维焊接等功能，需要设备具体为锯床、摇臂钻床、数控激光切割机床、龙门铣床、冲床、数控等离子切割机床、车床等大型机床。由于大量机床的使用，也间接决定了车间面积不能太小，生产企业具有一定的固定资产值。工业化模式生产对以上加工设备硬件设施的要求，将生产力落后的小型作坊式加工企业屏蔽在外。

5.2.8　员工素质

传统模式生产流程简单、精度要求低、工具简易，对于工人的素质要求较低。特别是职业技能和职业习惯方面，工人一般没有经过正规职业培训就上岗，通常是经过老师傅传帮带过程熟悉业务，技能形成过程不正规也不全面，大多工人没有取得相应的职业技能证书。由于职业技能培训不正规，导致或多或少养成了坏的职业习惯，其中对于生产影响最大的就是安全意识淡薄，例如经调研发现在进行乙炔切割等接触易燃易爆气体的过程中，很多工人竟然一边操作一边抽烟，甚至有人直接用乙炔火焰点烟。除了安全意识淡薄之外，还普遍存在工作责任心不足，对于产品质量缺乏有效控制，工作区域器具物品放置混乱等现象。

工业化模式产品质量精度要求高，工期安排紧凑，生产厂家上下级具有完整的产品供求机制，机械设备操作较为复杂，因此对员工素质要求较高。工人普遍要求持相应职业资格证书上岗，具体生产过程中还会进行相应机床设备的操作培训。工厂内部管理即“软件”上具有完备的安全生产规章制度，对工人进行相应的安全操作预防措施及应急突发情况处理机制培训。机器设备“硬件”方面也会有相应的安全储备设施运行，如数控激光切割机床在工作时设备四周的红外测距装置会同步运行，如发现测定距离小于预设值即说明有外来物体（通常是人体的躯干）进入工作区域，激光切割头立即停止工作；剪板机在工作时操作工人双手必须同时触碰两端按钮的情况下，底端的工作踏板才能被触发。正规完善的软硬件管理机制确保了工人的素质处于较高水平，培养了良好的工作习惯，保证了生产有条不紊的进行及有质有量的完成。

5.2.9　场内起吊能力

工业化建造模式下的生产成品组件构件在尺寸和重量方面均较大，除了进料及运输装车外，各阶段均要完成大量起吊作业。因此在保证生产效率的情况下，厂房内要配置大吨位行吊才能保证生产进度，同时提高人员利用率，保证生产安全。根据本次生产试验情况，行吊吨位宜为10吨以上，数量为两台以上。同时由于生产车间行吊的配备，组装模拟试验可以在工厂预先进行验证优化，为后续阶段乃至现场总装部分的顺利进行提供了一定保障，节省现场总装阶段的塔吊占用时间和吊车租赁费用。

传统建造在生产阶段对于起吊设备要求较低，大多集中在进料及装车阶段。由于尺寸较小且较为分散，一般情况下采用人工搬运或者小型叉车运输，卸车装车时间较长，且因为传统模式场地范围有限，如位于南京红太阳建材市场的一些小型加工作坊由于装货空间有限而导致占道经营，且装卸效率太低，每次大量货物的发送和接收均能造成市场内的拥堵。

5.2.10　运输能力

工业化建造工程量大多数集中在生产端，由于采用模块化思想，故成品尺寸较大，在运输方面需要考虑公路运输的最大尺寸问题，以及相应载具的车斗高度和所经路线上的高度限制。而传统手工建造的生产无需考虑太多此类因素，大多仅需要满足重量和高度限制即可。

图 5–8　模架运送车队

例如本次 6 个组合柱模架从溧水运送到南京会展中心的过程中，模架高度 3.3 m，长 3.9 m，宽 1.8 m。虽然绕城公路限高 4.5 m，但是由于工厂车间大门与所经石湫镇公路限高，均为 4.2 m，因此所选货车的车斗高度不能超过 0.9 m。可以满足要求的有两种货车，一种为载重量 2 吨、货斗长度为 4.2 m 的蓝牌轻型卡车，另一种为载重量 30 吨、有效货斗长度为 9 m 的低底盘半挂重型货车。经过询价，轻型卡车单车运费报价为 1 100 元，重型半挂车单车运费报价为 6 000 元。如采用前者，需要 6 辆，总运价 6 600 元；后者则需要 3 辆，总运价为 18 000 元。综上考虑，选择 2 吨轻型卡车较为合理（图 5–8）。

上段仅为运送组合柱模架在车辆选择问题上的计算考量，由于尺寸、模块接口等原因，在运输过程中还需考虑对于组件及构件的妥善保护。而传统建造在生产端大多为基本原材料，类似于一级工业化生产的散架，其尺寸小、重量轻，不容易损坏，如钢筋、钢绞线、砌块、脚手架钢管及扣件、木方、木模板等，运输此类原料大多采用 10~15 吨中型卡车，由于单个尺寸小、重量轻，无需太多考虑超重和超高问题。

5. 3　后续产业重组改造

经过本次工业化生产，对与生产阶段接触的各种类型厂家及国内机加工行业有了一定的认识，也对本体系所需要使用的各种机具及加工工法有了深刻的理解。为了推动新型建筑工业化的后续工作的顺利实施，需要对现阶段的产能分布及机械设备进行更新。

首先考虑到产品成本，如下阶段示范项目在南京周围 500 km 以内，所有的生产加工工作最好集中在南京本地完成，原因有以下几点：

1）原材料的采购价格包含了运费，生产集中在南京本地，后续追加运费仅为成品从工厂运送到工地的单次运费，如果分散在各地，还要包括一级至三级工业化过程中的运输成本。因此，外地加工会造成成本的大量上升。

2）生产基地设在外地，导致设计团队与工厂端的沟通效率降低，原来当天来回能够解决的问题因为地理距离的增加而被迫需要更多的时间来完成，从整体上影响项目的推进。

5.3.1　设备升级

南京本地加工能力不足，缺少一些大型数控加工设备。具体为两种：数控激光切割机和数控冲管机，购置费用为：数控冲管机，20 万 ~30 万；数控激光切割机，100 万 ~1 000 万。其中数控冲管机价格较低，可以直接采购使用。由于小功率激光切割机熔断速度慢，加工完毕后均需要进行二次处理，较为浪费时间，达到断面光洁的激光头功率不小于 2 500W，达到此要求的整机价格普遍在 500 万以上，初期采购成品费用较高。最佳解决方案：挖掘封闭式加工企业，通过扩大产业联盟范围，将实力强的企业纳入建筑工业化生产体系中。

5.3.2　加工企业整合

通过本次生产阶段对三家企业的软硬件进行整合分析评价，溧新机械除了距离采购市场较远外，在各方面均优于大友钢材加工，因此下阶段生产工作建议还是整合在溧新机械，特别是二级及三级工厂化的加工任务。在溧新机械装配 6 个模架使用的车间仅为该企业的 4 个车间之一，其中最大的一间目前处于闲置状态，内部配有 10 吨行吊 3 台。下阶段生产所需新加的机械设备占用的生产空间场内完全可以提供。

5.3.3　后期产能预期

本次生产加工的 6 个独立架及相关梁模、板模、柱模为 7 200 mm × 7 200 mm 单跨所需的模架，单次可建面积约 52 m^2。实际加工时间为 15 天，需工人 5 人，占用车间面积约 2 000 m^2。按照现阶段工人数、厂房占用率及生产效率，工厂 1 年工作 330 天，模架保守估计 1 年可以周转使用 20 次，每年可以生产模架可建面积为：

$52\times(330/15)\times 20=22\ 880\ m^2$

如果工厂满负荷运转（×1.2），考虑到全部车间面积（×3）、现有及后续追加自动化设备（×1.5）、工人数量升至 30 人（×6）及设计的优化（×2）等一系列因素对生产效率的促进，估算提高率为：

$1.2\times 3\times 1.5\times 6\times 2=64.8$ 倍

即 2 000 m^2 厂房面积进行产业化生产模架每年供给可建面积为：

$22\ 880\times 64.8=1\ 482\ 624\approx 150$ 万 m^2

第六章　会展与燕子矶保障房建造

6.1　会展建造

此次建造是为了参加南京国际展览中心举行的江苏省第二届绿色建筑博览会，以下简称为会展建造。由于其展出属性，因此不是完全意义上的真实建造，但是就模架系统方面还是真实模拟了现场建造阶段的大部分施工过程，对于该系统的后续发展具有积极作用（图 6–1）。

图 6–1　拼装完成状态

6.1.1　项目介绍

由于是在室内展厅进行模架系统的展出，所以不能进行混凝土工程的实际浇筑，仅仅是一个 7 200 mm × 7 200 mm 开间的整体模架系统。虽然混凝土不用浇筑，钢筋部分不用安装，但是该项目的技术要求高，完成难度大，且具有以下诸多限制：

1. 时间限制

此次会展建造，我方是唯一一家将整个建筑的完整一部分带进展厅的；其他展示建筑工业化建造技术的厂家则以大比例模型、图片和视频作为展出的主体，以独立分项构件为辅助。布展时间不到 8 个小时，相对于一般建筑工程以月和周作为计量标准，此时的工序计量精度需要以分钟作为最小刻度，方能保证在如此狭小的时间窗口内进行如此大体量项目的建设。

2. 空间限制

建造过程中整个展厅内各家都在进行展台的布设，而参加的厂家众多且不同家之间仅相隔一条走道，因此预留的施工空间极为有限。在实际建造过程中，基本没有堆料场地，所以工序控制十分重要，运送模架的卡车按顺序在外场待命，通过实时控制各车精准到位，各模块直接吊装就位，节省卸车时间。展厅屋顶为张拉索结构，下弦杆高度较低，吊装过程中需要实时关注碰撞问题。同时场地内有三台吊车同时作业，且不同家运货卡车来回穿梭，无论是地面空间还是三维高度空间均较为紧张，需要做好合理规划且现场设置专职安全巡视人员进行实时危险预防监控（图 6–2）。

图 6–2　吊装就位作业

3. 工具限制

现场洁净度要求高，绝对不允许湿作业及产生垃圾的其他作业方式。工厂中使用的砂轮切割机、角磨机、焊机等均无法使用，仅允许使用电动扳手及相关手工工具。因此要保证现场仅有螺栓连接的拼合作业，一旦发现安装不对位等“装不上”的问题，则会影响整个建造过程的顺利进行，甚至造成施工的终止。而且考虑到时间限制，总共 8 个小时的时间也无法提供现场修补的机会。因此，现场拼装过程需要提前在工厂端进行验证，以保证现场工作的顺利进行。

6.1.2　关键技术点研究

在会展建造的准备过程中，为了能够保证现场 8 小时窗口时间内完成全部安装任务，原来设计在工地车间进行的三级工厂化阶段的任务被移至工厂进行，该阶段生产结束后，成品被运往展场，待现场建造开始时直接进行拼装。因此实验集中在以下关键技术点进行攻关验证，以确保现场建造的有序进行。

1. 自身稳定性

对独立架与模板拼合成的组合模架进行了稳定性测试。由于此次柱模板的放置位置不在独立架的中心，而是通过抱箍拉结在架子的一侧，因此要保证组合模架的自身稳定性。通过工厂的实际检测，四个柱模架均能平稳正常站立，经过两侧各增加三人进行人为晃动实验，未发生晃动及柱模板偏移迹象。

2. 吊装及工位变化

在顶杆回缩的情况下，柱模架的高度为 3.9 m，因此必须放倒才能运输。在具体吊装操作过程中，需要保持柱模板在上，以底座为中心向后侧旋转 90° ，但在放倒过程中要避免因转动发生后模架上端以较快速度砸向地面，造成模架的局部损坏。通过在工厂的实验，采用两根长吊带分别绑扎模架的上下两端，吊点位置距离模架柱模板一侧 2 m，起钩过程中同时向模架方向轻微甩臂，通过以上吊装细部动作确保工位的平稳变换。在整个吊装及工位变化中，模架无破坏及形变。

3. 精确就位

柱模架的就位精度高，牵扯到上端梁模板的连接问题，因此精度要求在 10 mm 以内。技术好的吊装队伍可以达到此精度，但是需要大量人员辅助及较长的悬臂对接时间，而整个展场才 3 台吊车，要为 10 家以上的参展商提供吊装服务，因此单方面依靠吊车定位速度太慢。最终经过设计及实验，采用吊车与

图 6-3　吊车与叉车配合进行精确吊装就位作业

叉车的接力配合模式进行就位作业。具体施工步骤为：①先用吊车将平躺在卡车货斗内的柱模架吊起，卡车离场；②将柱模架平躺放置在地面后，改变吊钩位置，二次起吊将其转换成竖直姿态；③将柱模架大致就位，吊车脱钩进行下个柱模架卸车、姿势转换工序；④叉车进场进行模架位置的精调，由于展场内地面平整度极高且表面光滑，可直接用叉车叉臂顶住底板侧面进行精确推动。最终就位成果达到预期效果，后续上端梁模拼装顺利进行，误差在 5 mm 左右（见图 6–3）。

4. 拼装公差留取

从最初一级工厂化散件生产到最终现场的总装建造，每一步的进行都是建立在拼装基础上的，完全没有现场手工量取再下料加工的情况发生。因此公差的留取很重要，尤其是上公差和下公差的辨别。基本轴或非配合轴尺寸取下公差，“–”即略微小于设定尺寸；基本孔或非配合孔取上公差，“+”即略微大于设定尺寸。我国规范中公差一共分为 10 级，本次采用 6 级公差标准。

5. 底座一体化

在江北实验过程中发现的底座一体化问题，由于上次实验没有采用吊装作业，所以“底板会掉”的问题不是特别突出，但是本次建造采用吊装作业，而且还会出现模架两足站立的情况发生，因此采用铁丝简单固定的方法肯定行不通，难以保证安全问题。

通过发现的问题及产生的要求，对于底座部分进行了重新设计。使用要求即：底座的上下端不产生相对转动的前提下，底座本身可以上下升降，同时上下部分连接牢固；能够承担以下荷载：①上部压力荷载；②吊装时下部底板自重产生的拉力；③模架翻转时底板产生的弯矩。

经过以上分析，采用轴承为基础设计了新型底座，满足以上具体使用要求。且通过模拟使用情况 3 倍压力进行荷载实验，4 个实验底座在使用管钳旋转时，均能正常上下升降；模架拼装完成后采用车间内行车吊进行吊装实验，底板部分与上部呈一体，两足站立式底座受力良好，未发生局部破坏及形变(图 6–4)。

图 6–4　底座加载升降实验

6. 梁柱接头

江北实验过程中发现的梁柱接头混凝土成型问题，是严重影响外观、质量及可控制性的一个技术难点，因此后续的会展建造将其作为重要改进设计点。

本次优化设计摒弃原先刚度过低的折弯钢板，采用2 mm壁厚60镀锌方管作为基材，管与管之间满焊，管两端采用成品塑料堵头进行封闭以避免混凝土进入，接头与柱模板和梁模板的接口部分采用60厚壁冲孔方管，M16螺栓连接。经过此设计的接头具有较好的强度及刚度，从高度3 m摔下不会散架，将其吊装离地，站上两个体重超75公斤的成年人则无形变。但是其自重大增，需要3个人才能抬动，实测重量为125公斤，进行柱顶端安装时必须采用吊装作业方式。

7. 梁模分段

梁模和柱模不同，柱模在三级工厂化过程中就已经与独立架连为一体，在现场阶段柱模架一体直接吊装至工位；而梁模架在三级工厂化过程中只被拼装成长度不大于2 400 mm的梁模组，运到现场后通过简单几个螺栓连接成一跨长的整梁，直接吊装就位后与梁柱接头连接（图6–5）。因此梁部分不存在空中对接的问题，简化了施工难度及工序流程。为了达到此目标，梁与梁连接部分的设计借鉴了机械设计中常用的法兰构造，达到了快速安装的效果。

图6–5　梁模分段运输到现场后拼成整梁进行吊装作业

6.1.3　遗留问题及解决策略

本次会展建造从对外展示的角度来讲，已经在规定的窗口时间基本保质保量地完成了预先设定好的目标，成功地达到了对外宣传和展示的目的，也使得该钢筋混凝土工业化建造体系在模拟工况下进行了一次验算和验证。但是如果以实际建造的标准来要求，本系统还存在诸多待解决问题及优化工作需要深入探讨。

1. 梁模误差问题

在会展现场安装时发现，单个长度小于 2 400 mm 的梁模组看上去平整度极高，但是当三个梁模组通过法兰构造连接成一体时，发现了三段梁不在一条直线的问题，而总共 12 个分段梁模组中有 4 个都出现了此类问题，质量缺陷率达到 33%。

会展建造之后，通过对梁模各部分的测量分析，发现由于单块模板的安装统一在工装夹具上完成，所以测量结果显示单块模板的拼装质量很好，因此问题不在一级和二级工厂化阶段。进而对三级工厂化阶段的加工工作进行排查，最后发现问题出在该阶段的法兰构造模箍与模板连接步骤。由于该步骤没有设计专用工装夹具，在两者焊接过程中无法保证模箍与模板的 100% 垂直，因此该问题的后续解决关键集中在工装夹具的设计方面，可通过设计相应高精度夹具来保证模箍与模板的垂直对位问题。

2. 基本连接构造问题

该系统的所有可拆卸构造均为 M16 螺栓连接，螺栓连接是机械史上最伟大的发明之一，几乎所有的电子机械产品均能找到它的身影，使用其进行连接作业具有连接可靠、拆卸方便且多次拆卸可靠性高的特点。设计之初以其作为基本连接构造就是考虑到以上优点，但是从一级工厂化到现场建造的进行中，实际装配发现采用螺栓具有以下问题：

（1）误差太大的情况下，M16 螺栓难以插入，只能采用小一号甚至小两号的 M14、M12 螺栓，虽然可以连接，但是法兰交接点的强度会大大降低，M12 螺栓的抗剪强度明显小于 M16。

（2）虽然可以采用小两号的螺栓解决问题，但是实际操作过程中还是有一些部位的误差超过了 10 mm，这时采用减小螺栓标号的手段已经基本无效，因为 M6 螺栓的强度相对于 M16 可以忽略不计。

（3）即使孔的尺寸差不多，可以将相应的螺栓装上，但是安装时往往两个孔不是完全对应，其表面的螺牙会导致螺栓穿入两个孔的过程不顺畅且阻力较大，如果用锤子硬砸的话会损坏螺牙，导致现场阶段模架的局部破坏，影响后期整体结构的稳定性。

（4）此种连接构造在抱箍部分难以满足其安装后需要施加紧固力的要求，即对穿孔的间距是统一的 60 mm，因此无法产生小尺寸。

（5）由于会展建造是模拟现场建造，省去了混凝土实际浇筑，因此无法预料到模架使用过之后的清洁程度，是否会对后续使用的连接造成障碍，就目前猜测来讲，情况不容乐观。

图 6–6　运输工况下模架水平方向发生形变

3. 模架运输工况形变问题

独立架仅仅在四个立面具有斜向稳定支撑，可以保证在架子落地的情况下具有各向极佳的稳定性。但是本次会展建造在运输过程中，组合柱模架是被放倒了进行运输的，因此平面方向没有斜向支撑的问题就显现了出来，其放倒工况时形变严重，导致节核与主杆之间挤压严重，容易造成局部破坏而影响整个模架的稳定性（图 6–6）。

解决此问题不能仅仅简单地在平面方向为其添加斜撑，还要考虑到该部件的增加是否会对抱箍、内侧模板的安装造成影响。由于斜撑的安装在变换工况的情况下，模架落地时不需要，因此平面斜撑设计成可拆卸型最佳。如果柱模板安装在独立架平面内，对角斜撑的方案会被否决，只能安装局部角撑，但是其抵抗变形的能力远远不如前者，因此需要进行详细的受力计算进行验证。

6.2 燕子矶保障房建造

燕子矶保障房建造是发生在会展建造之后的第一次实际现实建造，其建造层级相当于进行了三级工厂化到现场建造的过程。作为研究来说，取得了众多第一手资料，原先会展建造发现的问题及预估解决方法也得到一定程度的验证。

6.2.1 项目介绍

项目为实际工程，地点位于燕子矶保障房场地内，具体施工项目主体为该片区内一栋二层沿街商业建筑。项目建筑设计较为规整，进深为 7 200 mm，面宽为 8 400 mm。在建筑设计方面较为简单，主体结构布置较为规整，作为初期工业化建造实施具有诸多便利性和可实施性。

会展建造的组合模架被整体搬运到了该工地，展出之后对螺栓合模系统的分析进行了否定，所以燕子矶建造仅仅使用了会展建造的独立架系统，而模板系统采用了优化后的方案进行实际施工建造。

6.2.2 关键技术点研究

燕子矶保障房建造仅仅使用了会展建造的独立架系统，而模板系统采用了优化后的方案进行，摒弃了原先的采用固定螺栓步长的连接方式。具体技术点见下面所述：

1. 模架一体化吊装就位

模架就位在会展建造时期做过相关实验，但是其施工过程不是一气呵成的，要通过吊车进行粗略定位，然后通过叉车进行精确定位；而且柱模板是处于合模过程中进行吊装的，其技术难度较低且工序较多，影响施工进度。燕子矶建造对于展出期间发现的问题进行优化设计，模架吊装过程做到一气呵成，底座落地误差在 100 mm 之内均可以接受，且吊装过程中模板处于分模状态，就位后直接进入下步工序。

2. 双向抱箍

原先单一的螺栓对孔固定方式虽然连接较为牢固，但是对孔过程复杂，可重复性低，且采用固定步长造成灵活性差。双向抱箍的采用替代原先螺栓抱箍，除了连接牢固性需要进行验证之外，其余各方面均超过原先设计。双向抱箍采用非开孔式挤压连接，保证相互垂直的两个方管之间紧固连接，构造类似现行脚手架的卡固式连接，由于限制滑动的对象为方管，圆管脚手架的合页无法适用，因此采用限滑块通过 M16 螺栓顶住方管表面，但是方管表面不开孔（图 6–7）。实际测试，模板限位效果理想，滑动方便。

图 6–7　双向抱箍

3. 模架合模与分模

该模架体系最大的优点为模架一体，安拆过程中模板和脚手架是不分离的，有效地减少传统模板脚手架工程的零散搬运、多次安拆的问题（图 6–8）。本次建造验证了柱模架的整体吊装、整体就位、整体拆卸的可行性。

具体步骤为：①吊装过程中模板处于分模状态依附在独立架上；②就位后插入预制钢筋笼并通过合理的分模板缝隙对交汇部箍筋进行定位；③通过双向抱箍在抱杆上滑动进行合模作业；④浇筑混凝土；⑤进行分模工序，通过双向抱箍带动模板滑动至分模位置；⑥柱组合模架整体通过塔吊撤场，进入下一个柱的施工。

通过现场演练，合模与分模过程已经分别可以由 3 个工人施工的情况下在 2 个小时之内完成，但是速度仍然不理想，理想时间为分别 30 分钟完成。因此还要进行下一步的优化工作。

4. 预制钢筋整体吊装

本次建造对预制柱钢筋笼建造进行实际操作，柱钢筋在平躺情况下进行预制，可以保证质量，提高加工速度。在柱模架分模状态吊装就位后，将预制柱钢筋从上部整体吊装就位，此时钢筋四面与相应边模板的设定距离为 200~300 mm，下落到位后与下部插接筋交汇部箍筋进行绑接定位，箍筋预先集中置于柱钢筋笼下部，然后进入下部合模步骤（图 6–9）。本次预制钢筋部分为初步探索，通过工地现场的实验确定预定方向正确与否。实践证明其具

图 6–8　柱模架合模状态

图 6–9　柱钢筋整体吊装实验

有很大的可实施性，但是后续有很多优化工作要进行，如钢筋下落过程中间隙的掌握，如何避免刮坏模筛；钢筋保护层厚度的设置、留取及保证；预制钢筋模块整体刚度保持；合模后上部突出钢筋的竖直保证等。

5. 底座耐久性实验

独立架底座部分经过混凝土浇筑使用 1 次之后，螺杆通过简单清理，上下滑动顺畅，由于特殊的构造措施，底板内部的轴承得到妥善保护，未发生滚珠过度磨损影响使用的情况（图 6–10）。

6. 梁板施工工法

本体系考虑到模架周转的综合效率，采用层间小流水作业，墙柱浇筑与梁板浇筑分次进行。具体施工步骤为：①柱模架及柱钢筋吊装就位；②浇筑混凝土至梁底；③柱模架撤离；④梁板模架与梁板钢筋吊装就位；⑤浇筑梁板混凝土；⑥梁板模架撤离。

此种特殊施工工法结合混凝土施工的特性，基于本模架体系的特点。具有以下优势：①分次浇筑可以提高混凝土密实度；②降低柱模板底部混凝土侧压力，减少柱模板用钢量；③简化方便柱模架与梁板模架的连接方式；④方便施工完毕后梁柱模架的撤离。

7. 剪力墙施工工法

剪力墙采用模架一体化装备，达到快速建造施工的目的。相对于传统剪力墙施工的模架与模板零散组合施工，本体系施工工法核心为：模板与脚手架一体化吊装作业，在吊装墙模架的同时，附着在模架体上的剪力墙模板也同时搬运至相应位置，吊车脱钩后，通过架体的侧向支撑构造对剪力墙模板进行最终精确定位（图 6–11）。此工法相对于传统剪力墙施工工法具有以下优点：①架体与模板一次吊装上楼；②模板精确定位过程通过侧向机构来完成，无需人工对模板进行体力搬运；③安装精度高。

图 6–10　底座可顺畅滑动

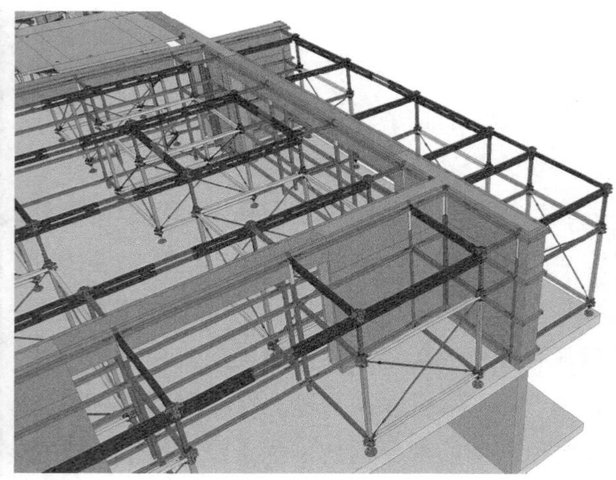

图 6–11　剪力墙施工工法

8. 工程记录

掌握了一整套完整的工程记录方法，相应建造状态及工程技术点记录数据每日进行及时整理，并使用先进的云端技术存储于互联网上，方便接触项目的各方信息的沟通共享，以供后续研发借鉴。

6.2.3　遗留问题及解决策略

1. 安全防护问题

在初期设计过程中，对于施工时操作人员保护考虑不足，仅仅考虑到安全帽、手套等初级防护问题，未考虑到高空作业时，特别是浇筑混凝土作业振捣人员的防跌落保护。混凝土浇筑过程中，施工人员要通过双手来稳定泵车输送管道，该过程容易造成重心不稳，发生跌落危险。

因此独立架设计需要进行功能扩充优化，进行安全防护方面的综合考量。可通过加入独立式防护平台、爬梯等相关安全防护模块来保证各种工况下操作人员的人身安全。

2. 角柱支护

边柱的柱模板支护问题在燕子矶保障房工程得到解决，通过变换抱杆与抱箍的组织方式来实现，两根长抱杆通过一端悬挑来从侧面承托柱模板。但是此种方式不适用于角柱部分的模板支护，边柱为单边悬挑，而角柱部分位置特殊，为两边悬挑，原有的解决方法在此无效。具体解决方式可采用两个“L”抱杆剪刀形交错的方式来实现边柱模板的定型定位问题。

6.3　总结

会展建造与燕子矶保障房建造作为建筑工业化示范的重要环节，起到承上启下的关键作用。它是该建造体系的第一次实际现场应用，从第一阶段展场的极短时间建造，到布展完毕后直接运送到燕子矶工地进行实地建造检验，该建造体系相对于一般情况，承受了更多的荷载和工况转换。该体系达到了预期目标，以自身为载体将相关施工物料与工装设备进行集成，将大量人工重复性零散劳作转换为整体机械作业。通过模架一体化装备的应用，用工人数得以下降，施工效率得以提高，劳动强度得以降低，材料浪费率得以控制。

第七章　钢筋模架现浇结构体设计与成型定位工法新型工业化建造——揽青斋建造示例

7.1　项目综述

新型建筑工业化以其构件产业化、施工机械化、生产标准化、管理信息化等诸多优势，改变了传统建筑业生产、施工和管理模式，大大提高了工程效率、改善了施工环境、降低了环境污染、减少了材料浪费、提升了工程质量等，将极大地促进建筑业的转型升级，是绿色建筑发展的高级阶段。

新型建筑工业化是对传统房屋建造方式的变革，是由比较落后的半手工半机械化建造方式，转变成一种工业化生产方式。采用工业化结构构件系统和围护构件系统，工厂预制程度较高，可实现现场干作业组装式装配施工，不但全面提升建筑品质，提高生产效率，还可节约可观的能源，减少施工垃圾和废弃物。

揽青斋项目是常州市武进绿色建筑产业集聚示范区内的示范工程项目，建设运营单位是江苏圣乐机械有限公司，设计研发单位包括东南大学建筑学院、东南大学建筑设计研究院有限公司、东南大学土木工程学院和东南大学工业化住宅与建筑工业研究所。该项目是十二五国家科技支撑课题“保障性住房新型工业化建造施工技术研发与应用示范”的示范项目，也是新型建筑工业化协同创新中心组建以来的示范项目之一。在工程施工中，项目组不断探索实践，不断总结改进，为适应未来高层保障房项目的建造发展，掌握新型工业化施工核心技术积累了宝贵的经验。

7.2　工程概况及特点

7.2.1　建筑工程概况

揽青斋项目是一栋办公建筑，总建筑面积 721 m^2，是一幢 3 层现浇工法钢筋混凝土框架结构建筑（图 7-1）。施工监理单位为江苏阳湖建设项目管理有限公司，工程勘察单位为常州宏敏工程地质勘察有限公司。该工程位于武进绿色建筑产业集聚示范区绿建博览园内，延政西路南侧，龙江南路高架东侧。

本工程结构施工和预制构件生产单位为江苏圣乐建设工程有限公司，吊车安装租赁单位为常州市联盟起重设备安装有限公司，吊具加工单位为江苏圣乐机械有限公司。

图 7-1　揽青斋项目透视效果图

本工程为工业化示范工程，总建筑面积为 721 m^2，地上 3 层，无地下室。工程设防烈度为 7 度，基础采用钢筋混凝土独立基础，其中建筑一、二层为办公研发部分，属于基本功能体，采用钢筋混凝土框架结构，框架柱抗震等级为三级，层高 4.0 m，标准层建筑面积为 283 m^2（图 7-2）。三层为厨房和员工餐厅部分，属于扩展功能体，采用钢结构，层高 6.0 m，建筑面积为 155 m^2。揽青斋平面呈正方形，建筑物总长和总宽均为 17.04 m，总建筑高度 15.05 m。

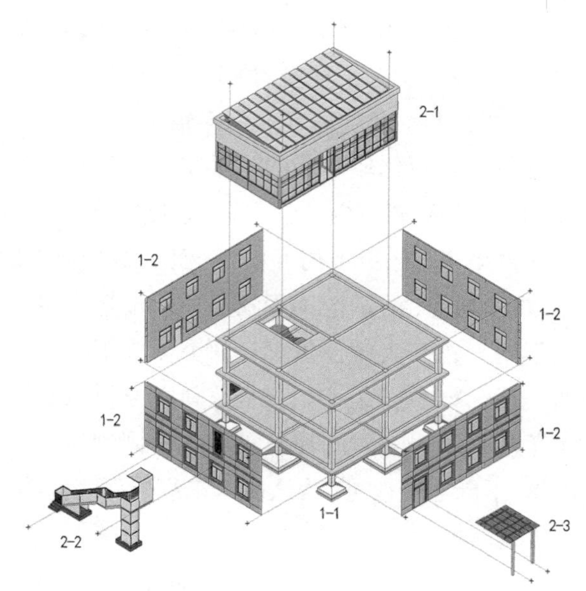

1-1 基本功能体——结构体，
1-2 基本功能体——围护体，
2-1 扩展功能体——钢结构阳光房
2-2 扩展功能体——疏散钢梯，
2-3 扩展功能体——入口雨篷。

图 7-2 揽青斋项目各功能体拆分图

7.2.2 工业化实施项目概况

建造施工装备的水平是提高建筑产业现代化和新型建筑工业化发展水平的重要保障，通过调研，当前建造施工装备包括了工程装备及钢筋混凝土构件成型定位装备（图 7-3），其中工程装备包括了桩基装备系统、土石方装备系统、垂直及水平运输设备系统和商品混凝土供配系统，其发展已经较为完备。而钢筋混凝土构件定位和成型装备的研究和发展水平很低，严重阻碍了新型建筑工业化的发展。

东南大学工业化住宅与建筑工业研究所牵头研发设计，组织了东南大学土木工程学院、建筑设计研究院及生产企业共同研发出一套钢筋混凝土柱、梁、板、墙结构构件成型和定位装备系统，简称钢筋混凝土模架工法装备系统，能够在执行现行高层现浇钢筋混凝土结构规范下，采用新型工业化模式实现结构构件高效地建造成结构体。同时还研发出了一套预制混凝土外墙板高性能围护结构系统。揽青斋项目正是基于这两套技术系统，探索实现钢筋构件加工和装配装备工业化、钢筋混凝土构件定型装备工业化、钢筋混凝土构件现场装配定位装备工业化，从而实现新型工业化建造模式。

建造工程装备工业化\现代化(装备系统)

1. 竖直运输设备系统
2. 商品混凝土供配系统
3. 土石方装备系统
4. 桩基装备系统

5. 钢筋混凝土结构体成型装备系统
1) 钢筋加工和装配装备
2) 钢筋混凝土构件定型装备
3) 钢筋混凝土构件现场装配定位装备

图 7-3 建造工程装备统计图

揽青斋项目工业化实施内容包括：一、二层基本功能体中的柱构件、梁构件、板构件采用钢筋混凝土模架装备施工，一、二层基本功能体中的围护体外墙板构件采用预制钢筋笼和墙板钢模具工厂化预制加工。三层独立式扩展功能体的钢结构阳光房，以及独立式室外消防疏散预制钢结构楼梯和入口钢结构雨篷由钢构件工厂加工（见表 7–1）。

表 7–1　揽青斋工业化实施内容概况表

<table>
<tr><th>序号</th><th>项目</th><th>工业化实施方法</th><th colspan="3">内容</th></tr>
<tr><td rowspan="36">1. 基本功能体</td><td rowspan="11">柱</td><td rowspan="4">钢筋混凝土柱构件</td><td>种类</td><td colspan="2">KZ–1</td></tr>
<tr><td>规格（mm）（长 × 宽 × 高）</td><td colspan="2">500 × 500 × 4 000</td></tr>
<tr><td>数量</td><td colspan="2">18 个</td></tr>
<tr><td>重量</td><td colspan="2">2.5 t</td></tr>
<tr><td rowspan="7">柱构件模架装备</td><td>种类</td><td colspan="2">5050 型开合柱模板，L 型定位稳定架</td></tr>
<tr><td rowspan="2">规格（mm）（长 × 宽 × 高）</td><td>5050 型开合柱模板</td><td>620 × 620 × 4000</td></tr>
<tr><td>L 型定位稳定架</td><td>2 060 × 2 060 × 3 800</td></tr>
<tr><td>数量</td><td colspan="2">3 组</td></tr>
<tr><td rowspan="3">重量（单组）</td><td>5050 型开合柱模板</td><td>420 kg</td></tr>
<tr><td>L 型定位稳定架</td><td>400 kg</td></tr>
<tr><td>合计</td><td>820 kg</td></tr>
<tr><td rowspan="12">梁</td><td rowspan="4">钢筋混凝土梁构件</td><td>种类</td><td colspan="2">KL–1</td></tr>
<tr><td>规格（mm）（长 × 宽 × 高）</td><td colspan="2">300 × 800 × 7 600</td></tr>
<tr><td>数量</td><td colspan="2">26 个</td></tr>
<tr><td>重量</td><td colspan="2">4.56 t</td></tr>
<tr><td rowspan="8">梁构件模架装备</td><td>种类</td><td colspan="2">3080 型开合梁模板，1180 型可调段开合梁模板，梁定位稳定架</td></tr>
<tr><td rowspan="3">规格（mm）（长 × 宽 × 高）</td><td>3080 型开合梁模板</td><td>3 000 × 420 × 800</td></tr>
<tr><td>1180 型可调段开合梁模板</td><td>1100 × 420 × 800</td></tr>
<tr><td>梁定位稳定架</td><td>2 400 × 800 × 1 800</td></tr>
<tr><td>数量</td><td colspan="2">26 组</td></tr>
<tr><td rowspan="3">重量（单组）</td><td>3080 型开合梁模板</td><td>240 kg</td></tr>
<tr><td>梁定位稳定架</td><td>110 kg</td></tr>
<tr><td>合计</td><td>350 kg</td></tr>
<tr><td rowspan="13">板</td><td rowspan="6">钢筋混凝土板构件</td><td>种类</td><td colspan="2">KB–1，KB–2（开洞）</td></tr>
<tr><td>规格（mm）（长 × 宽 × 高）</td><td colspan="2">8415 × 8415 × 200</td></tr>
<tr><td rowspan="2">数量</td><td>KB–1</td><td>6 个</td></tr>
<tr><td>KB–2</td><td>2 个</td></tr>
<tr><td rowspan="2">重量</td><td>KB–1</td><td>35.4 t</td></tr>
<tr><td>KB–2</td><td>24.3 t</td></tr>
<tr><td rowspan="7">板构件模架装备</td><td>种类</td><td colspan="2">3333 型板模板，2424 型定位稳定架</td></tr>
<tr><td rowspan="2">规格（mm）（长 × 宽 × 高）</td><td>3333 型板模板</td><td>3 300 × 3 300 × 240</td></tr>
<tr><td>2424 型定位稳定架</td><td>2 400 × 2 400 × 180</td></tr>
<tr><td>数量</td><td colspan="2">16 组</td></tr>
<tr><td rowspan="3">重量（单组）</td><td>3333 型板模板</td><td>290 kg</td></tr>
<tr><td>2424 型定位稳定架</td><td>300 kg</td></tr>
<tr><td>合计</td><td>590 kg</td></tr>
</table>

续表

序号	项目	工业化实施方法	内容		
1. 基本功能体	围护体墙板	工厂模具加工	种类	WB-1，WB-2，WB-3，WB-4	
			规格（mm）（宽 × 高 × 厚）	WB-1	1 985 × 3 740 × 180
				WB-2	1 785 × 3 740 × 180
				WB-3	1 722 × 3 740 × 180
				WB-4	1 528 × 3 740 × 180
			数量	WB-1	31 块
				WB-2	23 块
				WB-3	8 块
				WB-4	7 块
			重量	WB-1	2.22 t
				WB-2	2.00 t
				WB-3	1.93 t
				WB-4	1.71 t
2. 扩展功能体	阳光房	钢构件工厂加工	种类	ZGZ-1（主钢柱），FGZ-1（辅钢柱），ZGL-1（主钢梁），FGL-1（辅钢梁），HJ-1（横筋）	
			规格（mm）（长 × 宽 × 高）	ZGZ-1	L=6 000 300 × 300 × 12 方形钢管
				FGZ-1	L=5 300 250 × 250 × 10 方形钢管
				ZGL-1	L=7 000 100 × 200 × 6 方形钢管
				FGL-1	L=2 235 100 × 200 × 6 方形钢管
				HJ-1	L=6 000 16C 型钢
			数量	ZGZ-1	6 件
				FGZ-1	4 件
				ZGL-1	6 件
				FGL-1	4 件
				HJ-1	20 件
			重量	ZGZ-1	0.678 t
				FGZ-1	0.416 t
				ZGL-1	0.197 t
				FGL-1	0.063 t
				HJ-1	0.044 t
	消防疏散楼梯	钢构件工厂加工	种类	XFLT-1	
			规格（mm）（长 × 宽 × 高）	9700 × 1200 × 4160	
				数量	1 部
				重量	5 t

7.2.3　周边建筑物及环境情况

揽青斋项目位于武进绿色建筑产业集聚示范区绿建博览园内。该建筑西侧为施工道路，不受社会车辆影响，路宽 6 m，周边交通便捷，便于构件车辆运输，揽青斋东南侧为在建的忆徽堂，北侧为建成的中建材住宅楼，现场园区内整体地势较为平坦。现场情况详见图 7–4。

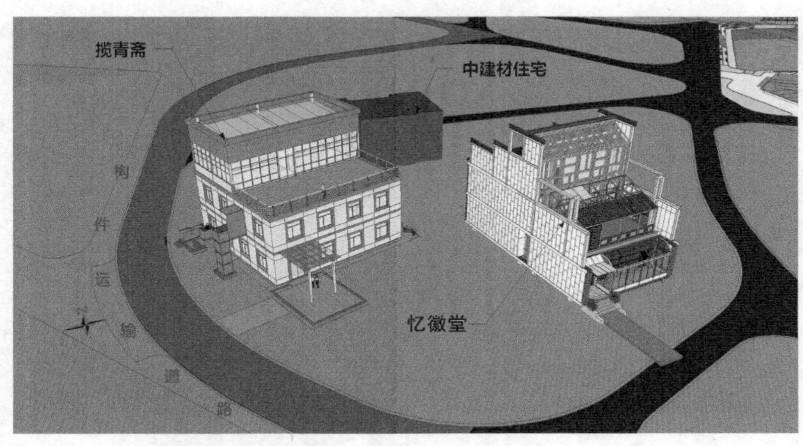

图 7–4　周边建筑及环境情况

7.3　施工组织计划

本工程自 2015 年 6 月 15 日开工，6 月 24 日完成基础施工，7 月 15 日完成一层地坪浇筑，8 月 6 日混凝土主结构封顶，8 月 13 日围护外墙板安装完工，9 月 8 日三层钢结构阳光房封顶，11 月 16 日室内装修完工，11 月 21 日室外疏散楼梯安装完工，11 月 22 日竣工交付使用（图 7–6）。

结构施工垂直和水平运输采用一台汽车吊车，本工程单层面积仅 283 m^2，考虑工程量总体均衡，水平采用一个流水段施工，竖向采用两个流水段施工，即混凝土结构一个流水段，钢结构阳光房一个流水段(图 7–5)。

主体钢筋混凝土结构采用 6060 系列模架装备，2.4 m × 2.4 m 稳定架支撑体系，尺寸 60 mm × 60 mm 壁厚 4 mm 方钢管焊接后与 0.7 mm 厚渗滤钢模板组成开合式框模。

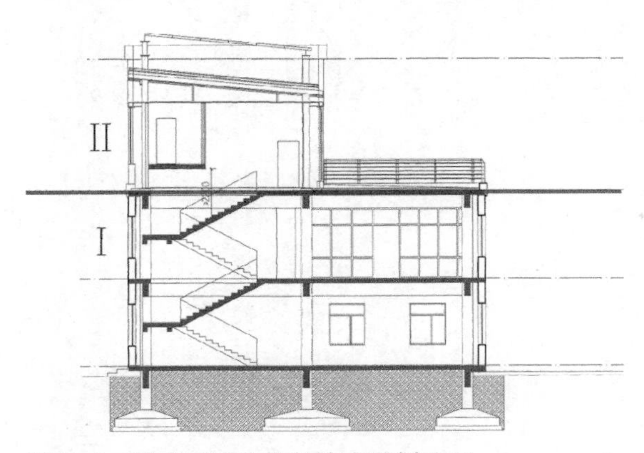

图 7–5　揽青斋垂直构件流水段划分图

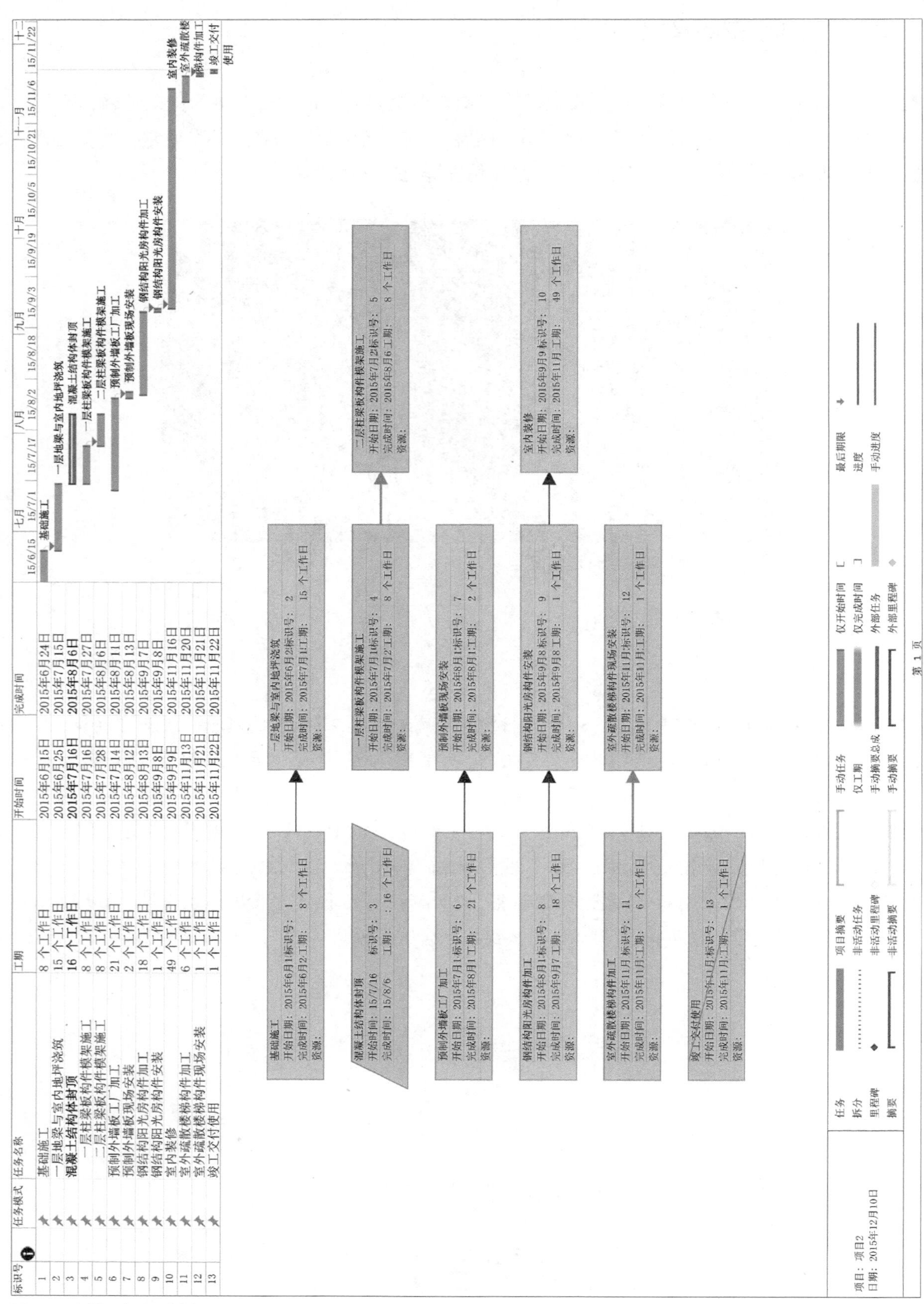
标识号 任务模式 任务名称 工期 开始时间 完成时间
1 基础施工 8个工作日 2015年6月15日 2015年6月24日
2 一层地梁与室内地坪浇筑 15个工作日 2015年6月25日 2015年7月15日
3 混凝土结构体封顶 16个工作日 2015年7月16日 2015年8月6日
4 一层柱梁板构件模架施工 8个工作日 2015年7月16日 2015年7月27日
5 二层柱梁板构件模架施工 8个工作日 2015年7月28日 2015年8月6日
6 预制外墙板工厂加工 21个工作日 2015年7月14日 2015年8月11日
7 预制外墙板现场安装 2个工作日 2015年8月12日 2015年8月13日
8 钢结构阳光房构件加工 18个工作日 2015年8月13日 2015年9月7日
9 钢结构阳光房构件安装 1个工作日 2015年9月8日 2015年9月8日
10 室内装修 49个工作日 2015年9月9日 2015年11月16日
11 室外疏散楼梯构件加工 6个工作日 2015年11月13日 2015年11月20日
12 室外疏散楼梯构件现场安装 1个工作日 2015年11月21日 2015年11月21日
13 竣工交付使用 1个工作日 2015年11月22日 2015年11月22日
项目：项目2
日期：2015年12月10日
第1页

图 7–6　施工组织计划

7.4　工业化施工

7.4.1　工业化施工总体流程

工业化施工总流程图见图 7–7。

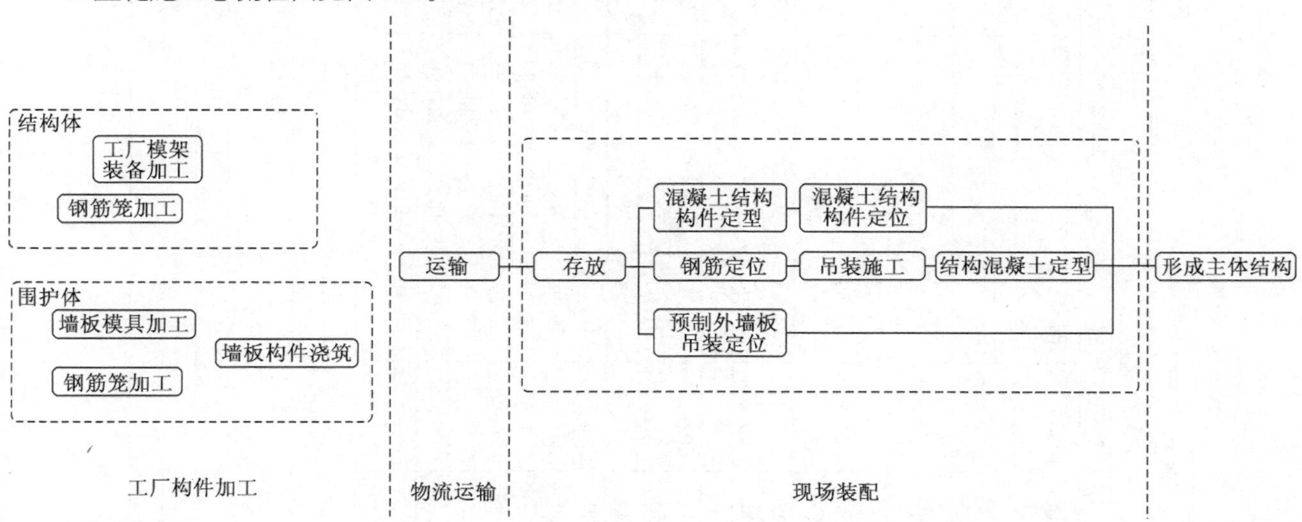

图 7–7　总流程图

7.4.2　汽车吊的选择和分析

1. 吊装机械选型和定位

本工程预制外墙板最重为 2.22 t，预制室外疏散钢楼梯最重为 5 t，因此，在起重机械选型时重点考虑满足最大吊重的要求，同时兼顾吊机的经济性，故选用汽车吊完成吊装作业工作。

首先在选择确定汽车吊位置时，考虑外墙板易施工性，将汽车吊设置在靠近建筑主体西南侧和东北侧，可以有效减少汽车吊臂长度。同时预制构件堆放场地随之设在南侧和北侧，在汽车吊 16 m 吊臂范围内覆盖整个吊装作业区和堆放区。根据臂长、最大吊重及市场情况，选择了徐工 QY25K5–I 型汽车吊。

详细布置见图 7–8。

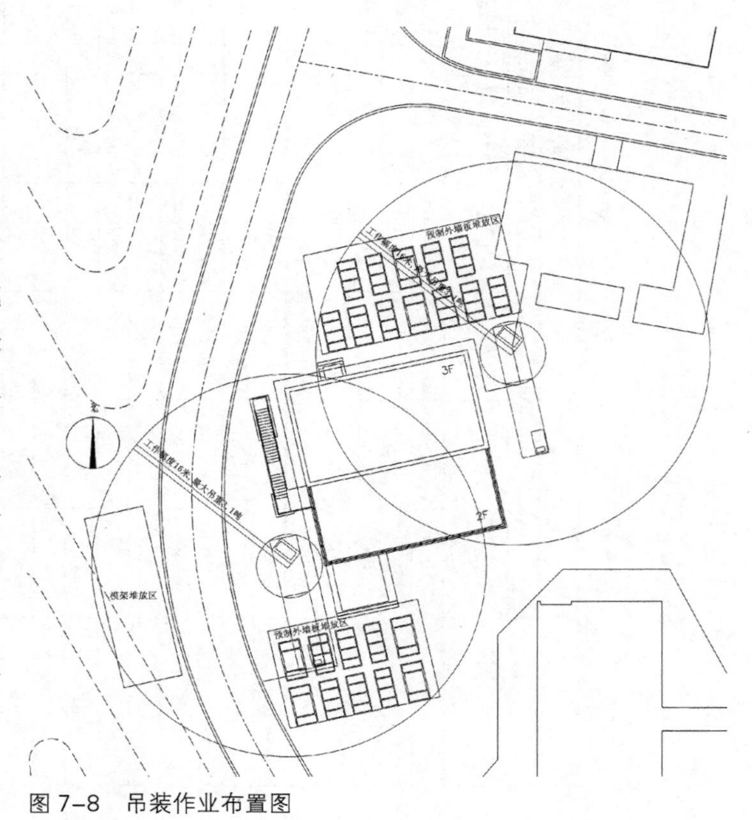

图 7–8　吊装作业布置图

2. 吊重分析

QY25K5-I 型汽车吊起重性能见表 7-2。

表 7-2 QY25K5-I 型汽车吊起重性能表[1]

工作幅度(m)		全伸支腿，侧方、后方作业											
		基本臂 10.40m			中长臂 17.60m			中长伸臂 24.80m			全伸臂 32.00m		
		起重量(kg)	吊臂仰角(°)	起升高度(m)	起重量(kg)	吊臂仰角(°)	起升高度(m)	起重量(kg)	吊臂仰角(°)	起升高度(m)	起重量(kg)	吊臂仰角(°)	起升高度(m)
3		25000	68.00	10.5	14700	76.00	18.11						
3.5		25000	64.59	10.25	14700	75.42	17.98						
4		24000	61.43	9.97	14700	73.72	17.82	9100	78.00	25.28			
4.5		21500	58.15	9.64	14700	72.00	17.65	9100	77.36	25.16			
5		18700	54.74	9.28	14200	70.26	17.47	9100	76.17	25.03			
5.5		17200	51.16	8.86	13500	68.51	17.26	9100	74.97	24.89	6500	78.00	32.32
6		15700	47.37	8.39	13000	66.73	17.04	8800	73.76	24.74	6500	77.50	32.2
7		12100	38.88	7.22	12000	63.08	16.54	8200	71.33	24.41	6500	75.65	31.95
8		9600	28.00	5.54	9000	59.31	15.95	7500	68.85	24.02	6100	73.79	31.66
9					8100	55.37	15.27	7100	66.33	23.59	5500	71.91	31.33
10					6800	51.23	14.48	6400	63.76	23.1	5000	70.00	30.97
12					5000	42.02	12.49	5060	58.42	21.94	4300	66.12	30.13
14					3800	30.00	9.6	3900	52.74	20.51	3800	62.10	29.12
16								3100	46.57	18.74	3100	57.93	27.93
18								2530	39.67	16.52	2500	53.55	26.52
20								2000	31.49	13.61	1960	48.90	24.95
22								1650	20.00	9.29	1600	43.88	22.9
24											1290	38.34	20.54
26											1020	31.98	17.6
28											810	24.14	13.71
29											700	19.00	11.07
各节臂伸缩率%	Ⅱ	0			33%			66%			100%		
	Ⅲ	0			33%			66%			100%		
	Ⅳ	0			33%			66%			100%		
倍率		10			6			4			3		
主臂最小仰角		28°			30°			20°			19°		
主臂最大仰角		68°			76°			78°			78°		
吊钩重量		250kg											

从上表看出，QY25K5-I 型汽车吊在全伸臂 32.00 m 吊重 3.1 t 状态下的工作幅度为 16 m，满足最重外墙板施工要求；吊重 5 t 状态下的工作幅度为 10 m，满足预制钢楼梯施工要求。

3. 吊次分析

本工程每层预制外墙板件多达 35 块，预制楼梯 1 部，除预制构件吊装占用汽车吊吊次外，现场用模架、钢筋、模板等还需占用汽车吊吊次，为此我们针对现场汽车吊进行了吊次分析，确保汽车吊满足施工工期要求。

表 7–3　揽青斋单层钢筋混凝土结构施工吊次分析

构件名称	数量	每吊数量	吊装次数	平均吊装时间（min）	累计时间（min）	总时间（h）
预制外墙板	35 块	1 块	35	16	560	约 52.9
预制钢楼梯	1 部	1 部	3	60	180	
柱钢筋笼	9 个	1 个	9	30	270	
梁钢筋笼	13 个	1 个	26	40	1 040	
板钢筋	14 t	1.6 t	9	40	360	
柱模架	3 组	1 组	9	15	135	
梁模架	26 组	1 组	26	15	390	
板模架	16 组	1 组	16	15	240	

从吊次统计结果的分析中可以看出，两台 QY25K5-I 型汽车吊每天施工 8 小时，能够满足 4 天一层的进度计划要求。

7.4.3　施工准备

1. 模架和预制外墙板加工厂家选择

目前，从事建筑工程混凝土构件模具生产的厂家不多，其中制作水平很高的是江苏圣乐机械有限公司，该公司生产制作高铁铁道板模具和大型桥涵模具。该公司成立于 1987 年，坐落在江苏省常州市湟里镇东安工业园区，公司占地面积 5 万㎡，厂房及其他设施近 3 万㎡，公司员工 150 多人。由于本工程模架规格多且需要制作新的模具，经过洽谈该公司成为建设运营单位和协同建造单位。

2. 预制构件深化设计

根据建筑柱、梁、板的特点对模架进行深化设计；根据预制外墙板的特点，对模具进行深化设计。确定了各种预留孔洞的几何形状、尺寸及位置，对各种规格的预制板进行详细标注，作为厂家的加工依据，详见图 7–9~ 图 7–12。

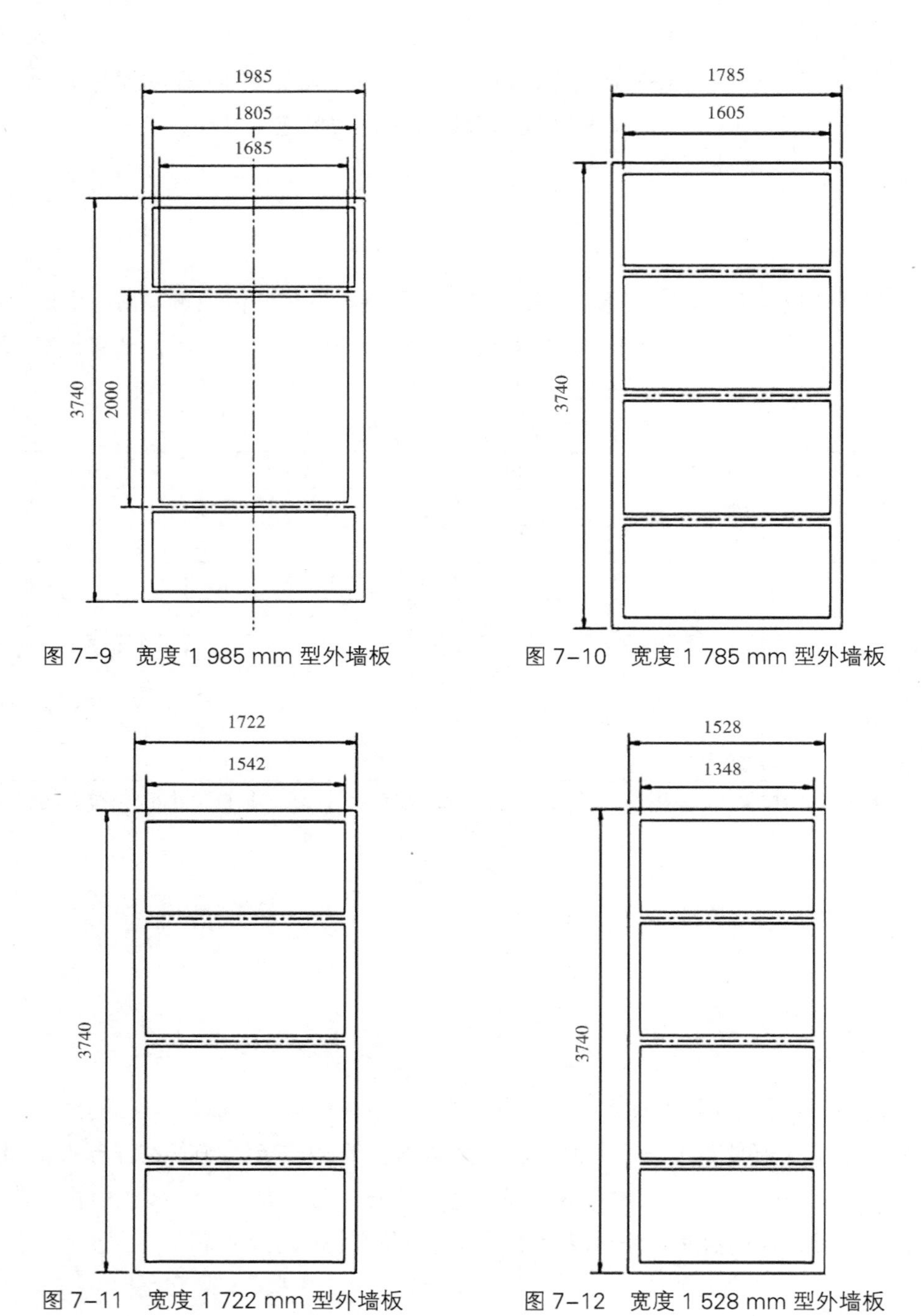

图 7–9 宽度 1 985 mm 型外墙板

图 7–10 宽度 1 785 mm 型外墙板

图 7–11 宽度 1 722 mm 型外墙板

图 7–12 宽度 1 528 mm 型外墙板

3. 预制构件的加工组织

考虑本工程的工期要求，我们对外墙板预制构件的加工制作进行了分析，明确构件生产周期、模具数量、日生产量等，最终确定结果如下：

预制外墙板构件的生产供应需满足 1 天一层的进度要求，预制外墙板构件模具制作 23 套，每套模具重复利用 3 次。预制外墙板构件加工制作周期为 1 天，经过自然养护 7 天后，可达到设计强度 80%，满足运输要求。21 天可生产预制板 69 块，能够满足现场施工进度要求（图 7–13）。

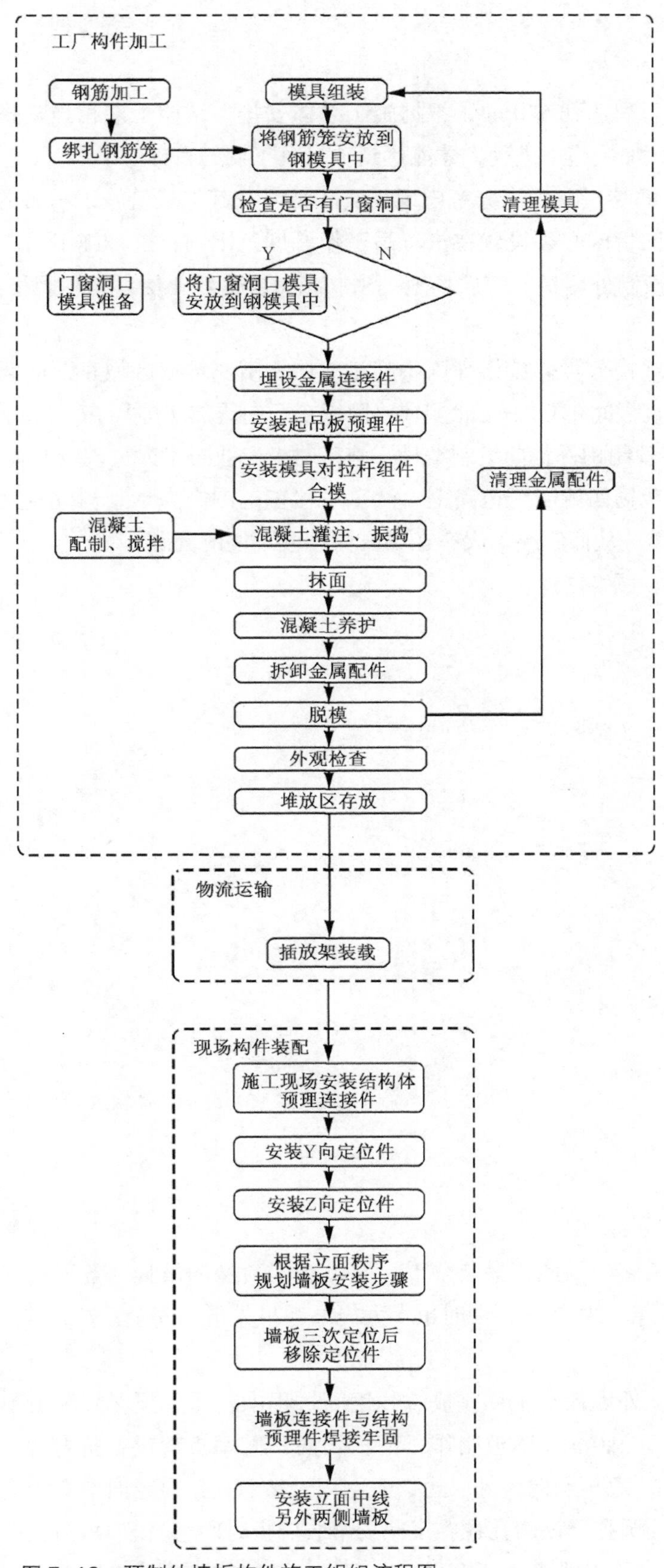

图 7–13 预制外墙板构件施工组织流程图

4. 预制构件堆放场地设置

本项目预制外墙板面积达到 520 m^2，根据施工总体安排，结构工期相当紧张，只有充分协调好各个工种的施工，协调场地，加快施工进度，才能达到项目总工期的目标。

我们根据本工程的特点，并充分考虑现场实际情况及其他建筑施工吊机的相互交叉布置，考虑到现场构件存放区及构件卸货区必须设置在汽车吊工作幅度范围内，避开施工通路，最终选择在揽青斋南侧和北侧分两部分设置预制外墙板的存放场地，预制板每次进场 1 层即 4 种规格共 35 块预制外墙板，按照如下方式进行码放：

预制构件根据不同规格分类码放，高度不超过 5 层，南侧堆放区域东西向码放 5 排共 12.5 m，南北向码放 2 排共 8.2 m，垂直板间距 0.2 m。北侧堆放区域东西向码放 7 排共 17.2 m，南北向码放 2 排共 8.2 m，垂直板间距 0.2 m。所有预制构件提前编制编号，施工时由专业技术人员现场指挥吊装。

构件运输车停靠在现场西侧园区道路上、汽车吊覆盖范围内，预制构件直接从汽车货斗内吊至构件堆放区，卸料后直接驶离，从而解决了大车在场区内行驶不便的问题。

详细布置见图 7–14，图 7–15。

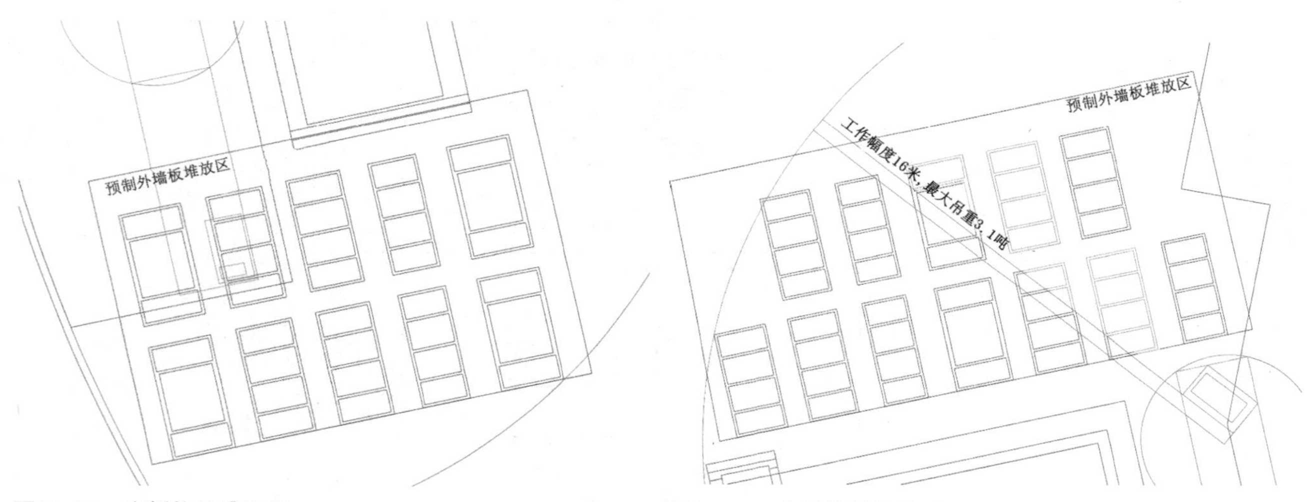

图 7–14　南侧构件堆放区　　图 7–15　北侧构件堆放区

5. 专用吊具设计

由于预制外墙板数量多，因此在吊装前设计并试验了新型的吊具，各部件间使用螺栓连接，拆装方便，便于携带，提高了吊装工作效率，同时也大大提高起吊人员的安全系数，消除构件起吊过程的脱钩、倾斜等安全隐患。

根据墙板加工工艺，外墙板在工厂完成绑扎钢筋过程中，需要预埋起吊板预埋件，起吊板采用壁厚 10 mm 宽度 60 mm，长度 280 mm 钢板制作，钢板长向一侧用折弯设备折弯出 180° 的圆钩，圆钩内径 10 mm，折弯长度 40 mm。钢板长向另外一边，先倒角，然后在距离竖向中心线圆心距离端部 30 mm 处用钻孔设备冲钻直径 30 mm 圆孔，该圆孔在施工现场吊装墙板时用来安装 D 型卸扣（图 7–16）。

堆放区存放过程中， 预制外墙板经检测后需运往吊装机械工作范围内存储，吊装过程采用吊具四点起吊，为防止起吊点处混凝土开裂将起吊板插放进外墙连接套筒内，套筒附近的钢筋绑扎点进行加强（图 7–17）。

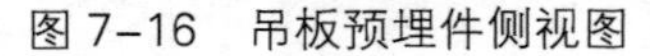

图 7–16　吊板预埋件侧视图　　图 7–17　起吊件俯视图

7.4.4　构件定位与连接

装配式建筑是由构件组成的，它是建筑的最基本单位。将装配式建筑拆分成逻辑清晰的构件组，采用构件法协同设计，目标是完整、细致的控制建造过程，使协同建造、协同质量维护、协同利益分配最终顺畅进行。构件组可以分为功能构件组、性能构件组和文化构件组，而功能构件组是把钢筋混凝土结构体构件组、外围护体构件组、内装构件组、管线设备构件组规整组织起来，形成最基本的使用部分，限定并定义了建筑的空间与使用。

1. 竖向构件成型定位连接

揽青斋的钢筋混凝土结构构件组主要包括柱、梁、墙、板、楼梯等承重构件，下面介绍结构体竖向柱构件的成型、定位和连接，如图 7–2 揽青斋项目各功能体拆分图中的 1–1 基本功能体——结构体。

工艺流程如下：构件施工顺序编号→模架准备→钢筋加工和定位→柱构件模架定位→混凝土浇筑→模架周转→竖向构件成型→横向梁构件定位标记。

竖向柱构件详细安装工序见表 7–4。

表 7–4　竖向柱构件成型定位连接工法

主工序	分部工序	分项工序	图示	辅助工具
I 构件施工顺序编号	1. 竖向柱构件按照施工顺序进行编号	用记号笔按照轴线施工顺序排列	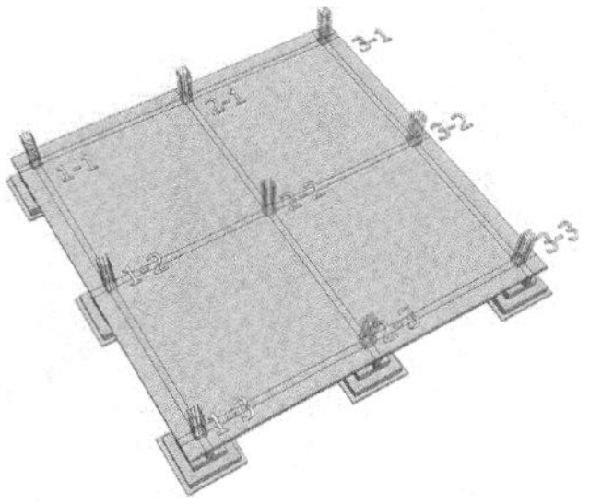 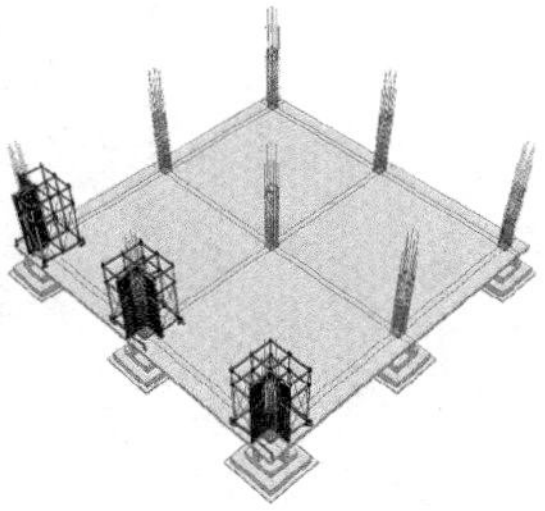 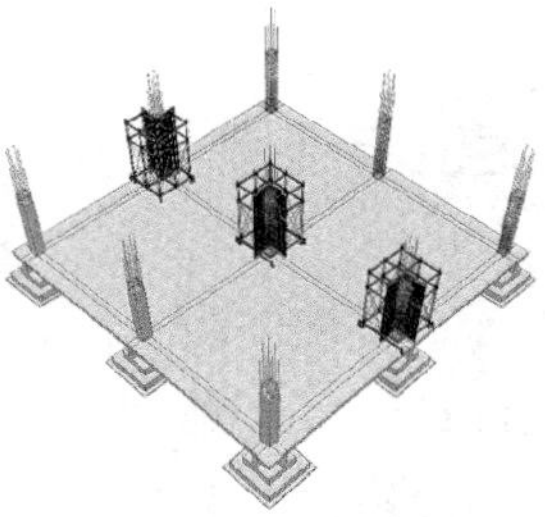 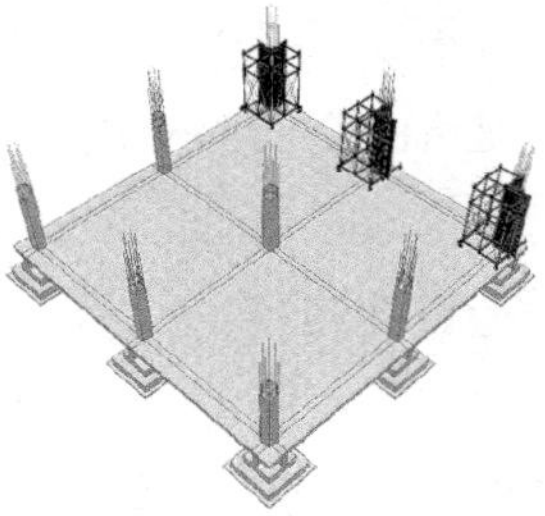	 记号笔

续表

主工序	分部工序	分项工序	图示	辅助工具
Ⅱ模架准备	2. 柱模架安装	（1）柱稳定架安装	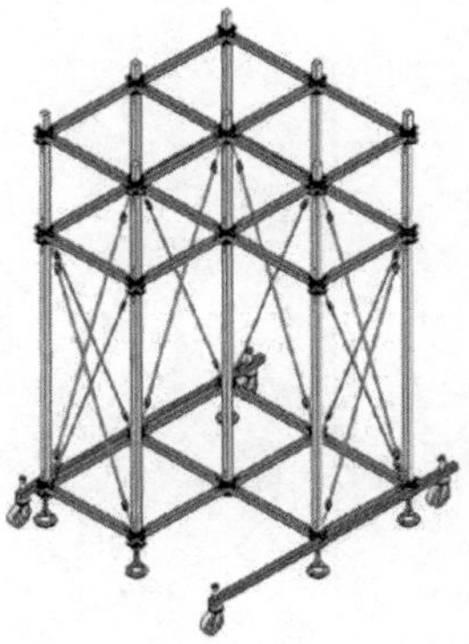 400 kg	 扳手
		（2）柱定型模板安装	420 kg	
		（3）柱构件模架吊装单元成型	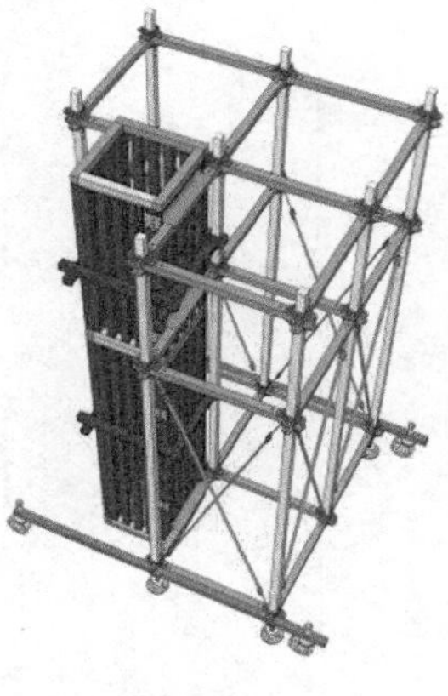 820 kg	
Ⅲ钢筋加工和定位	3. 钢筋笼起吊	（1）套放 1.5 m 柱高保护套	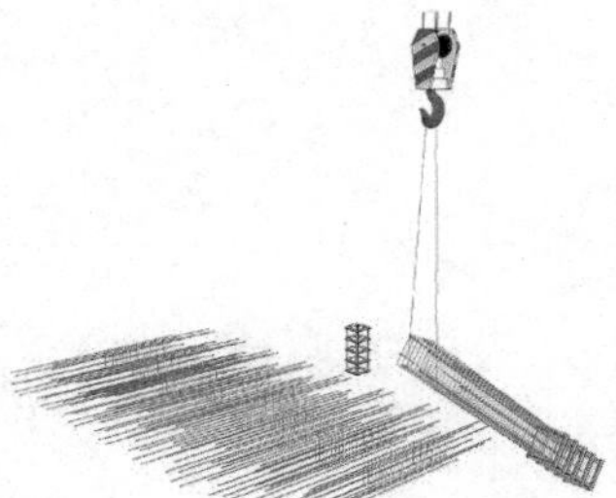	
		（2）吊离地面后摘下保护套		

续表

主工序	分部工序	分项工序	图示	辅助工具
Ⅲ钢筋加工和定位	4. 钢筋笼吊装到工位	钢筋笼吊装到工位（木方可调柱脚标高与楼面建筑标高一致，其中：一层标高±0.000，二层标高4.000 m）	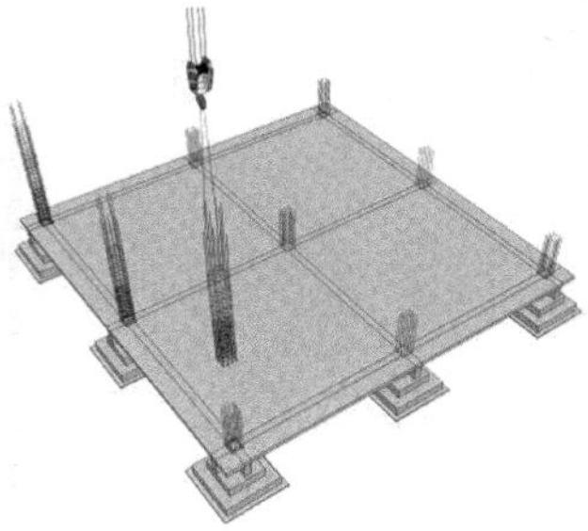 	—
	5. 后补钢筋箍筋，同时放置保护层垫块	（1）后补绑扎箍筋高度1 500 mm，图深色部分		 钢筋绑扎机  柱钢筋保护层垫块
		（2）保护层垫块间距400 mm，位置见详图		
		（3）在钢筋上标记浇筑混凝土高度基准线		
		（4）调整浇筑面高度上下箍筋		

续表

主工序	分部工序	分项工序	图示	辅助工具
Ⅳ柱构件模架定位	6. 开合式柱模架吊装到柱工位	保证吊装过程中模板与模架一体牢固，防止模板滑落，模板用钢角板与模架固定，就位后打开合页模板	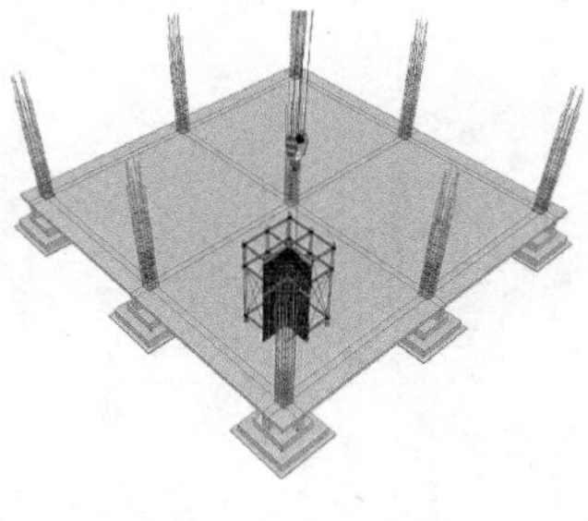	—
	7. 利用滑轮，水平移动稳定架，实现精准定位	（1）使固定合页模板下角部与钢筋笼相应角部对位		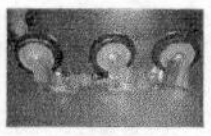 导向轮与滑动轮
		（2）对位后，旋转模架固定基脚，并锁死滑轮		
	8. 定位合页模板	（1）保证钢筋与下方固定模板贴合，并与模板脚部最下方为结合点		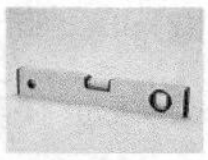 水平尺
		（2）向定位点反方向调整钢筋，同时用水平校准仪器校准垂直度		
	9. 定位另一侧 L 形合页模板后合模	（1）用紧线器调整杆件，使模板紧靠住钢筋笼保护套	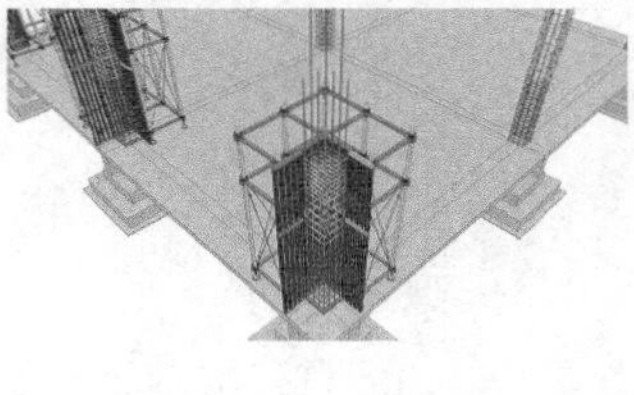	 紧线器
		（2）同时关闭下部合页模板		
	10. 安装底部模板抱箍	调整并闭合下部合页模板，用模板抱箍紧固。抱箍按照国家规范要求设置，上下模板连接部分增设抱箍一道，底部抱箍距离地面≤ 300 mm	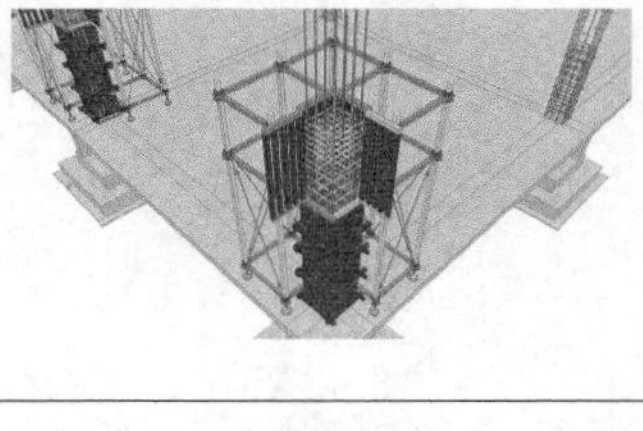	—
	11. 安装上部模板抱箍	（1）关闭并抱合上部模板，用模板抱箍紧固，顺序从下往上，并用记号笔标记位置，模板抱箍位置见图示	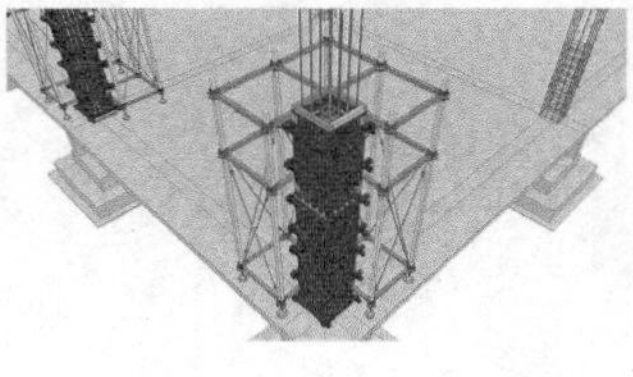	—
		（2）整体合模完成		

续表

主工序	分部工序	分项工序	图示	辅助工具
Ⅴ混凝土浇筑	12. 验证浇筑面高度	验证浇筑面		 全站仪
	13. 操作平台搭建	（1）安装专用操作平台	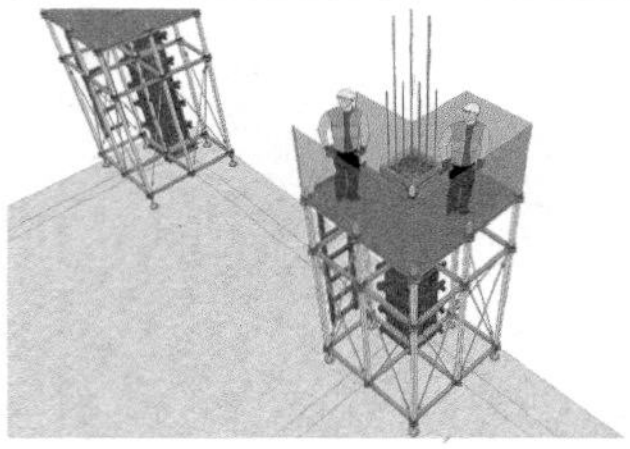	—
		（2）安装专用工作扶梯		
		（3）安装专用栏杆（建议铝合金），高度 1200 mm		
	14. 泵车浇筑商品混凝土	（1）振捣棒插入柱模板底部，与混凝土浇筑同步上拔	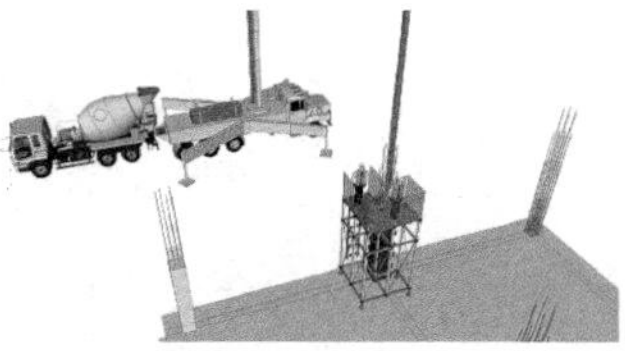	 振捣棒
		（2）浇筑到浇筑面标识线为止		
		（3）将多余的混凝土去除，与标识线齐平		
Ⅵ模架周转	15. 拆离临时安全设施		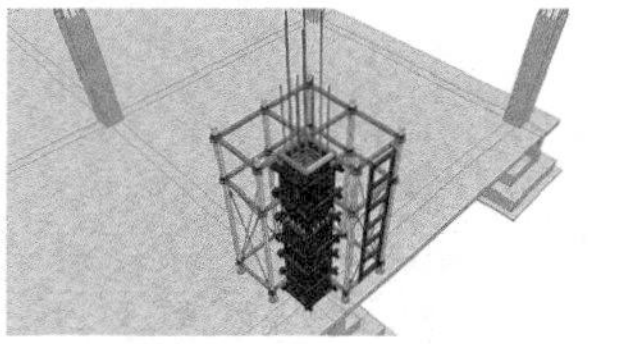	—
	16. 拆离抱箍和木质垫圈	（1）抱箍从上向下依次拆离	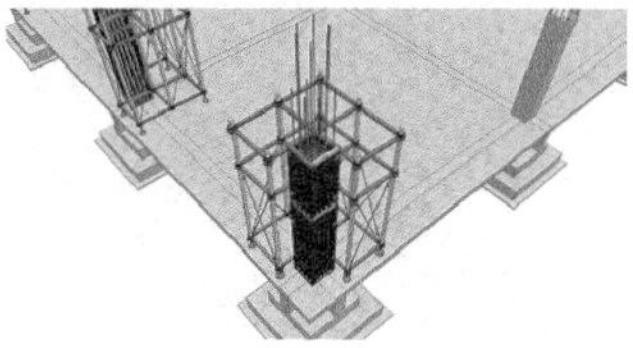	—
		（2）木质垫圈拆离，保证合页模板能够正常开启		
	17. 打开正面上下合页模板	（1）将一侧柱模打开	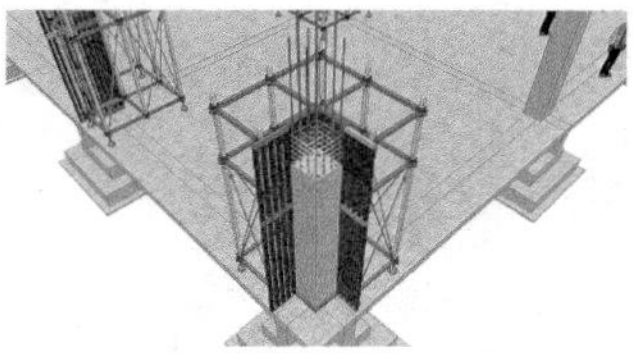	—
		（2）打开后的模板与模架用钢丝绳固定		
	18. 模架与模板整体吊离工位	（1）旋转模架固定基脚，降低滑轮	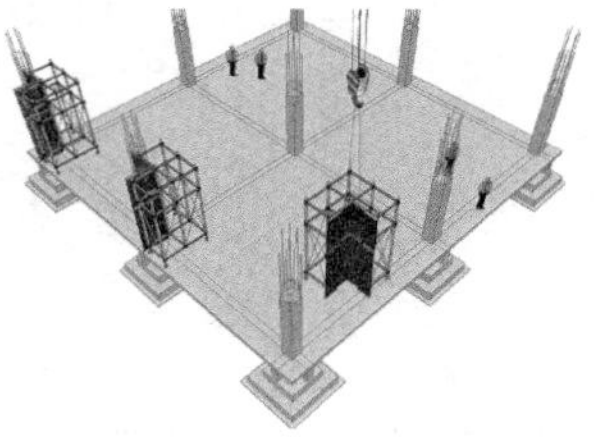	—
		（2）向后水平移动模板，离开工位		
		（3）模板与模架用钢丝绳固定牢靠后，用专用吊具将模架吊至周转场地，供下次周转使用		

续表

主工序	分部工序	分项工序	图示	辅助工具
Ⅶ竖向构件成型	19. 结构柱成型	—	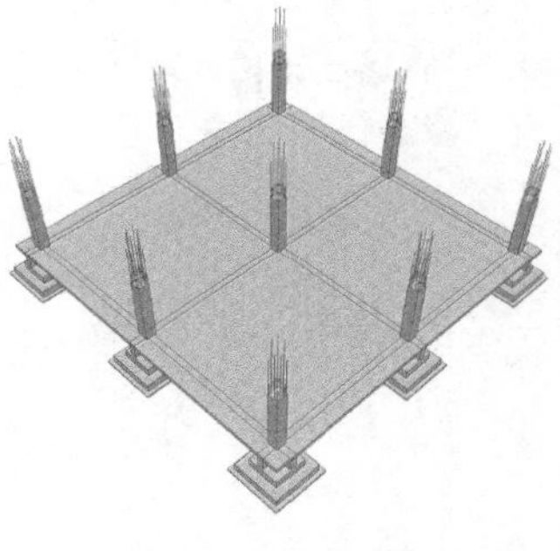	—
	20. 模板清扫	配备爬梯，用钢刷去除模板表面剩余混凝土，保持清洁，长期不用则涂油妥善保存，准备下次周转使用	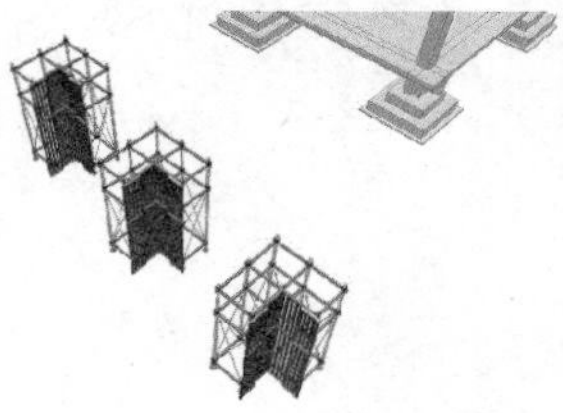 	 钢刷
Ⅷ横向梁构件定位标记	21. 梁构件定位标记	根据结构图纸，在每一根柱构件上用全站仪对横向梁构件进行定位标记。标记后用环箍标示		 全站仪

2. 横向构件成型定位连接

揽青斋项目中结构体的横向构件是指梁、板构件。

工艺流程如下：构件施工顺序编号→模架准备→梁构件模架定位→板构件模架定位→后装先拆带模板定位→角部模板定位→钢筋绑扎→混凝土浇筑→拆模准备→模架周转→横向构件成型。

横向构件详细安装工序详见表 7–5。

表 7–5　横向梁、板构件成型定位连接工法

主工序	分部工序	分项工序	图示	辅助工具
Ⅰ构件施工顺序编号	1. 横向梁构件按照施工顺序进行编号	用记号笔按照轴线施工顺序编号	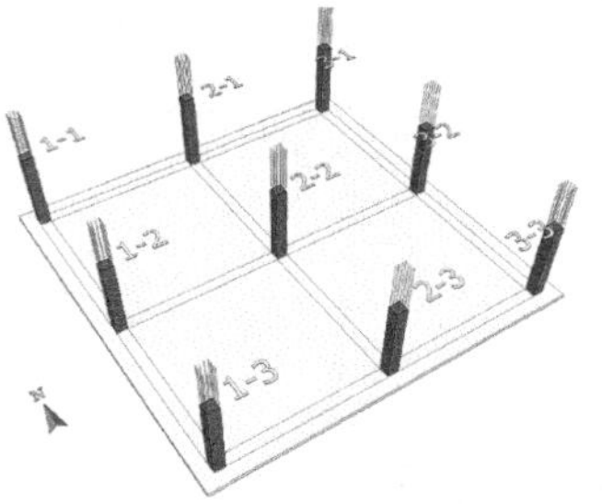 1-1 2-1 3-1 1-2 2-2 3-2 1-3 2-3 3-3	 记号笔
	2. 横向板构件按照施工顺序进行编号	用记号笔按照施工顺序编号	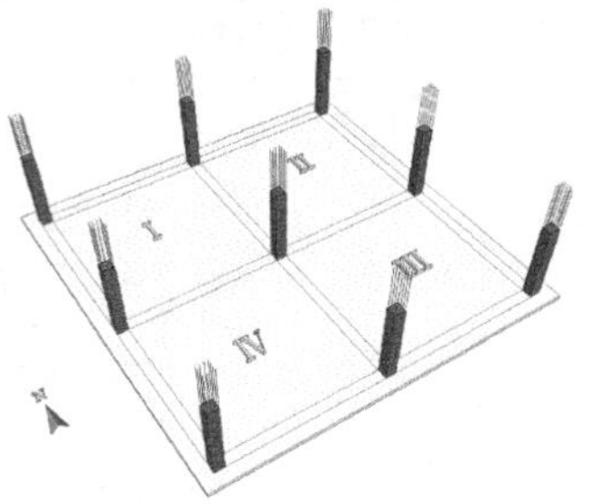 Ⅰ Ⅱ Ⅲ Ⅳ	
Ⅱ模架准备	3. 梁模架安装	（1）梁稳定架安装	 110 kg	 扳手
		（2）梁定型模板安装	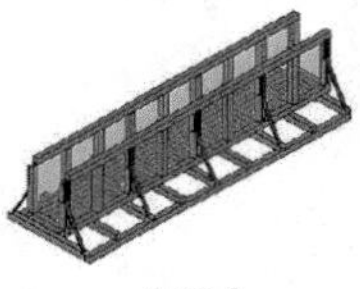 240 kg 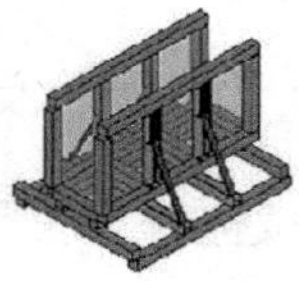80 kg	

续表

主工序	分部工序	分项工序	图示	辅助工具
Ⅱ模架准备	3. 梁模架安装	（3）梁构件模架吊装单元成型	 350 kg	—
	4. 板模架安装	（1）板稳定架安装	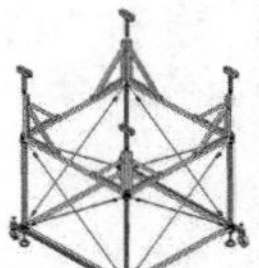 350kg	 扳手
		（2）板定型模板安装	290 kg	
	5. 模架安装定位滑轮	在模架底部适当位置安装滑轮，共4只，其中两只导向轮，两只滑动轮		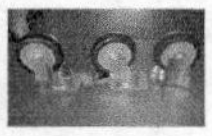 导向轮与滑动轮
Ⅲ梁构件模架定位	6. 梁模架吊装到梁工位	根据柱构件上的梁构件标记，放置梁构件模架吊装单元		—
	7. 利用滑轮，水平移动模架，实现精准定位	（1）旋转模架上部可调螺杆，使底模板与标记尺寸对位	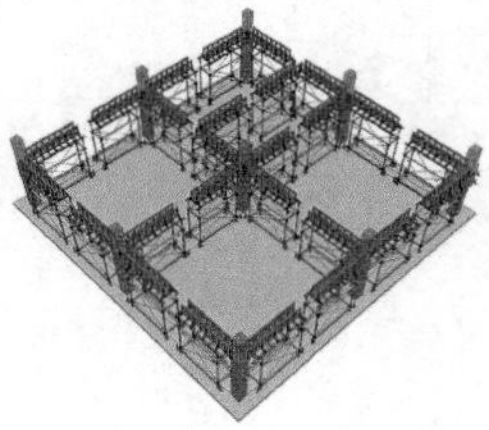 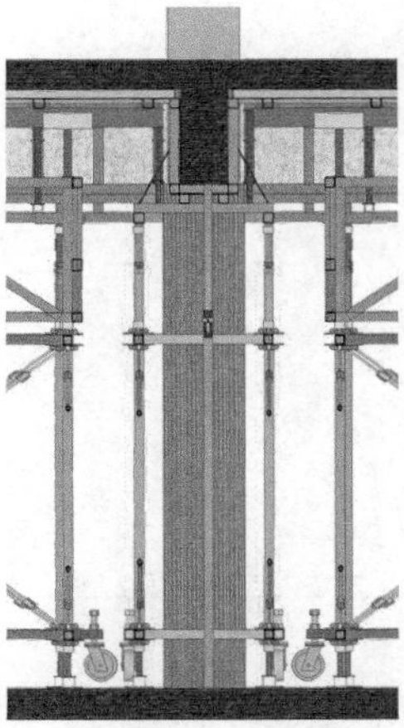 梁模架剖切关系	—

续表

主工序	分部工序	分项工序	图示	辅助工具
Ⅲ梁构件模架定位	7. 利用滑轮，水平移动模架，实现精准定位	（2）精确对位后，将滑轮锁死	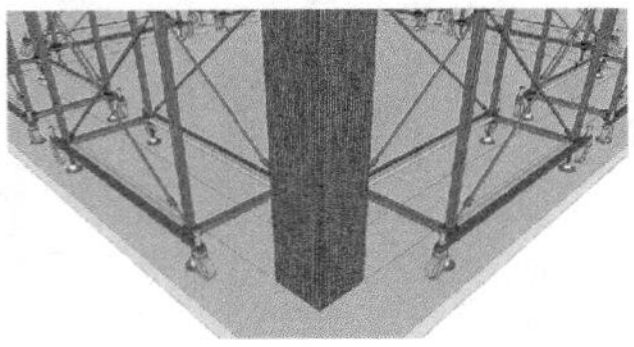	—
	8. 安装梁构件中间段定型模板，并用辅助支撑杆支撑	定位后用水平尺，和全站仪验证梁构件定型模板的垂直和水平度	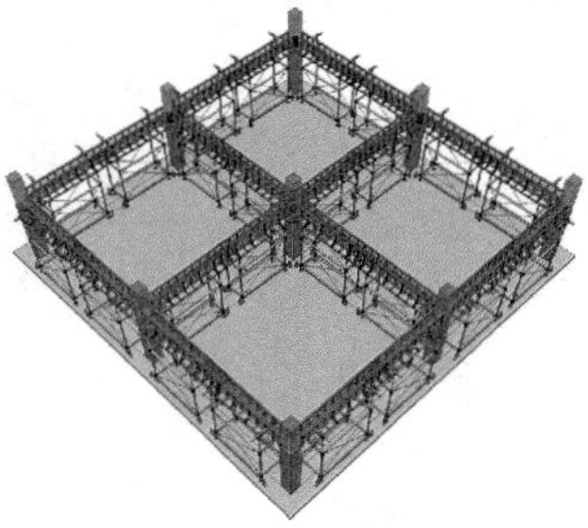 	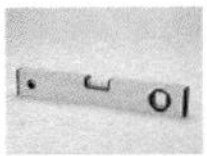 水平尺  支撑杆  三脚架
Ⅳ板构件模架定位	9. 板构件稳定架吊装到工位		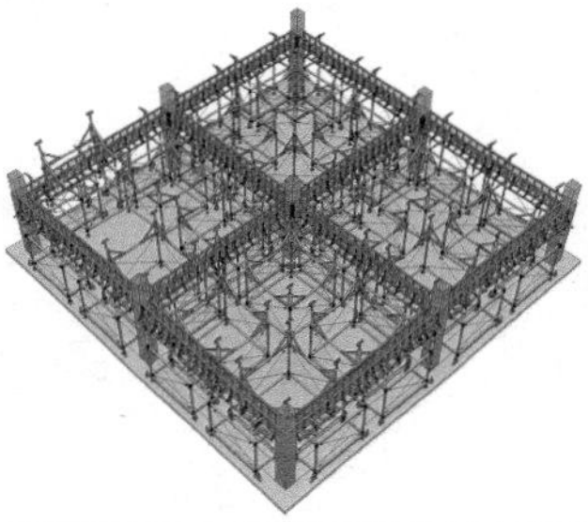	—
	10. 安装板构件定型模板		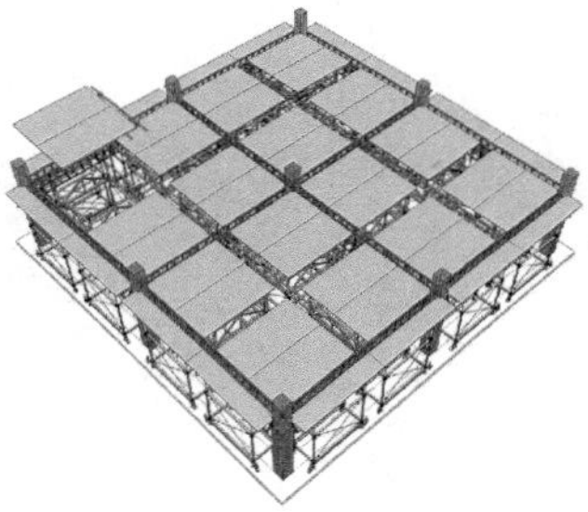 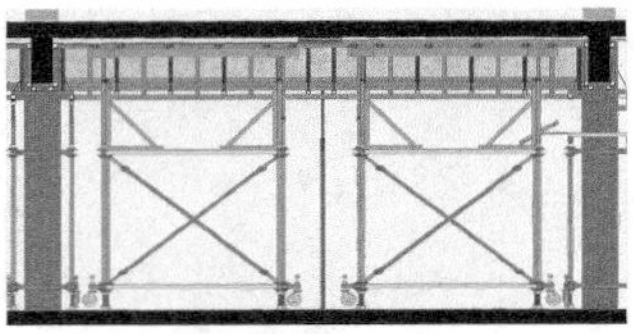 板模架剖切关系	—

续表

主工序	分部工序	分项工序	图示	辅助工具
Ⅴ后装先拆带模板定位	11. 安装后装先拆带，并用辅助支撑杆支撑，后装先拆带中心部位采用辅助独立支撑	后装先拆带由木框和薄钢板制作。就位后底部加装支撑杆	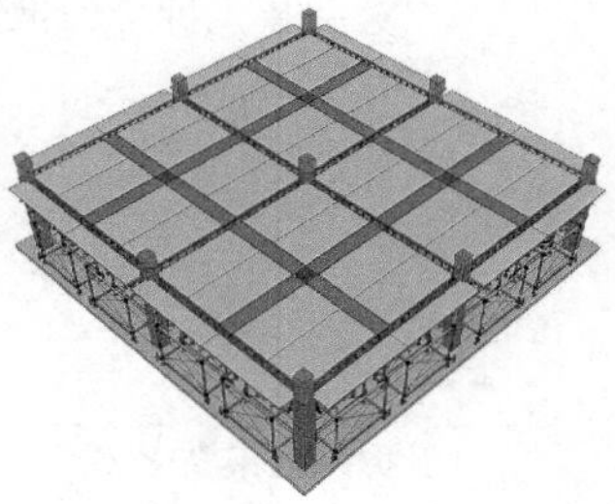 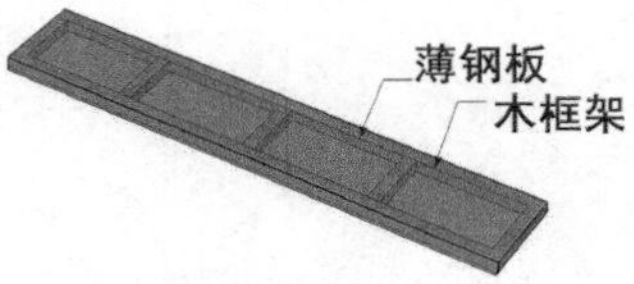 薄钢板 木框架 单块板重量不大于 20 kg 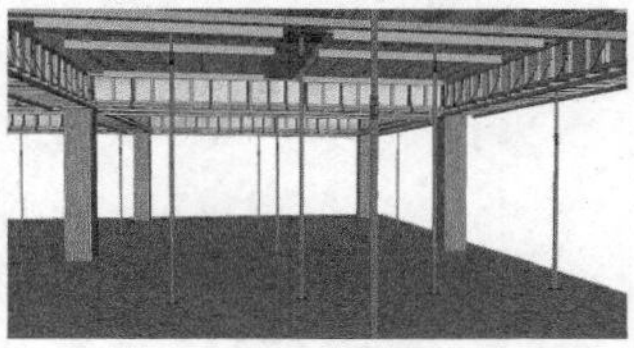 安装回头撑	 支撑杆  三脚架
Ⅵ角部模板定位	12. 安装角部模板，并用辅助支撑杆支撑		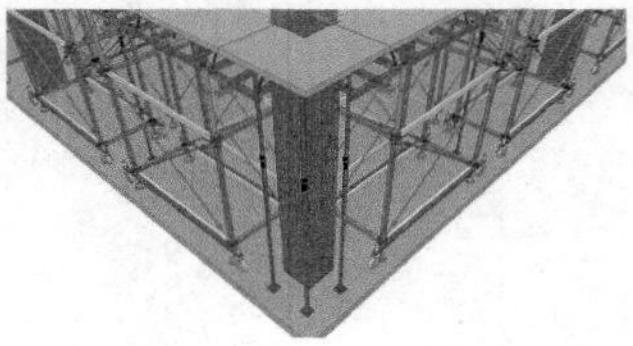	 支撑杆  三脚架
Ⅶ钢筋绑扎	13. 根据构件尺寸完成梁、板构件钢筋绑扎和连接	绑扎钢筋过程中注意留出楼梯及管线洞口	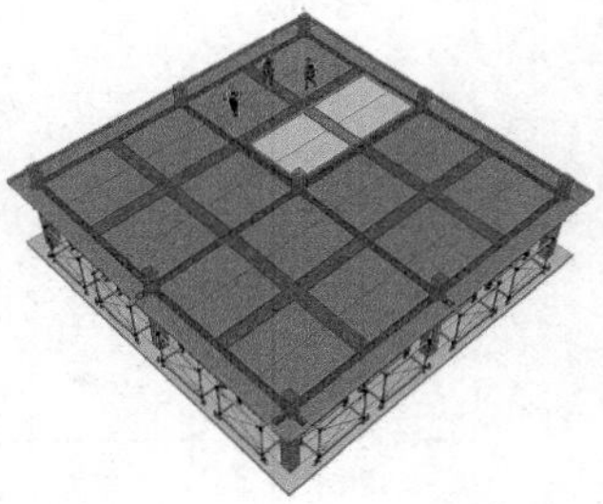	 钢筋绑扎机  钢筋保护层垫块
Ⅷ混凝土浇筑	14. 泵车浇筑商品混凝土	振捣棒插入梁、板模板底部，边浇筑边振捣。楼梯洞口不浇筑	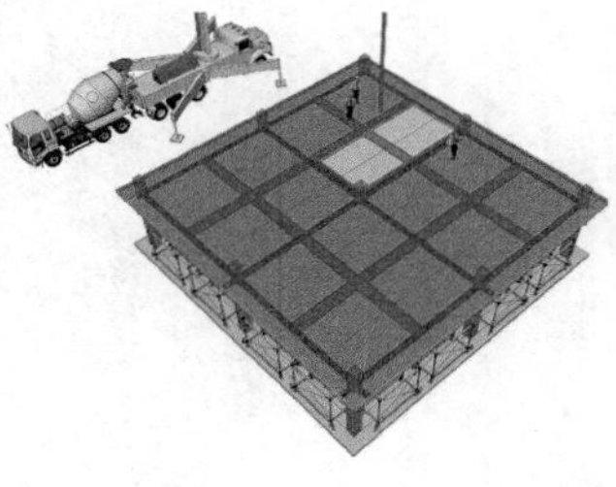	 振捣棒

续表

主工序	分部工序	分项工序	图示	辅助工具
Ⅸ拆模准备	15. 对后装先拆带的拆卸顺序进行编号			—
Ⅹ模架周转	16. 拆除后装先拆带	按照编号顺序依次拆卸，将后装先拆带的支撑杆移除，并用撬棒将其从顶部撬起移送至地面，移动过程中注意保护模板，避免损坏。拆卸下来的模板集中堆放，妥善保管	 （1）  （2）  （3）  （4）	 撬棒
	17. 拆除梁模架	（1）降低梁模架可调杆高度，打开合页模板		 扳手
		（2）利用滑轮，将梁模架顺次从工位移出至周转平台	 周转平台	—

续表

主工序	分部工序	分项工序	图示	辅助工具
X模架周转	18. 拆除板模架模板	（1）拆除板模架稳定架	 	—
		（2）降低板模架可调杆高度，降低模板至梁高以下 10 cm 左右		 扳手
		（3）利用滑轮，将板模架顺次从工位移出至周转平台	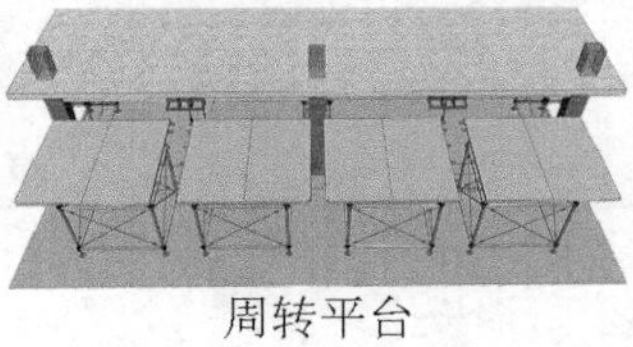 周转平台	—
XI横向构件成型	19. 结构梁板构件成型	混凝土强度达到要求后拆除红色辅助支撑立杆	 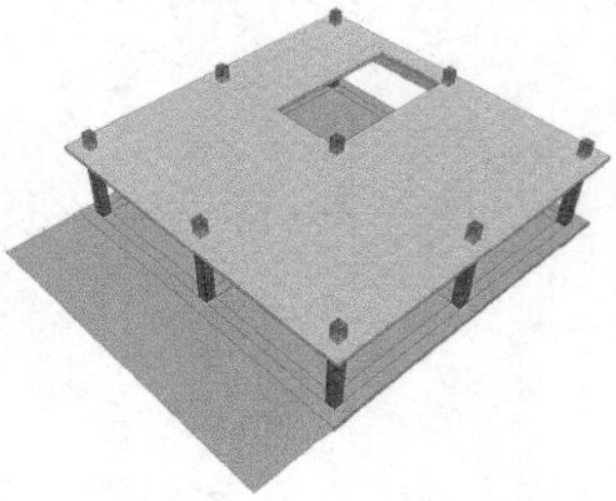	—
	20. 模板清扫	在周转场地内，用钢刷去除模板表面剩余混凝土，保持清洁，长期不用则涂油妥善保存，准备下次周转使用	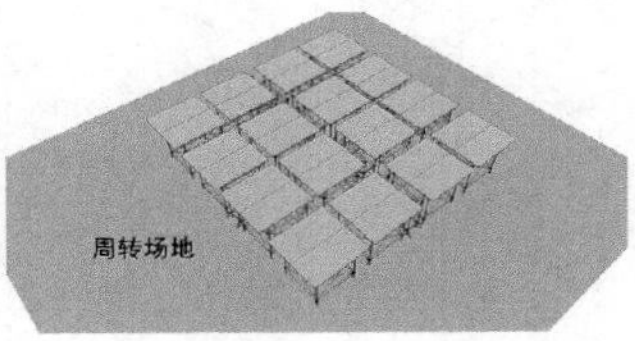 周转场地	 钢刷

续表

主工序	分部工序	分项工序	图示	辅助工具
Ⅺ横向构件成型	21. 构件编号	按照一层的施工顺序，对各个模架进行编号，按照编号顺序完成二层的施工	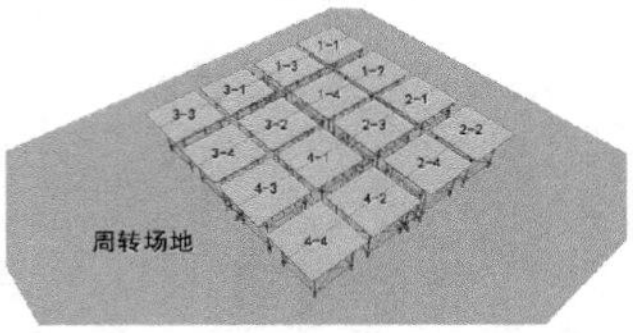	—

3. 外墙板预制及成型定位连接

外围护构件组在揽青斋项目中主要起分隔室内外空间和装饰作用，主要采用外墙挂板的形式。外墙挂板是自重构件，不考虑分担主体结构所承受的荷载和作用，其只承受作用于本身的荷载，详见图 7–2 揽青斋项目各功能体拆分图 1–2 基本功能体——围护体。

安装工艺流程如下：钢模具组装→绑扎钢筋笼→埋设金属连接件→合模→混凝土浇筑→脱模→堆放→运输周转→现场安装外墙板预埋件→定位件安装→墙板连接。

外墙板详细安装工序见表 7–6。

表 7–6　外墙板预制及成型定位连接工法

主工序	分部工序	分项工序	图示	辅助工具
Ⅰ钢模具组装	墙板模具	侧模加工 :18# 槽钢	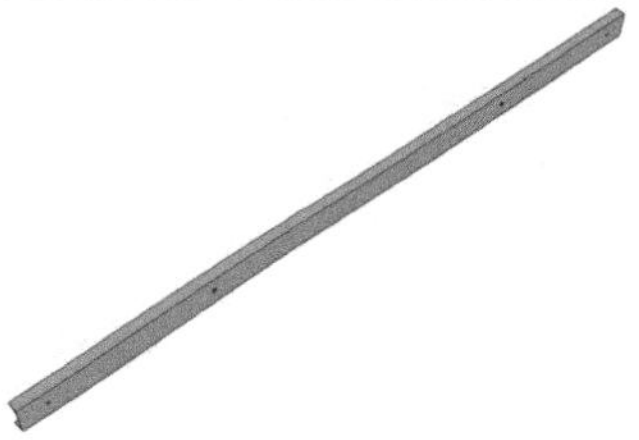	—
		端模加工 :18# 槽钢	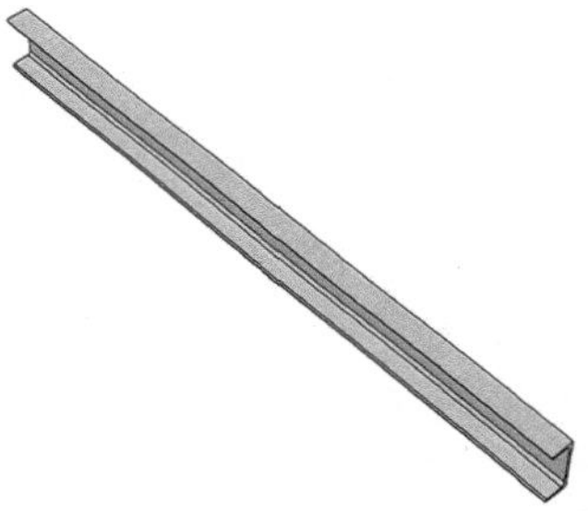	—
		限位块限位 : 采用 4 组 8 mm 厚 50 mm 长 10 mm 宽的限位块进行限位	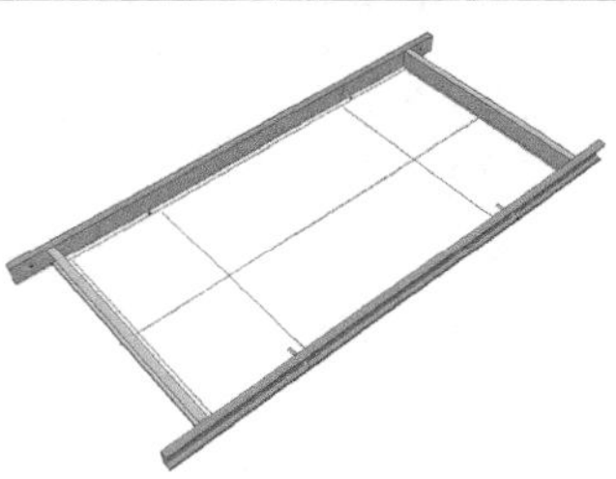	—

续表

主工序	分部工序	分项工序	图示	辅助工具
Ⅰ钢模具组装	墙板模具	安装直角定位块	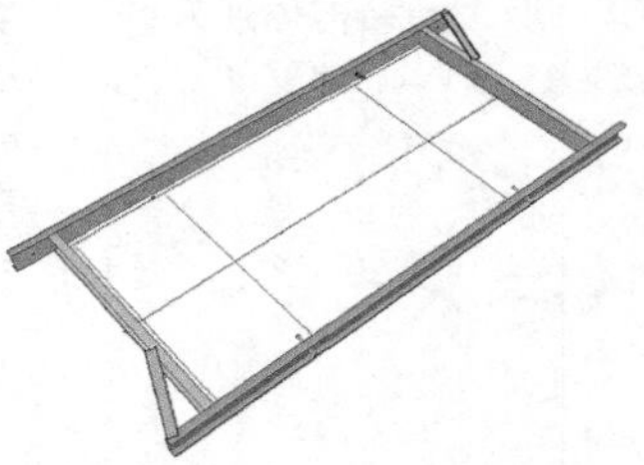	—
	门窗洞口模具	端模与侧模压轧成型	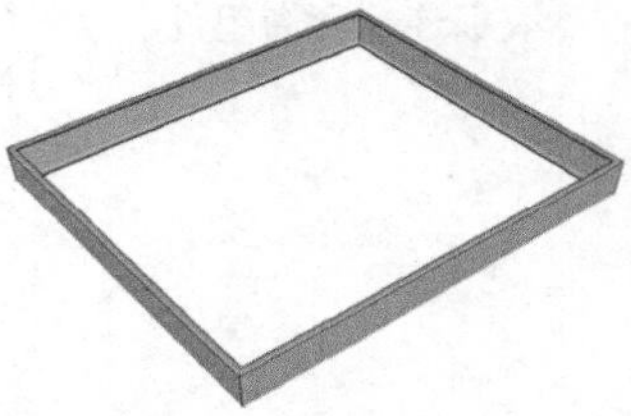	—
		安装 L 型角钢 :8# 角铁	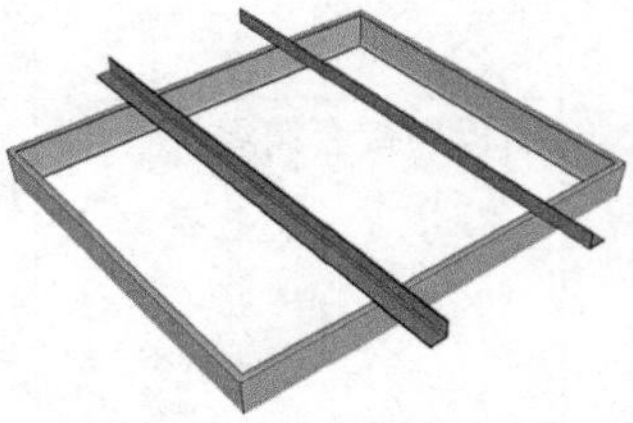	—
Ⅱ绑扎钢筋笼	肋板钢筋加工	U 型钢筋网片加工	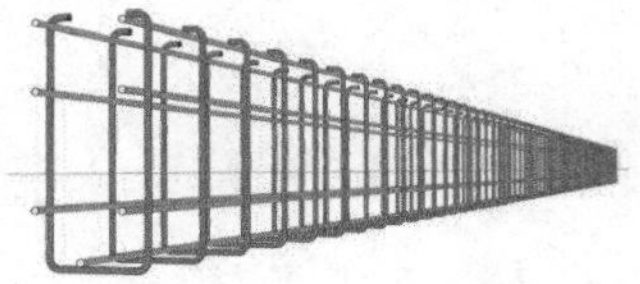	—
	直角连接筋定位	—	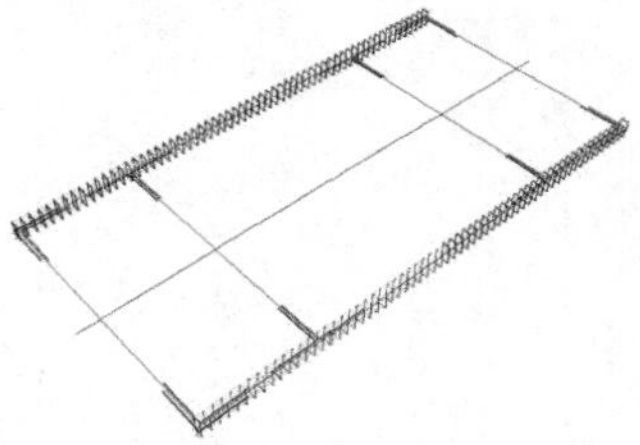	—
	串接主筋，双层排布	—	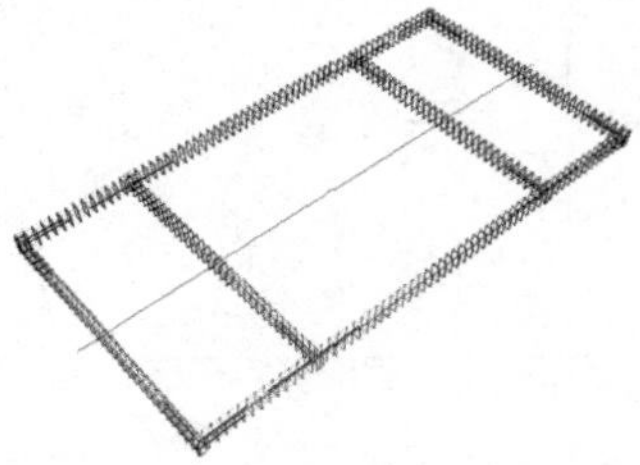	—
	连接底层和上层钢筋笼网片	—	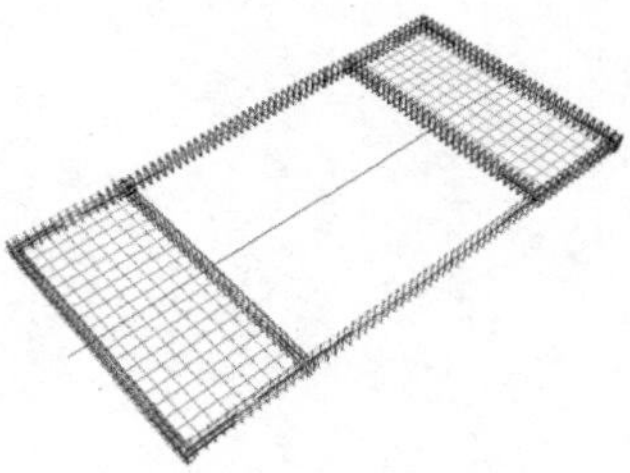	—

续表

主工序	分部工序	分项工序	图示	辅助工具
Ⅲ埋设金属连接件	墙板与结构体连接件	墙板安装预埋件由 φ14mm 螺纹钢和 8 mm 厚 120 mm 长 80 mm 宽钢板焊接，加工好的预埋件分别布置在钢筋笼的四个角部	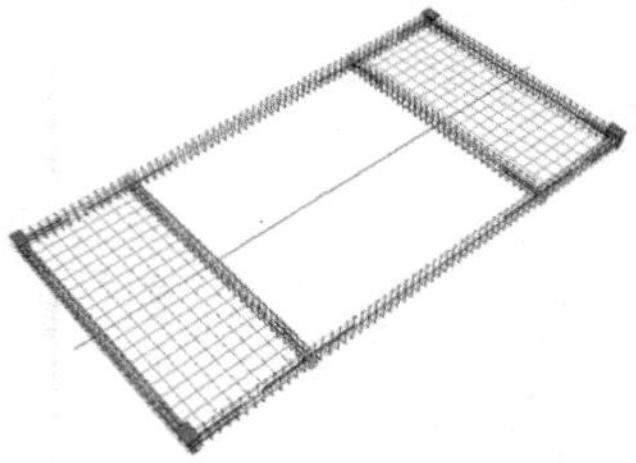	—
	墙板连接套筒组件	将圆形钢管（A）焊接在侧模定位点	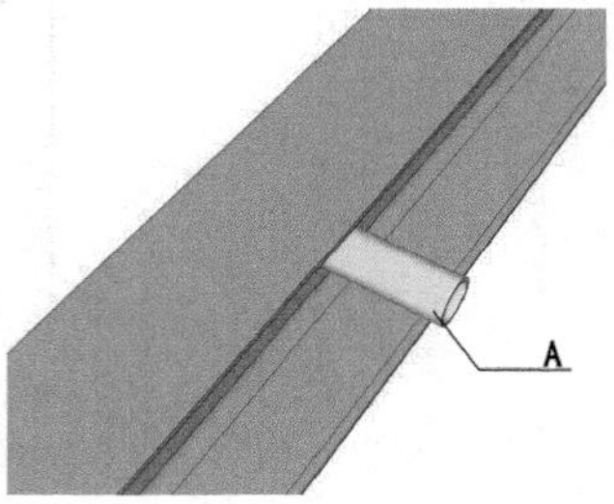 A	—
	墙板连接套筒组件	从模具外侧向钢管（A）内插入圆形钢管（C）至侧模内	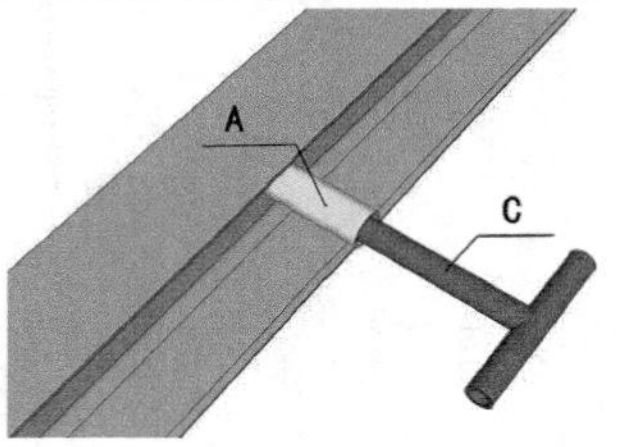 A C	—
		将圆形钢管（B）在模具内套入圆形钢管（C）	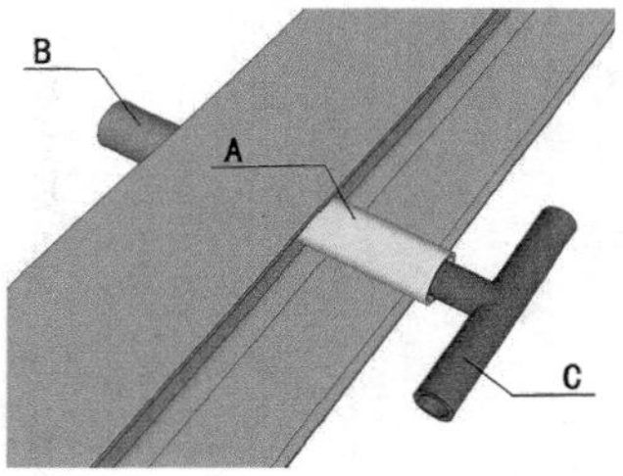 B A C	—
		混凝土浇筑完成后拔出圆形钢管（C），将圆形钢管（B）埋置在预制墙板内	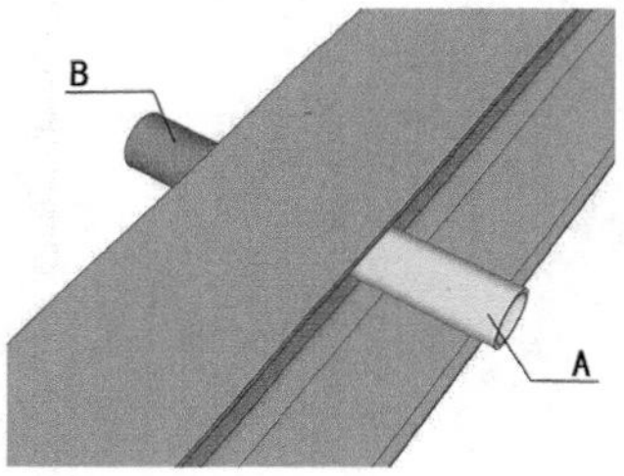 B A	—

续表

主工序	分部工序	分项工序	图示	辅助工具
Ⅲ埋设金属连接件	安装起吊板预埋件	起吊板采用壁厚 10 mm 宽度 60 mm，长度 280 mm 钢板制作，钢板长向一侧用折弯设备折弯出 180° 的圆钩，圆钩内径 10 mm，折弯长度 40 mm。钢板长向另外一侧倒圆角后用钻孔设备沿钢板竖向中心线圆心距离端部 30 mm 处钻直径 30 mm 圆孔，该圆孔在施工现场吊装墙板时用来安装 D 型卸扣		—
Ⅳ合模	将钢筋笼安装到钢模具	采用门式吊车或叉车辅助操作	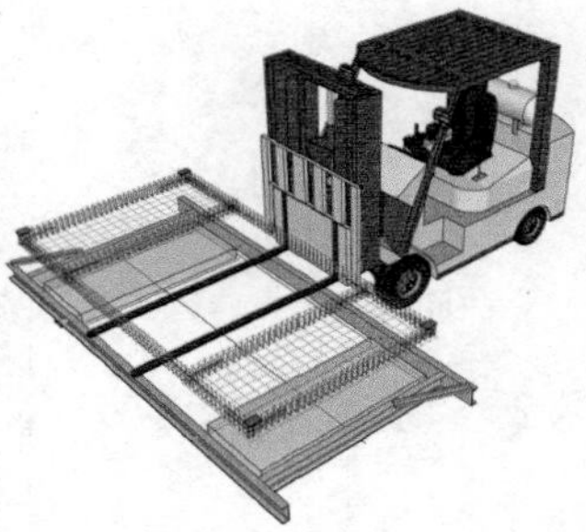	—
	安放门窗洞口模具	安放门窗洞口模具	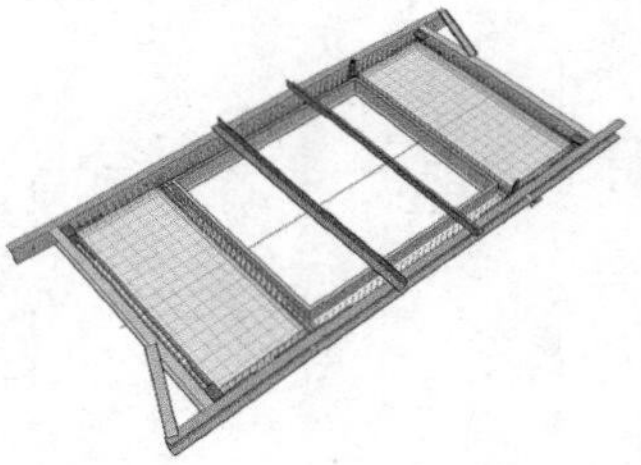	—
	安装模具对拉杆组件	对拉杆组件由螺杆、前垫板、后垫筋和螺母构成。螺杆采用 ϕ10 mm 拉光圆杆，后垫筋采用 ϕ10 mm 拉光圆杆焊接在螺杆一端，与钢模具侧模对穿后安装 Q235B、8 mm 厚前垫板，然后在对拉杆两侧用 M12 螺母紧固。对拉组件在钢模具侧模两端上下各设置一道，防止浇筑混凝土后模具胀裂变形	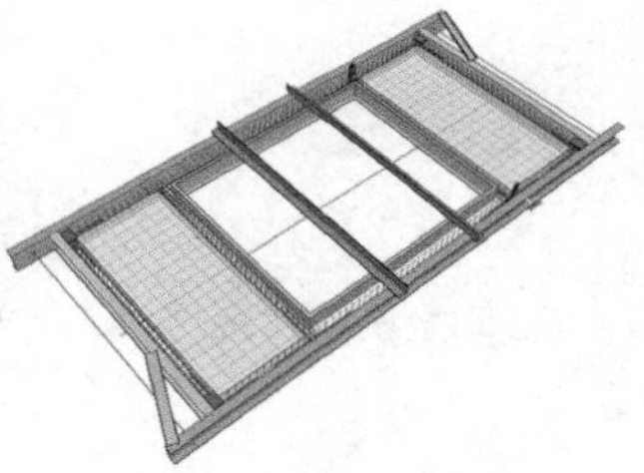	—

续表

主工序	分部工序	分项工序	图示	辅助工具
Ⅴ混凝土浇筑	振捣	采用插入式振捣棒人工振捣或者振动平台机械振捣方式，以便达到混凝土密实的目的。插入式振捣棒可以根据工程结构的断面、配筋疏密和骨料粗细状况进行选择，捣实普通混凝土的移动间距，不宜大于振捣器作用半径的1.5倍，捣实轻骨料混凝土的移动间距，不宜大于其作用半径。振捣器与模板的距离不应大于其作用半径的0.5倍，并应避免碰撞钢筋、模板、芯管、吊环、预埋件[1]。振捣器应插入下层混凝土内的深度不小于50 mm，以使上下层混凝土很好的结合。每一振点的振捣延续时间宜为20~30秒，应使混凝土表面呈现浮浆并不再沉落。混凝土欠振、超振以及漏振都会影响混凝土的质量	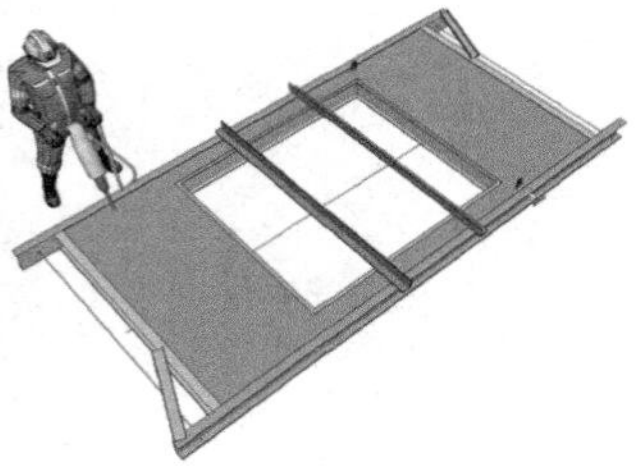	
	抹面	先用整平梁沿模具顶面进行整平，再采用抹子磨平混凝土表面，注意填充边角。在夏季抹面完成后，及时将混凝土表面进行覆盖，避免混凝土快速失水造成干裂		—
	养护	高温炎热或大风天气3小时后开始。自然状态下养护时间为10至15天，养护方法可直接浇水或在混凝土表面上覆盖塑料薄膜，然后再浇水。蒸汽养护则将混凝土构件放在蒸汽养护室，通入水蒸气使混凝土升温，经过静养阶段、升温阶段、恒温阶段和降温阶段，加速水泥水化硬化进程，快速达到脱模强度，加快模具周转，提高生产效率[2]	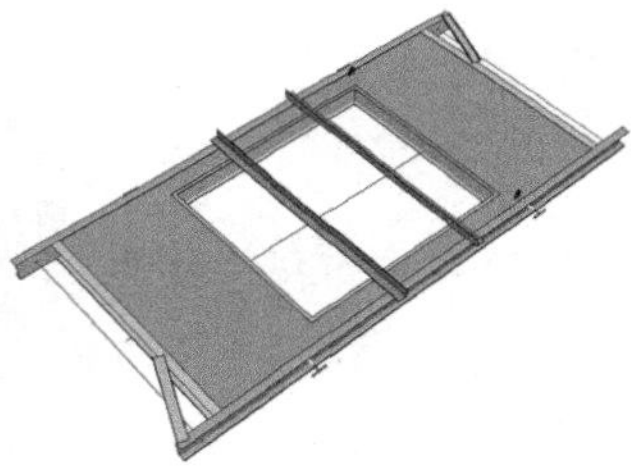	—
Ⅵ脱模	拆卸金属连接配件	移除步骤Ⅲ长度200 mm圆形钢管（C），移除后清理备用	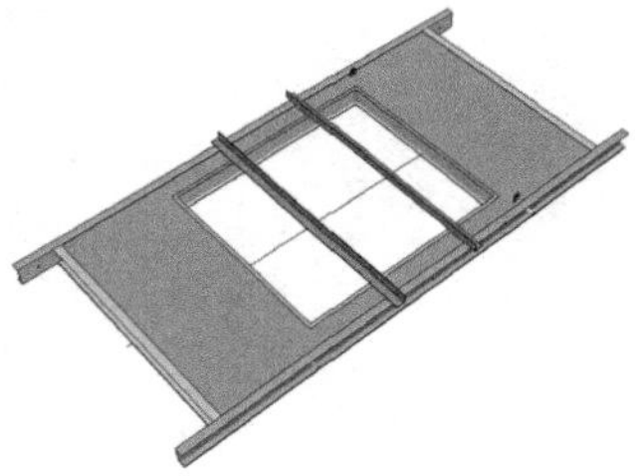	—

续表

主工序	分部工序	分项工序	图示	辅助工具
Ⅵ脱模	拆卸模具	侧模和端模只要混凝土强度能够保证，结构表面及棱角不因拆除模板而受损时，即可拆除[3]。对于底模，预制板跨度≤ 2 m，应在结构同条件养护的试件强度达到设计强度标准值≥ 50% 时方可拆除。2 m＜预制板跨度≤ 8 m，应在结构同条件养护的试件强度达到设计强度标准值≥ 75% 时方可拆除[4]。拆除的模具应分散堆放并及时清运备用	 	—
	外观检查	重点检查外墙板外观尺寸和垂直度，垂直度观测可用直角靠尺		
Ⅶ堆放		预制外墙板经检测后需运往吊装机械工作半径范围内存储，吊装过程采用吊具四点起吊，为防止起吊点处混凝土开裂可将吊具插放进步骤Ⅲ外墙连接套筒内，套筒附近的钢筋绑扎点进行加强。预制墙板构件可采用平放法临时堆放。平放法堆放需在构件间放置高度≥ 100 mm 方木，且最多不超过 5 层	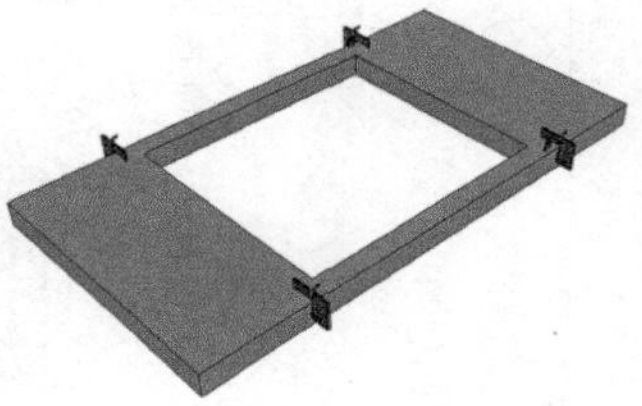 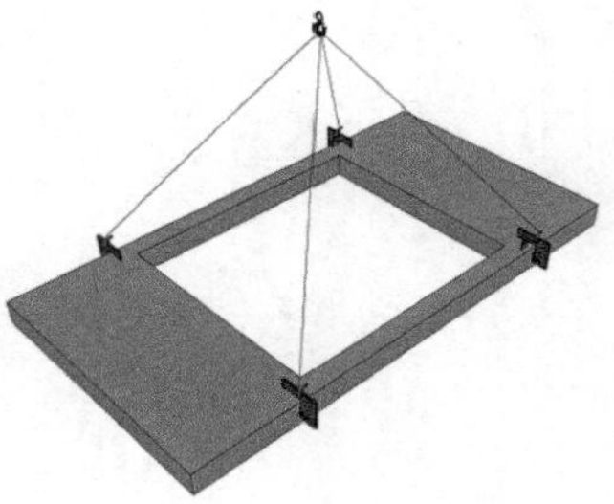 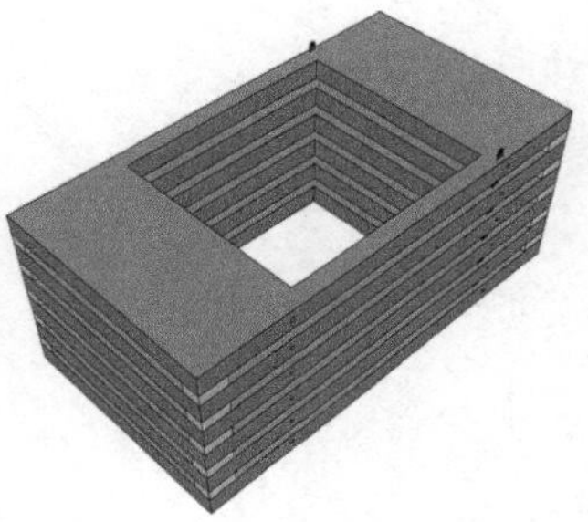	—

续表

主工序	分部工序	分项工序	图示	辅助工具
Ⅷ运输周转		运输方式采用插放法转运构件。将外墙构件垂直吊放至墙板插放架内，插放架用工字钢或角钢焊接制成，底部有方木，上横杆留有销槽，便于横档随墙板厚度移动，上部纵向用钢管或脚手板与支架连接，使所有构件与插放架连成整体	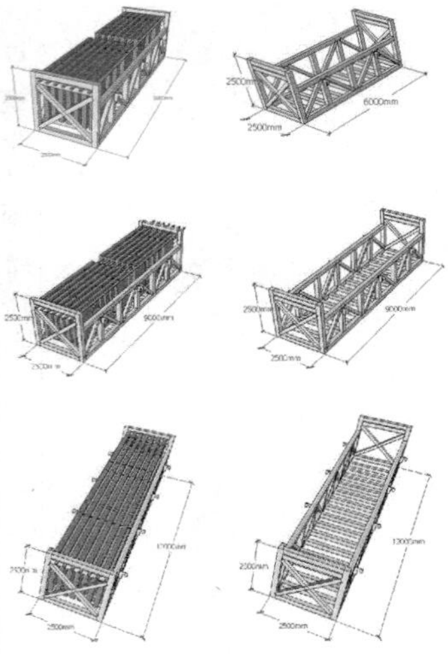	—
Ⅸ现场安装外墙板	现场安装结构体预埋件	预埋件安装	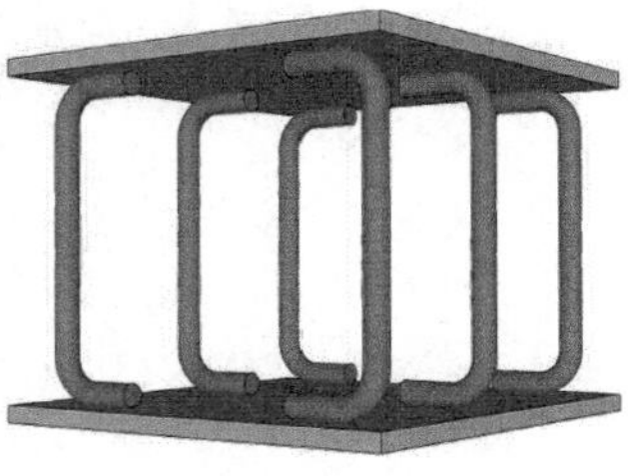 外墙板预埋件 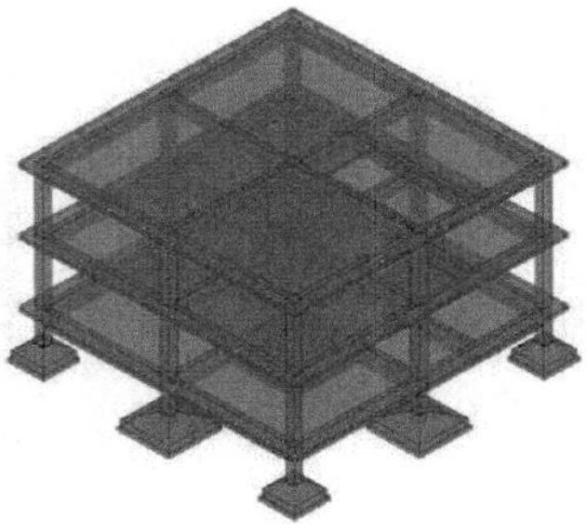 预埋件	—

续表

主工序	分部工序	分项工序	图示	辅助工具
Ⅸ现场安装外墙板	定位件安装	安装 X 方向定位件：橡胶定位块厚度 15 mm，间距 1 500 mm，相邻两块墙板结合处垫块错缝相接	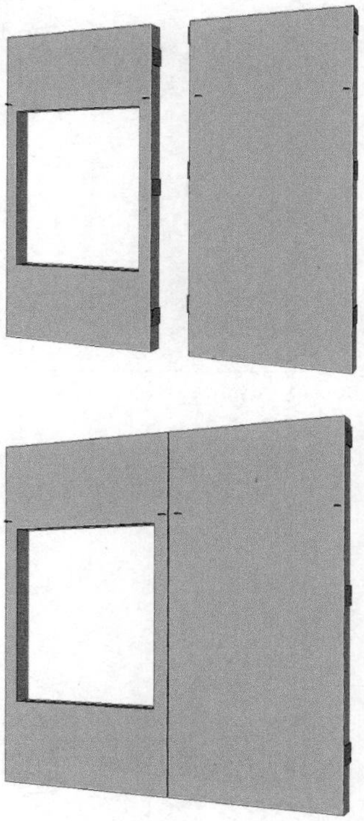	—
		安装 Y 方向定位件：定位焊接块尺寸 8 mm × 60 mm × 160 mm		—
		安装 Z 方向定位件	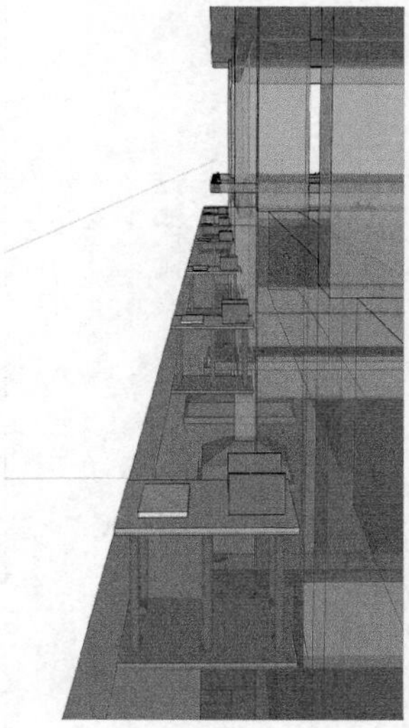	—

续表

主工序	分部工序	分项工序	图示	辅助工具
Ⅸ现场安装外墙板	定位件安装	外墙板安装从建筑立面中间单元开始，将安装公差积累至两侧	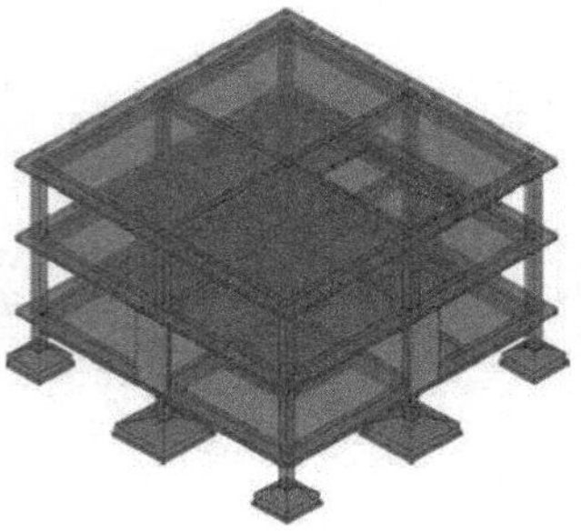	—
	第一次定位	用吊车将墙板落位至安装工位，与Z方向定位件对位，实现第一次初步定位	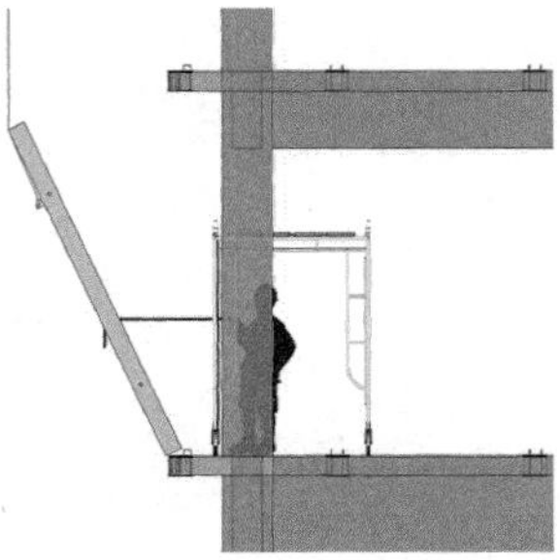	—
	第二次定位	工人通过撬棒等辅助工具将墙板与底部Y方向定位件对位，实现墙板第二次定位	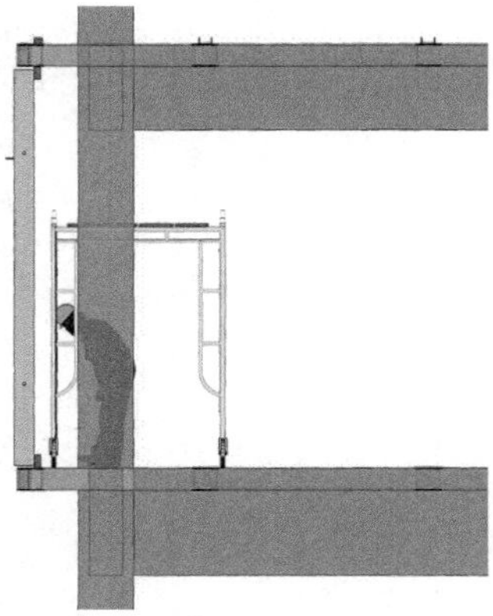	
	第三次定位	工人通过撬棒等辅助工具将墙板与上部Y方向定位件对位，实现墙板第三次定位	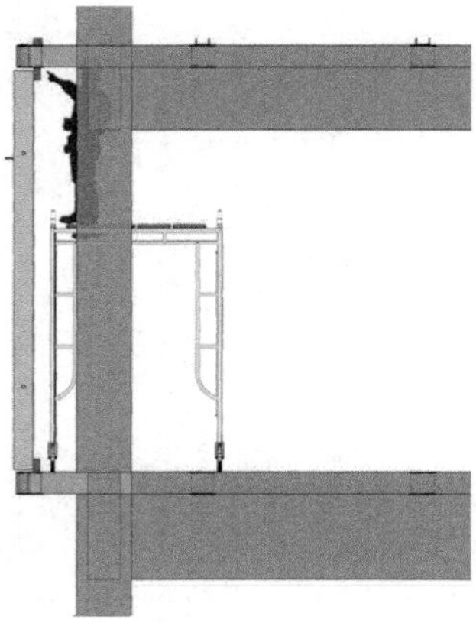	

续表

主工序	分部工序	分项工序	图示	辅助工具
Ⅸ现场安装外墙板	移除定位件	工人用锤子上下沿 Y 方向定位件敲除，移除墙板吊具	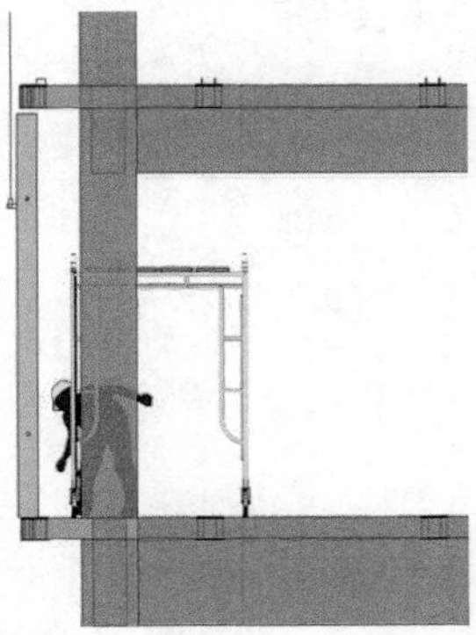	
	墙板连接	工人分别在墙板上下部分用焊接块连接埋件与墙板预埋件	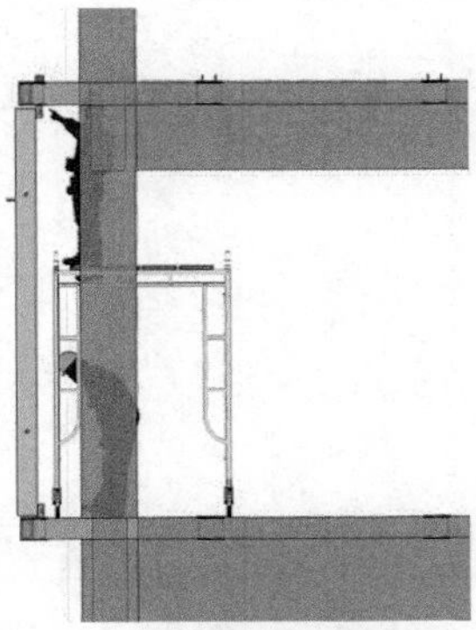 	
		中间墙板安装完成后安装一侧墙板	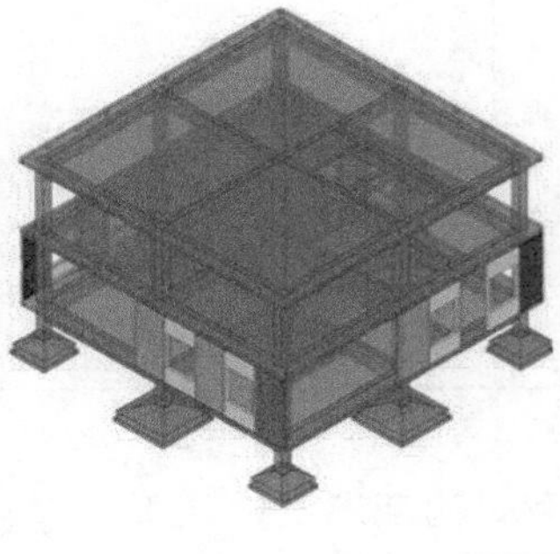	—

续表

主工序	分部工序	分项工序	图示	辅助工具
Ⅸ现场安装外墙板	墙板连接	继续安装中间墙板另外一侧墙板	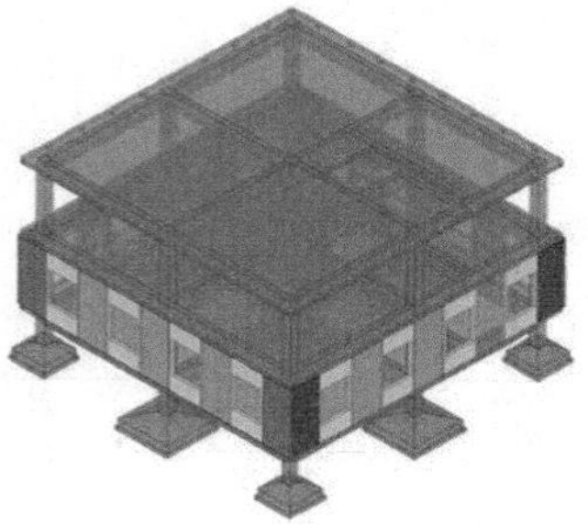	—
		安装上层预制外墙板	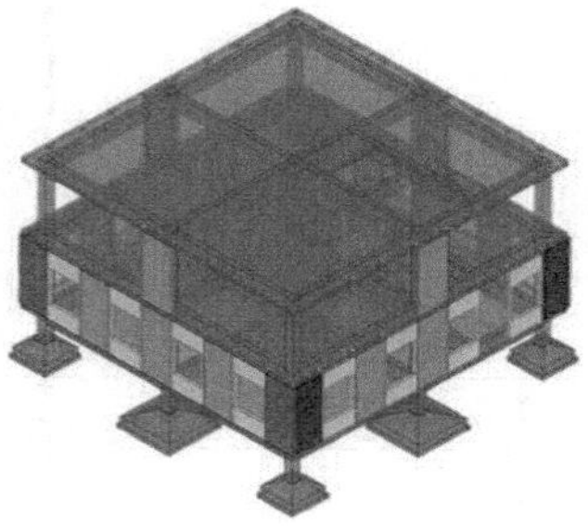 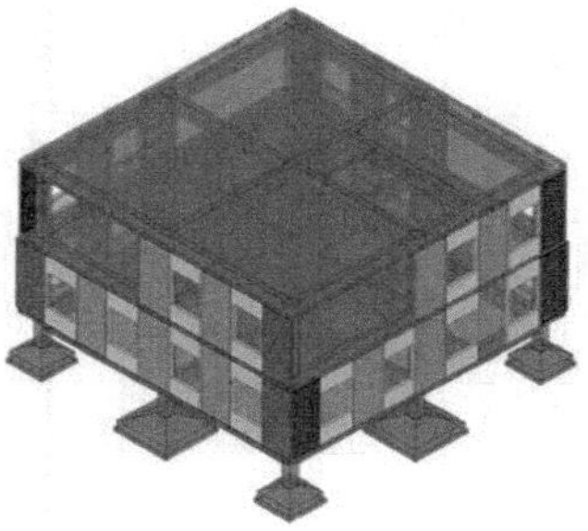 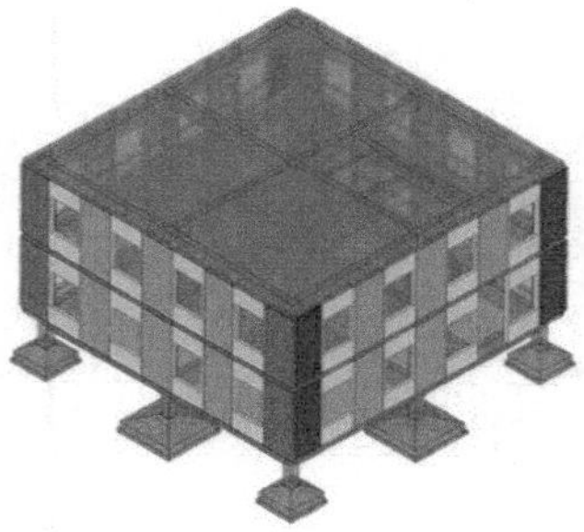	—

4. 功能扩展空间钢结构定位连接

揽青斋项目扩展钢结构阳光房如图 7–2 揽青斋项目各功能体拆分图中 2–1 扩展功能体——钢结构阳光房所示。

工艺流程如下：工厂构件加工→安装主要钢柱→安装女儿墙支梁→安装辅助钢柱→安装辅助钢梁→安装主梁→安装横筋→安装外围护框架。

详细安装工序见表 7–7。

表 7-7　功能扩展空间钢结构定位连接主工序

主工序	图例	构件		
		图例	构件类型	数量
1. 工厂加工构件	—	—	—	—
2. 安装主要钢柱	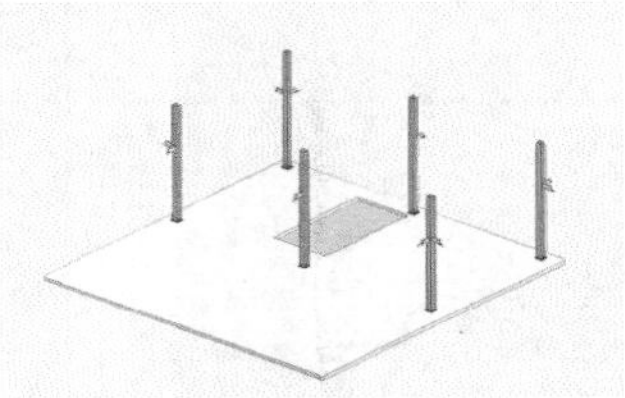	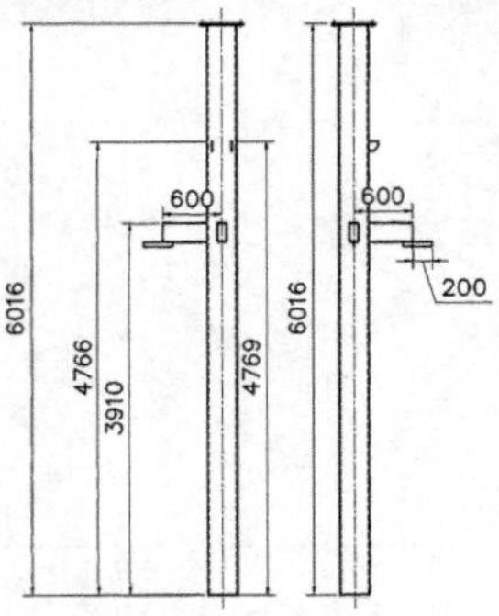	组焊件	4
		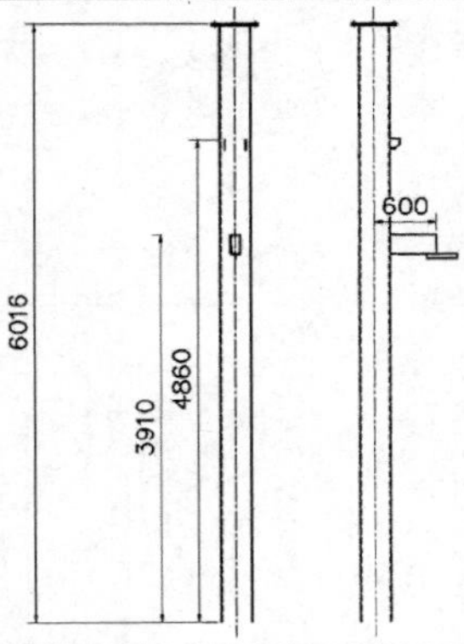	组焊件	2
3. 安装女儿墙支梁	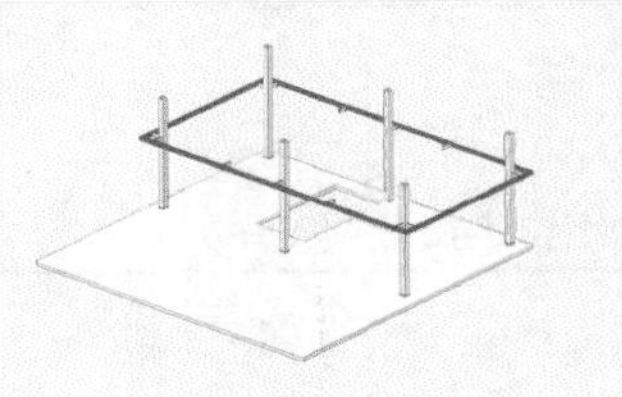	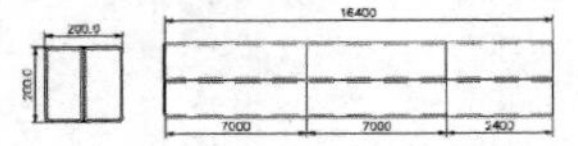	组焊件	2
		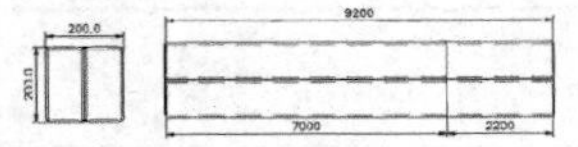	组焊件	2
4. 安装辅助钢柱	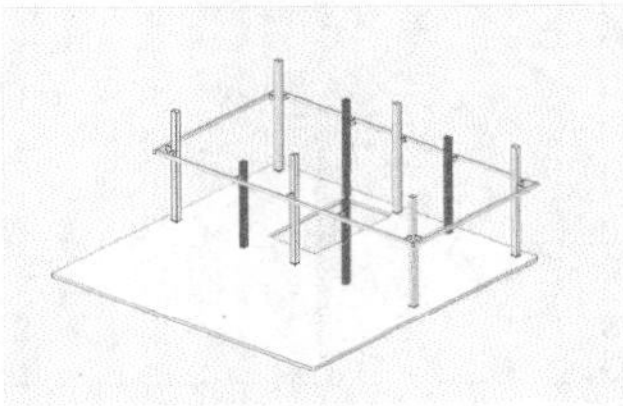	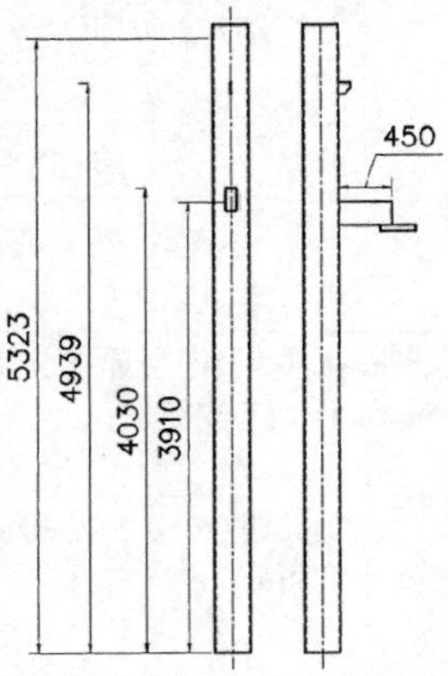	组焊件	4

续表

主工序	图例	构件		
		图例	构件类型	数量
5. 安装辅钢梁	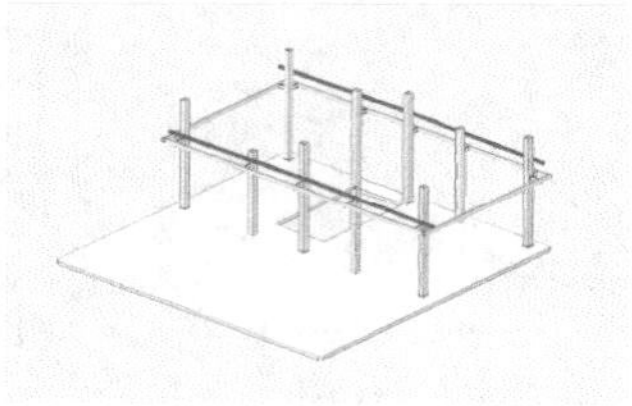	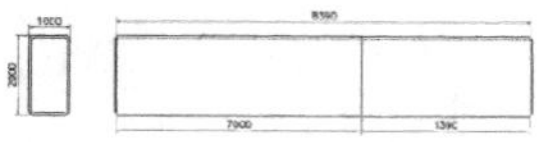	组焊件	2
6. 安装主梁	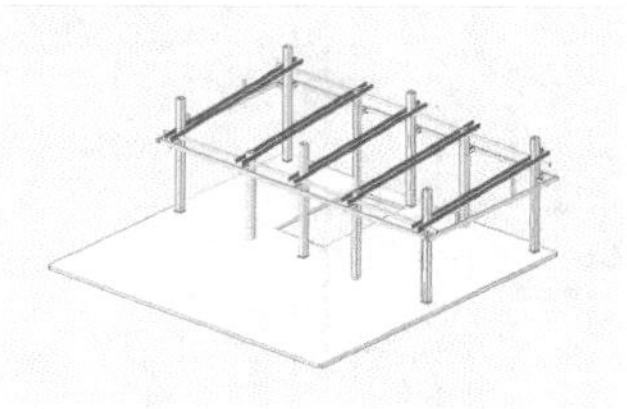	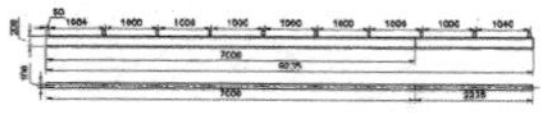	组焊件	6
7. 安装横筋	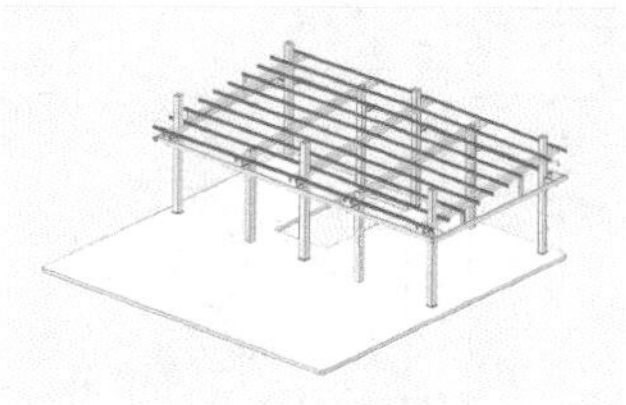	—	组焊件	20
8. 安装外围护框架	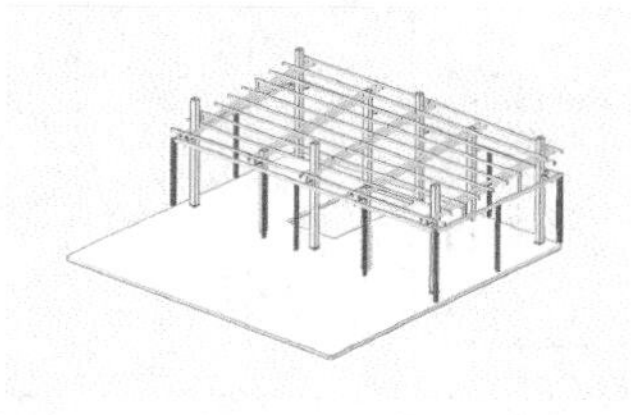	—	—	—

注：灰色标识部分

表 7-8　功能扩展空间钢结构定位连接分项工序

主工序	分部工序	分项工序	图示	辅助工具	现场照片
工厂加工构件	制作钢柱上的定位件	在钢柱上焊接牛腿，牛腿上焊接定位的钢片	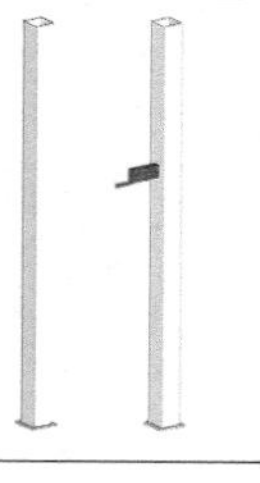	 电弧焊	—
	制作主钢梁上的定位件	在主钢梁上焊接定位板，用于定位横筋		—	—
	制作女儿墙支梁	女儿墙支梁由两排钢管焊接而成	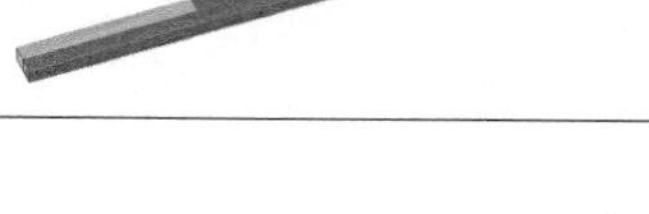	—	—

续表

主工序	分部工序	分项工序	图示	辅助工具	现场照片
安装主要钢柱	制作基座	使用构件定柱子位置		定位板	—
		钢筋混凝土浇筑柱基础		—	—
		柱基础上连接法兰	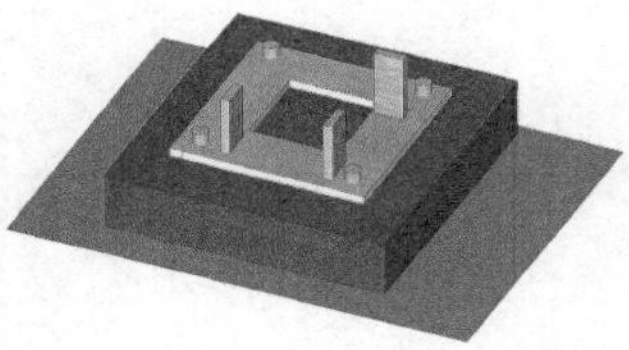	—	—
	吊装柱子	使用吊车将柱子吊装在安装了预埋件的基础上，钢柱底切角焊接后，移除定位件	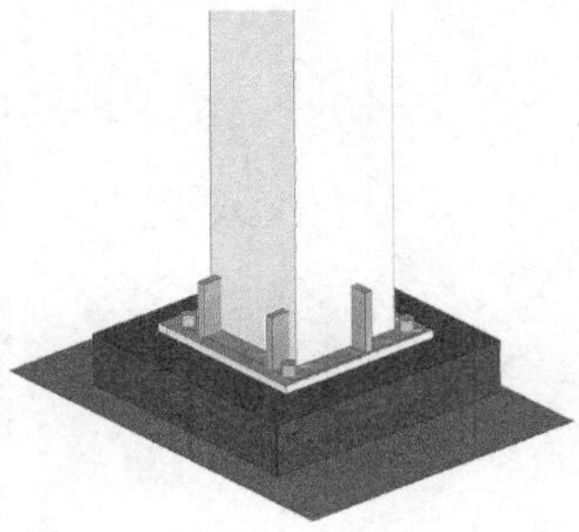	吊车	—
安装女儿墙支梁		使用吊车将钢梁吊装在牛腿旁的钢片上，利用钢片定位钢梁	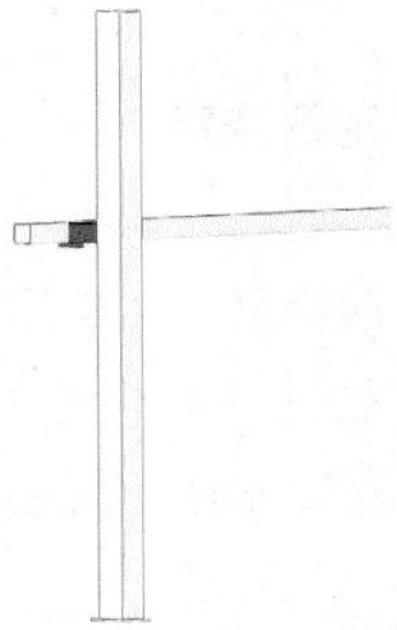	吊车	—
		将钢梁焊接在牛腿上			

续表

主工序	分部工序	分项工序	图示	辅助工具	现场照片
—	—	去掉定位用的钢片		—	—
安装辅助钢柱	—	使用吊车安装辅助钢柱，安装方法基本同主钢柱	—	—	—
安装辅钢梁	—	使用吊车将辅钢梁安装在前后两排主钢柱上，使主钢梁在安装中形成坡度	—	—	—
安装主梁	—	使用吊车将主钢梁吊装在辅助梁上		—	—
安装横筋	—	使用吊车将横筋安装在主钢梁上		—	—

5. 功能扩展空间疏散钢梯定位连接

揽青斋项目室外疏散钢梯见图 7–2 揽青斋项目各功能体拆分图中 2–2 扩展功能体——疏散钢梯所示。

工艺流程如下：基座处理→立柱加工→预制梯段加工→加工入口平台→加工楼梯雨棚→安装 L 形立柱→安装入口休息平台→安装梯段→安装楼梯雨棚（见表 7–9）。

表 7-9　功能扩展空间疏散钢梯定位连接工法

工厂预制部分				
主工序	分部工序	分项工序	图示	辅助工具
基座处理	基础开挖	—	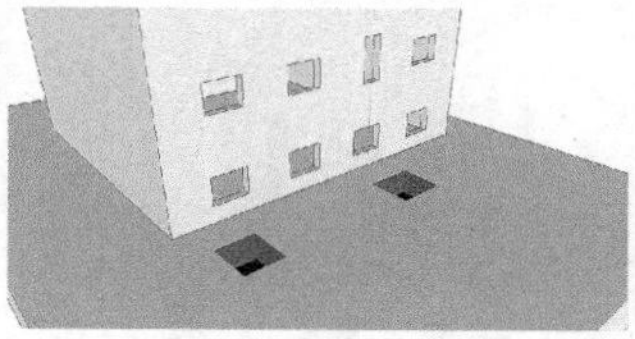	—
	混凝土回填	—	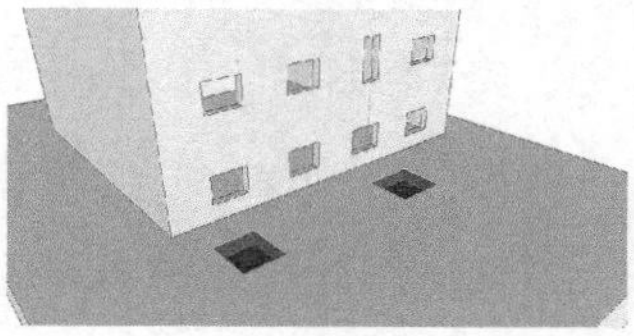	—
	预埋底部工字钢连接件	—	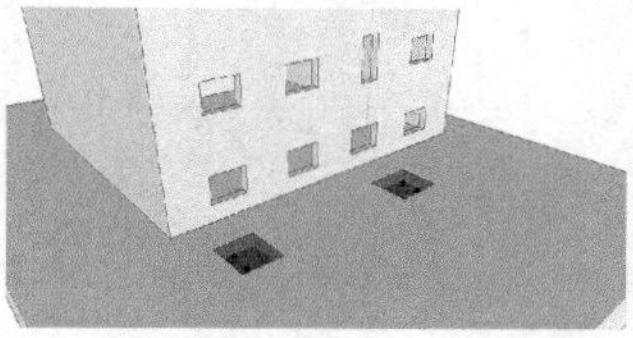	—
	混凝土部分回填	—	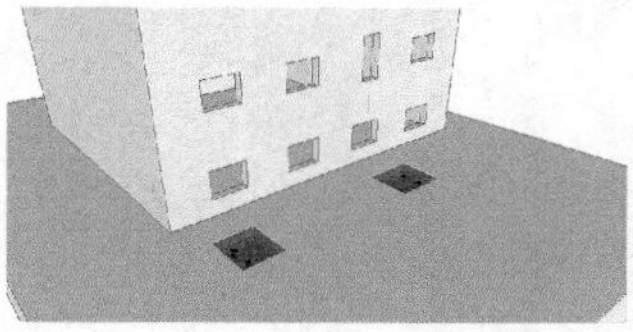	—
	预埋顶部工字钢连接件	—	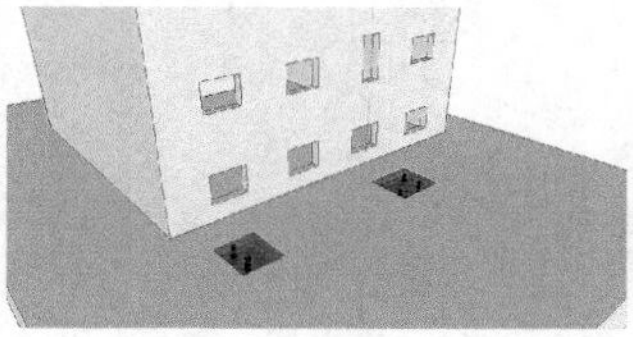	—
	渣土回填	—	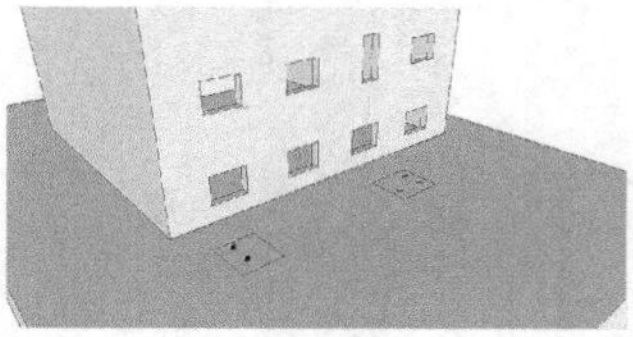	—
立柱加工	竖立立柱	—	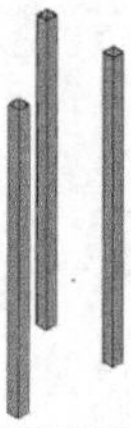	—

续表

工厂预制部分				
主工序	分部工序	分项工序	图示	辅助工具
立柱加工	独立柱横向连接	—	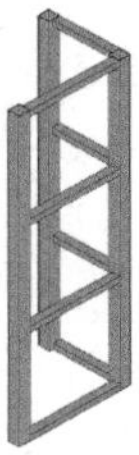	—
	安装侧封板	—		—
预制梯段加工	安装“之”字梯段 	安装“之”字梯下部10级梯段	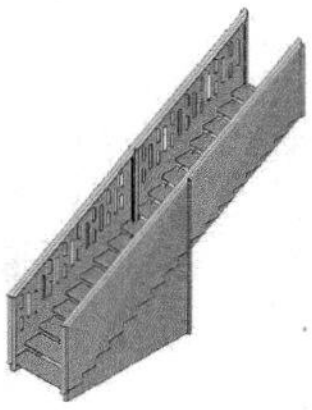	—
	—	安装“之”字梯中部休息平台梯段	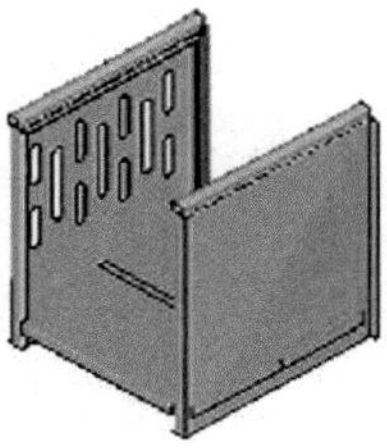	—
	—	安装“之”字梯上部8级梯段	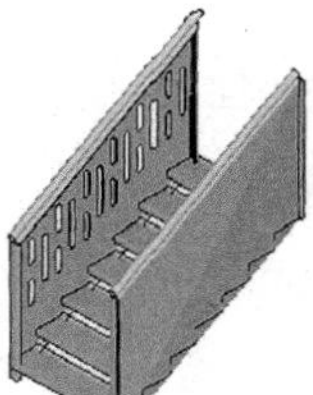	—
加工入口平台	—	—	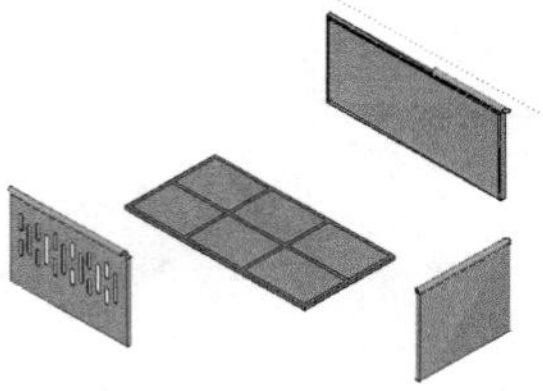	—

续表

工厂预制部分				
主工序	分部工序	分项工序	图示	辅助工具
加工楼梯雨棚	—	—	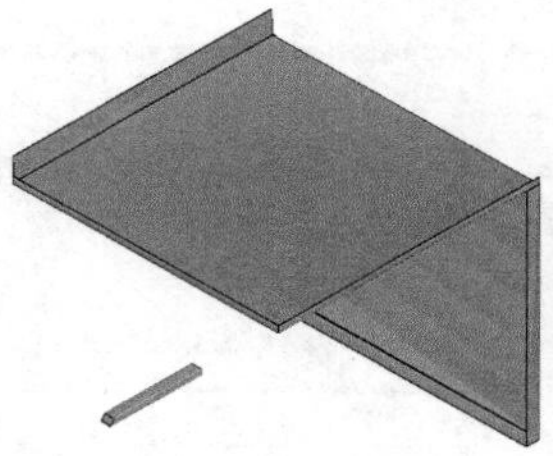	—
现场安装部分				
主工序	分部工序	分项工序	图示	辅助工具
安装 L 形立柱	—	—	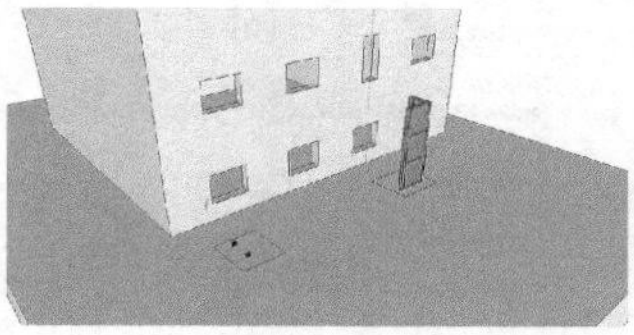	—
安装入口休息平台	—	—	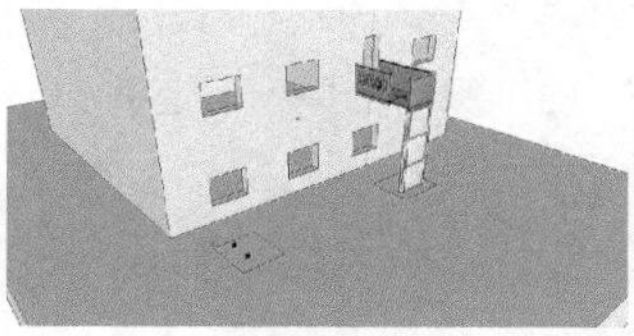	—
安装之字梯段	—	—	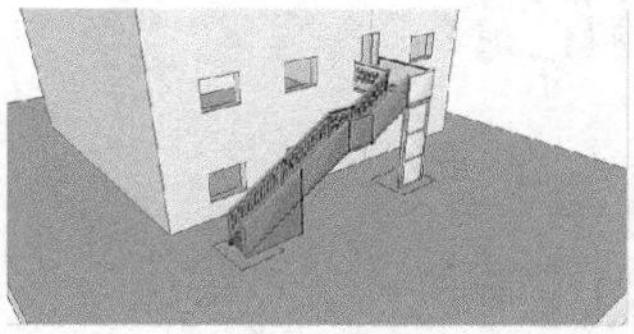	—
安装楼梯雨棚	—	—	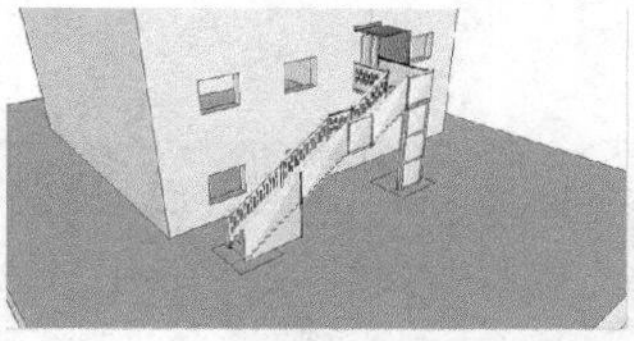	—

7.4.5　绿色建筑评估

揽青斋被评为绿色二星建筑，见图 7-18。其碳排放计算详见附录五。

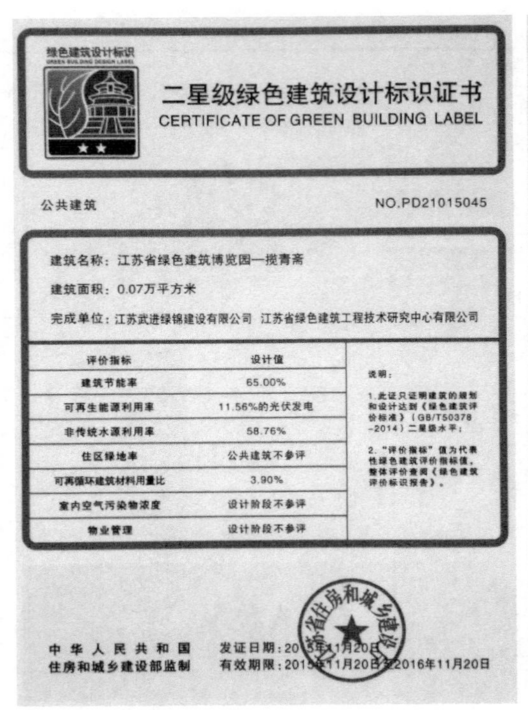

绿色建筑设计标识
GREEN BUILDING DESIGN LABEL

二星级绿色建筑设计标识证书
CERTIFICATE OF GREEN BUILDING LABEL

公共建筑 NO.PD21015045

建筑名称：江苏省绿色建筑博览园—揽青斋

建筑面积：0.07万平方米

完成单位：江苏武进绿锦建设有限公司 江苏省绿色建筑工程技术研究中心有限公司

评价指标	设计值
建筑节能率	65.00%
可再生能源利用率	11.56%的光伏发电
非传统水源利用率	58.76%
住区绿地率	公共建筑不参评
可再循环建筑材料用量比	3.90%
室内空气污染物浓度	设计阶段不参评
物业管理	设计阶段不参评

说明：

1.此证只证明建筑的规划和设计达到《绿色建筑评价标准》（GB/T50378-2014）二星级水平；

2."评价指标"值为代表性绿色建筑评价指标值，整体评价查阅《绿色建筑评价标识报告》。

中华人民共和国
住房和城乡建设部监制

发证日期：2015年11月20日
有效期限：2015年11月20日至2016年11月20日

NO:3202015L0100

建筑能效测评等级证书
Jian zhu neng xiao ce ping deng ji zheng shu

建筑名称：江苏省绿色建筑博览园—揽青斋

测评机构：南京工大建设工程技术有限公司

测评等级：★★

测评时间：2015年11月（有效期壹年）

二〇一五年十一月

图 7-18 绿色二星标识证书

7.5 工程记录

7.5.1 工厂加工照片

图 7-19 工厂预制墙板钢筋笼

图 7-20 钢筋笼码放

图 7-21　墙板端模、侧模模具

图 7-22　拆模

图 7-23　墙板码放

图 7-24　墙板码放

7.5.2　现场施工照片

图 7-25　现场测量放线

图 7-26　基础浇筑

图 7-27　地坪浇筑

图 7-28　墙板预埋件

图 7-29　墙板安装

图 7-30　墙板运输

图 7-31　墙板吊装

图 7-32　楼梯工厂预制组装

图 7-33　楼梯现场吊装

7.5.3 竣工照片

图 7-34　西南视角航拍图

图 7-35　东南视角透视图

图 7-36　西北视角透视图

图 7-37　室内透视图

7.6 总结

7.6.1 工业化施工的成效

1. 节能减排效果显著

在工业化的实施过程中，我们对其物耗进行了统计，并以 7.6 m × 7.6 m 跨度 4.0 m 高度的建筑为例，与传统钢管扣件式脚手架现浇建造方式进行了比较，结果如下：

（1）模架构件与钢管扣件式脚手架构件长度对比

表 7–10　钢管扣件式内脚手架（满堂式）长度统计

	横向数量（件）	纵向数量（件）	单根规格（m）	合计（m）
立杆	7	8	4.2	235.2
横杆	4	7	6.3	176.4
纵杆	8	4	7.2	230.4
纵斜杆	2	3	5.3	31.8
横斜杆	2	3	4.8	28.8
合计长度	内架共 702.6 m			

注：合计统计公式为：（横向数量 × 纵向数量）× 单根规格 = 合计长度

表 7–11　钢管扣件式外脚手架（外围式）长度统计

	横向数量（件）	纵向数量（件）	单根规格（m）	合计（m）
立杆	9	10	4.2	79.8
横杆	6.3	2.4	4	34.8
纵杆	7.2	2.4	4	38.4
斜杆	6.6	6.26	4	51.44
短杆	56	4	1.2	72
合计长度	外架共 276.44 m			

注：合计统计公式为：（横向数量 + 纵向数量）× 单根规格 = 合计长度

表 7–12　模架长度统计

	横向数量（件）	纵向数量（件）	单根规格（m）	合计（m）
立杆	4	4	3.6	57.6
横杆	6	4	2.4	57.6
纵杆	6	4	1.8	43.2
合计长度	共计 158.4 m，共 64 根			

注：合计统计公式为：（横向数量 × 纵向数量）× 单根规格 = 合计长度；模架所需构件长度是传统钢管扣件式脚手架长度的 16.2%。

（2）节点数量对比

传统扣件式钢管脚手架内架节点数量需要 512 件，外架节点需要 152 件，斜杆节点需要 48 件，合计共约 712 件。而模架装备节点数量则只有 16 × 4=64 件，节点数量减少了 91%，数量大大减少的同时带来工人劳动操作次数的降低。

（3）重量对比

根据钢管的理论重量测算公式 0.02 466（kg）× 壁厚（mm）×［外径（mm）– 壁厚（mm）］× 长度（m），得到传统 48 mm 外径，壁厚 3 mm 的钢管脚手架每米重量为 3.3 kg。则传统钢管脚手架的钢管重量值为（702.6+276.44）m × 3.3 kg/m ≈ 3 230 kg，节点重量为 712 件 × 0.8 kg/ 件 =569.6 kg。钢管加节点合计总重量约为 3 799.6 kg。柱模架的重量为 590 kg × 4=2 360 kg（仅柱模架）。从总重量上模架相比钢管扣件式脚手架减少了约 40%。

（4）承载能力对比

传统钢管扣件式脚手架按照单根 0.8 t 的承载能力测算，承载能力为 75 根 × 0.8 t/ 根 =60 t。模架装备的单根 6060 方钢管的承载能力为 6 t，则承载能力为 16 根 × 6 t/ 根 =96 t。

综合来看，工业化施工与传统施工方式相比，资源消耗方面的优势显著。

2. 施工效率提升

在施工过程中，传统钢管扣件式脚手架建造方式中的房屋工人拧螺栓次数约为 782 × 2=1 564 次，人工搬运次数为 760 次。而工业化模架建造方式中的工人采用安装销钉的方式组装模架，仅需要 64 × 2=128 次，搬运次数为 4 × 2=8 次。施工效率提升 90%，成效显著。

3. 减少对环境影响

预制外墙板构件工厂化，减少了现场混凝土浇筑，降低了垃圾的产生，减少了混凝土车辆及设备的清洗从而减少废水的产生。工业化作业的实施，减少了现场操作工艺，降低了施工噪音。

4. 质量提升效果明显

预制外墙板构件安装便捷，减少了现场施工量，减少了手工作业，有效降低了由于人员素质参差不齐造成的质量通病产生。

7.6.2　展望

本工程板模架施工与传统施工相比，楼板支撑体系较为复杂，一方面是由于安全管理与防护要求较以往施工更加严格，另一方面主要是由于楼板钢筋与柱、梁钢筋相互交叉影响，使得楼板模架安装这一工序难度加大，需要较多的人员共同参与构件定位和吊装周转这一工序，既增加了劳动力又增加了施工时间。在以后的工程中，我们将重点与构件生产单位、施工单位共同研发解决这一难题，优化楼板定位与成型工艺、工法和模架系统，进而优化支撑体系，降低吊装工数量。我们将进一步通过不断学习研究，不断改进提高，掌握新型工业化施工核心技术，提高竞争力。

参考文献

[1] 徐工集团公司网站：网页资料，http://www.xcmg.com.

[2] 张清平，裴俊岐 . 混凝土养护与拆模的技术与方法 [J]. 经济技术协作信息，2007(24):84

[3] 华清平 . 模板施工安全技术 [J]. 城乡建设，2010(5):144

[4] 李卓超 . 混凝土工程施工技术 [J]. 广东建材，2006(8):73–74

[5] 沈孝庭 , 朱家平 . 产业化住宅绿色施工节能降耗减排分析与测算 [J]. 建筑施工 ,2007(12):83–85

[6] 仲平 . 建筑生命周期能源消耗及其环境影响研究 [D]. 四川 : 四川大学 , 2005

[7] 陈冲 . 基于 LCA 的建筑碳排放控制与预测研究 [D]. 武汉 : 华中科技大学 ,2013:15

第八章　混凝土结构体＋钢结构体独立组合设计与成型定位工法新型工业化建造——忆徽堂建造示例

8.1　项目综述

本项目位于常州武进绿色建筑产业聚集示范区，名“忆徽堂”。此栋建筑是在构件法建筑设计指导下完成的。其除了作为工业化建筑展示外，集合了被动式节能的系统概念。本章主要阐述构件组概念及由构件组设计方法支撑的工程管理和协同设计、协同建造。

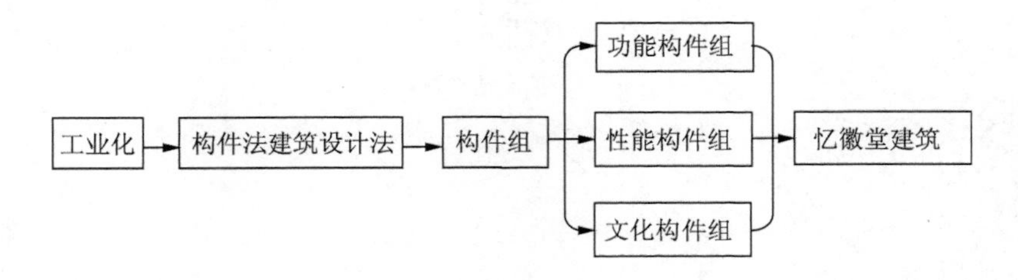

8.2　工程概况及特点

8.2.1　整体概况

忆徽堂项目是一栋住宅建筑，由常州市建筑科学研究院出资建设并运营，由东南大学工业化住宅与建筑工业研究所领衔协同设计与协同建造。该工程位于武进绿色建筑产业集聚示范区绿建博览园内，延政西路南侧，龙江南路高架东侧。

8.2.2　建筑工程概况

本工程为新型建筑工业化示范工程，总建筑面积为 350 m^2，地上 2 层，1.2 m 架空层（图 8–1）。工程设防烈度为 7 度，基础采用钢筋混凝土独立基础，其中建筑一层为会议室、餐厅、厨房等，二层为办公研发和住宿部分。基本功能体采用钢筋混凝土框架结构，框架柱抗震等级为三级，层高 4.0 m。平面呈长方形，建筑物长宽分别为 10.4 m 和 18 m，总建筑高度 16 m。

按构件法建筑设计，将建筑拆分成不同类型的构件组，例如图 8–2 中基本结构体，扩展结构体，基本围护体，扩展围护体等。在此基础上每个构件组可以单独设计，单独研发。适合专业厂家从方案初始阶段介入进行协同设计。有了构件分类使得协同单位目标清晰，界面清楚，合作更加顺畅。此栋建筑才最终可以在三个月内建成并投入使用。

图 8–1　忆徽堂项目透视效果图

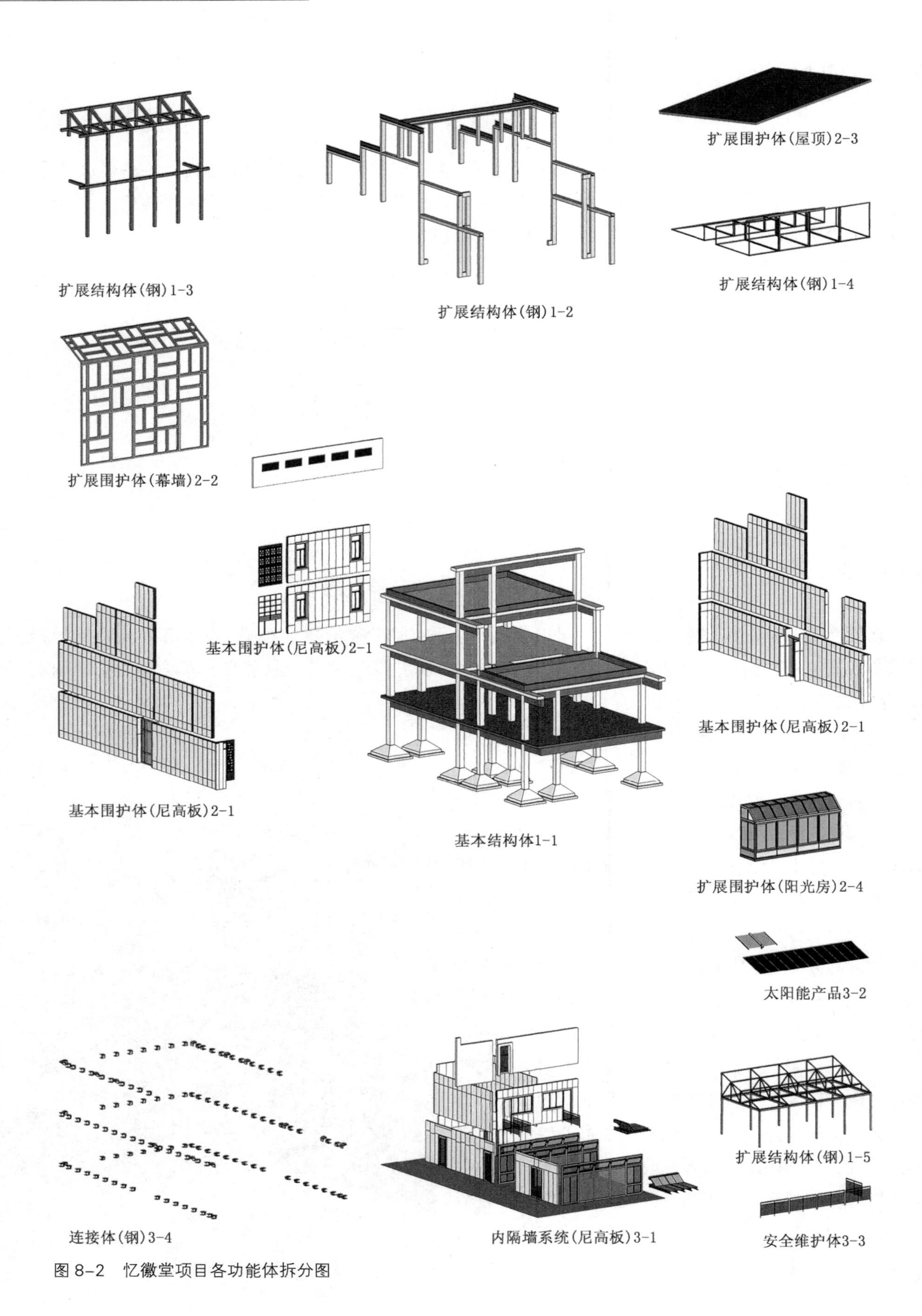

图 8-2　忆徽堂项目各功能体拆分图

设计研发单位组成：

东南大学工业化住宅与建筑工业研究所
- 东南大学建筑学院
- 东南大学建筑设计研究院有限公司
- 东南大学土木工程学院

协同单位：

分类	协同方
基本结构体	江苏武进建工集团有限公司
扩展结构体（钢）	南京思丹鼎建筑科技有限公司
基本维护体（尼高板）	江苏尼高科技有限公司
扩展维护体（幕墙）	南京思丹鼎建筑科技有限公司
扩展维护体（阳光房）	南京思丹鼎建筑科技有限公司
扩展维护体（屋面）	江苏武进建工集团有限公司
连接体（钢）	江苏圣乐机械有限公司
内隔墙系统（尼高板）	江苏尼高科技有限公司
装修体	常州聚美装饰工程有限公司
门窗体	江苏金百合门窗科技有限公司
厨卫体	苏州科逸住宅设备股份有限公司
智能系统体	常州瑞信电子科技有限公司
遮阳体	常州天经新型建材有限公司
光电板系统	汉能太阳能集团常州公司

8.2.3　工业化实施项目概况

东南大学工业化住宅与建筑工业研究所牵头，研发了一套钢筋混凝土柱、梁、板、墙等结构构件成型和定位装备系统，简称现浇钢筋混凝土模架工法装备系统，这是一套新型工业化构件成型定位装备，不同于传统的PC预制构件成型定位工法。这套工法在满足现行国家钢筋混凝土结构设计规范的基础上，提高了现场施工效率，减少了资源和能源消耗，是一套低碳环保的绿色施工技术系统。长久以来钢筋混凝土构件的成型定位方法一直是难点，已严重制约建筑工业化的发展。忆徽堂正是钢筋混凝土模架工法装备系统在实际应用中的又一次成功实践。

忆徽堂项目新型工业化实施内容包括：①钢筋混凝土部分采用钢筋混凝土模架工法装备进行施工；②次结构钢构件预制装配；③外墙采用尼高产品化外墙板系统；④产品化隔断内墙板；⑤架空地板；⑥产品化选配。

8.2.4　周边建筑物及环境情况

忆徽堂项目位于武进绿色建筑产业集聚示范区绿建博览园内。该建筑西侧为施工空地，可形成临时堆场，南侧为园区道路，路宽6 m，因建筑偏于园区最南部，现场基本不受社会车辆影响，周边交通便捷，便于构件车辆运输，西北角为在建的揽青斋，北侧为一片空地，东侧也为一片空地，现场园区内整体地势较为平坦，现场情况详见图8–3。

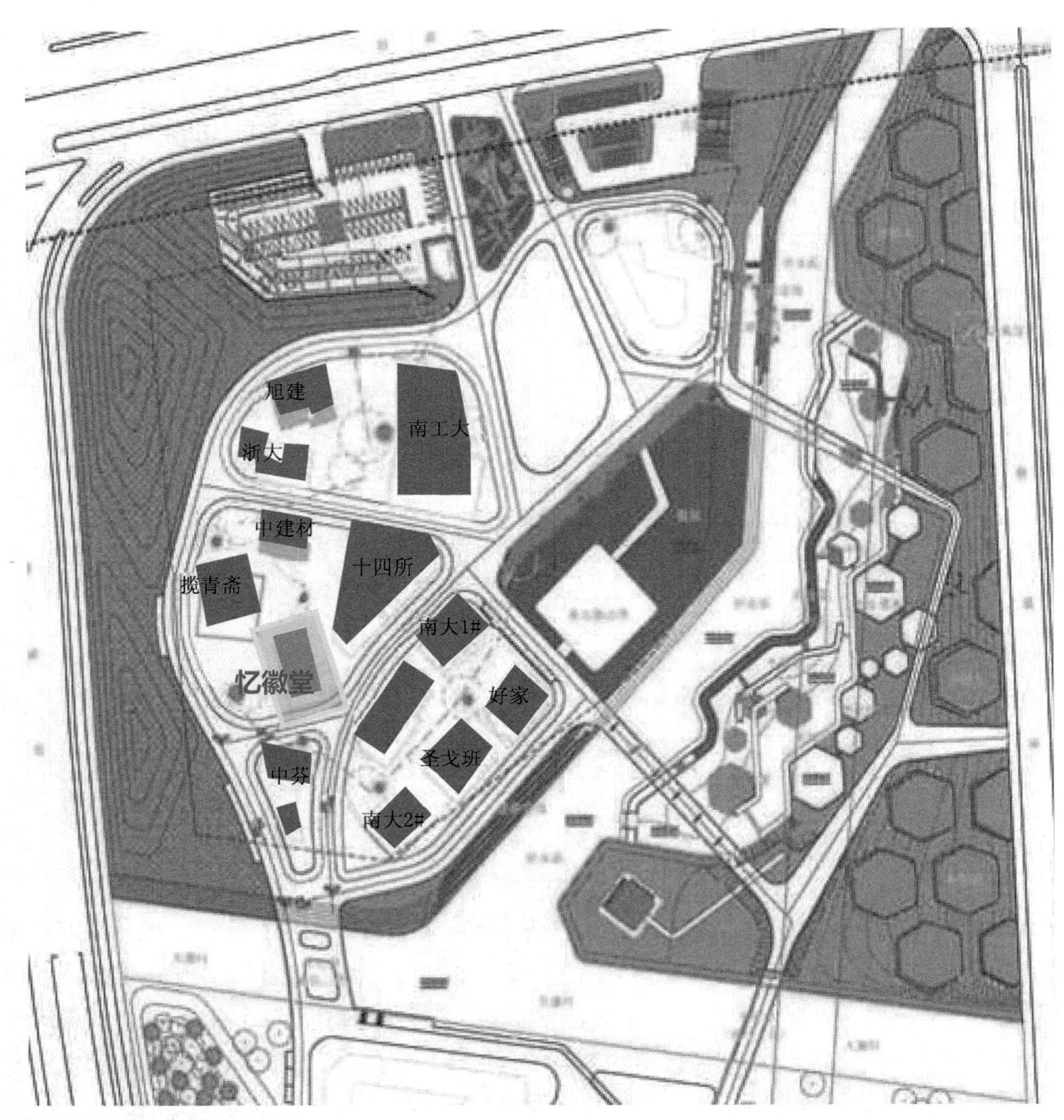

图 8-3　项目位置总平面图

8.3　构件建造

8.3.1　基本钢筋混凝土结构体构件成型定位技术

忆徽堂的钢筋混凝土结构构件组主要包括板、梁、柱、楼梯等构件，如图 8–2 忆徽堂项目各功能体拆分图中的 1–1 所示，此部分施工采用的钢筋混凝土模架工法装备系统与揽青斋一样，详见揽青斋工法详图，此章不用详述。

8.3.2　基本钢结构体构件定位与组合技术

钢结构构件是钢筋混凝土结构构件的延伸，在规整的钢筋混凝土结构体上做变化，使外形变的丰富多彩。钢结构构件较混凝土结构构件轻便，易于连接，装配现场实现干作业。在工厂构件成型，运到施工现场堆场，在地面工地工厂连接成型，再由起重机吊装到工位定位，大量减少了高空作业，降低了施工难度，加快了建造速度，且现场无污染，无浪费。在确定次结构采用钢结构形式之后，与思丹鼎建筑科技有限位公司的技术人员多次沟通，确定连接形式，计算钢结构稳定性和安全性，不断调整优化。通过对工法的研究定制，确定建造流程与施工重点。只有工法确定，次结构的结构形式与最终形态才能定型。在此基础上，东南大学工业化住宅与建筑工业研究所和思丹鼎建筑科技有限公司配合完善最终的建造图纸与施工建造工法，并指导现场施工工人具体操作。此内容构成了协同设计的重要方面。如图 8–2 忆徽堂项目各个功能体拆分图中 1–2 及图 8–4 所示，扩展结构体与基本结构体通过化学螺栓紧密固定，装配化施工更加迅速高效。另外，扩展结构体中构件的详细信息见表 8–1。

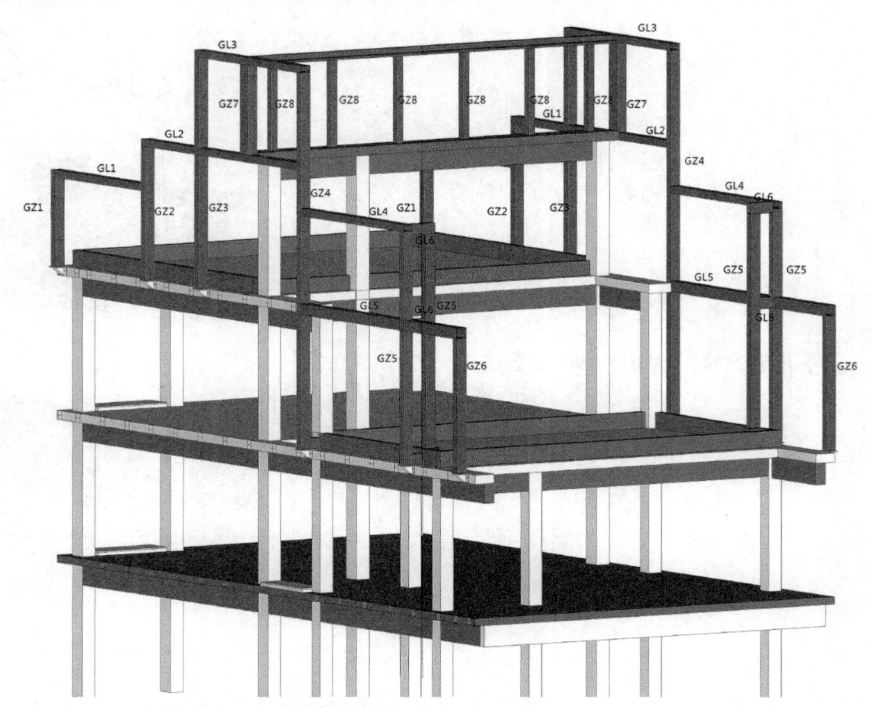

图 8–4　扩展结构体（钢）轴测图

表 8–1　扩展结构体（钢）构件表

编号	规格（mm × mm × mm）	数量
GZ1	200 × 300 × 2 485	2
GZ2	200 × 300 × 3 730	2
GZ3	200 × 300 × 6 420	2
GZ4	200 × 300 × 10 420	2
GZ5	200 × 300 × 6 475	4
GZ6	200 × 300 × 3 730	2
GZ7	300 × 400 × 2 490	2
GZ8	200 × 200 × 2 435	6
GL1	200 × 300 × 4 507	2
GL2	200 × 300 × 7 786	2
GL3	200 × 300 × 5 320	2
GL4	200 × 300 × 5 128	2
GL5	300 × 300 × 7 794	2
GL6	300 × 300 × 400	4

通过整理，共需 14 种规格钢材，共计 38 根。工厂下好料后，运抵现场就可以按表 8–2 工法施工。

表 8–2　扩展钢结构体施工工法

主工序	分部工序	分项工序	图示	辅助工具
工厂预制生产	建造前准备	按表 8–1 准备好钢材运抵工地工厂，按图示在工地工厂预制成两片架子		
		顶端钢单独预制		—
		连接件，核查连接件数量，准备好化学锚栓。表面涂防锈漆做好防锈处理		—
装配连接	预埋化学螺栓	M16 × 190 化学锚栓，按图示在混凝土钻孔，插入化学锚栓，预留充足固化时间		

主工序	分部工序	分项工序	图示	辅助工具
装配连接	预埋化学螺栓	连接详图	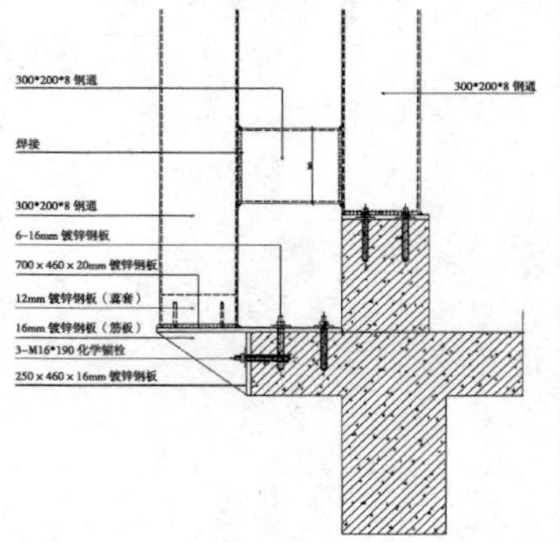 300*200*8 钢通 300*200*8 钢通 焊接 300*200*8 钢通 6–16mm 镀锌钢板 700×460×20mm 镀锌钢板 12mm 镀锌钢板（[illegible]） 16mm 镀锌钢板（筋板） 3–M16*190 化学锚栓 250×460×16mm 镀锌钢板	—
		固定连接件，将连接件与化学锚栓连接，粗定位，调好位置后，将螺栓拧紧	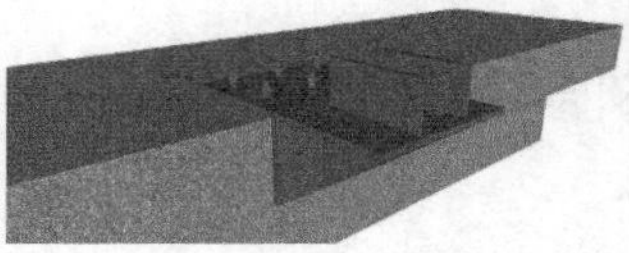	
		用吊机将预制好的钢构件吊起，与固定好的连接件进行定位	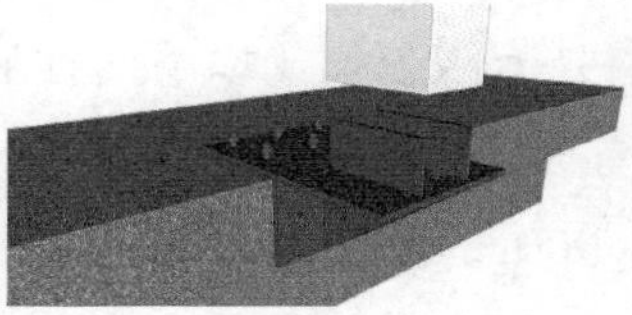	
		置入方钢管 缓慢放下钢构件	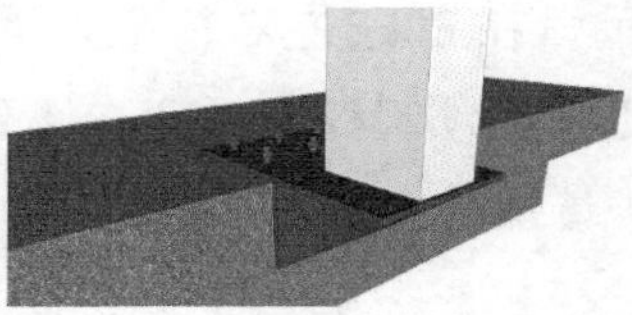	
现场吊装		吊装置入左侧扩展钢结构，并进行螺栓固定连接	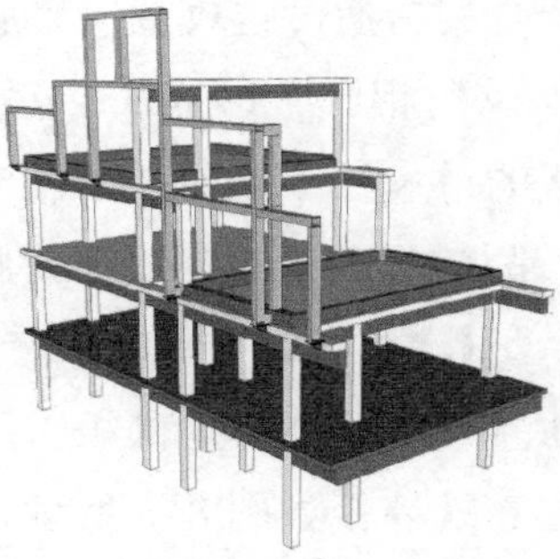	
		吊装置入右侧扩展钢结构，并进行螺栓固定连接	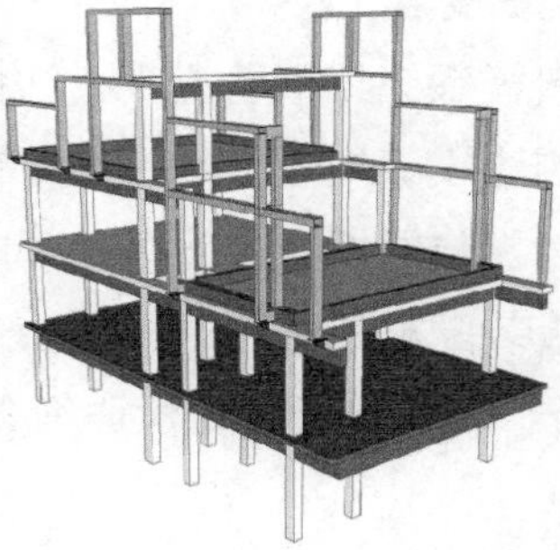	

续表

主工序	分部工序	分项工序	图示	辅助工具
现场吊装		连接顶端钢材，并进行连接		

8.3.3 基本围护体预制装配

常州市建筑科学研究院作为建设单位，希望能够使用其子公司尼高科技有限公司（以下简称尼高科技）的一种墙板产品——尼高板，此板的规格为 610 mm × 2 440 mm，厚度分为 60 mm、90 mm、120 mm 系列。此板之前一直作为内隔墙使用，通过与尼高科技的技术研发人员多次沟通，单独一块板偏小，重量在 80kg 左右，工人手工作业偏重，机械化作业偏轻，工业化预制程度不高，且性能偏弱，不能完全满足作为外围护墙体的要求。

图 8-5　尼高板产品

我们将此板拼成一块大板，内部用 60 mm × 60 mm 镀锌方钢管做一个骨架，通过自攻螺丝将尼高板固定其上，内部空气层双侧贴反射铝膜，形成 3 680 mm × 2 446 mm 的标准大板，每个板的重量在 1.5 t 左右，更适合用汽车吊进行工业化预制装配。板与板之间的缝隙用尼高科技的另外一款产品抗裂砂浆与硅酮密封胶两次封堵，形成一个完整的板。基于建筑外形变化，局部做了一些非标准板。忆徽堂所有外围护板最终都是通过尼高外墙板系统完成，如图 8-2 忆徽堂项目各个功能体拆分图中 2-1 基本维护体（尼高板）所示，东面、西面、北面均由大量标准外墙板单元及部分非标准板构成，标准尼高外墙板如图 8-6 所示，预埋件及连接件如图 8-7 所示。在此基础上，我们设计了一套尼高外墙板系统的安装工法。

尼高外墙板系统与钢筋混凝土结构的连接是通过预埋件和连接件得以实现的，预埋件在现浇混凝土前固定在板的边模板周边，通过 5 个钉孔用螺纹钉子与模板连接固定限位，待混凝土施工完成后，局部做防锈处理，再与同样做过防锈处理的连接件用螺栓相连接。尼高外墙板系统立于连接件上，通过螺栓连接，外墙板装配类似于幕墙施工，现场装配只用吊机将尼高板吊装到工位，限位固定好后拧螺栓即可完成全部工作，简单高效。工法详细介绍见表 8-3。

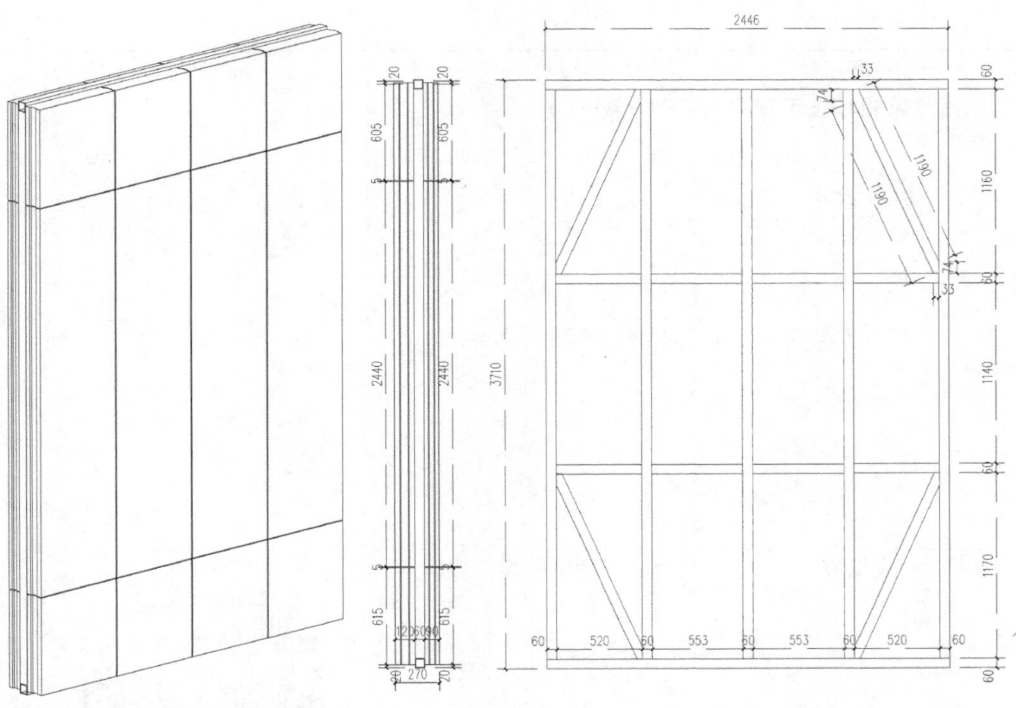

图 8-6　标准尼高外墙板单元

图 8-7　预埋件与连接件实物照片

表 8-3　尼高外墙板安装工法

主工序	分部工序	分项工序	图示	辅助工具
尼高外墙板构件编号	尼高外墙板按施工顺序进行编号	西面排列顺序		

续表

主工序	分部工序	分项工序	图示	辅助工具
尼高外墙板构件编号	尼高外墙板按施工顺序进行编号	东面排列顺序	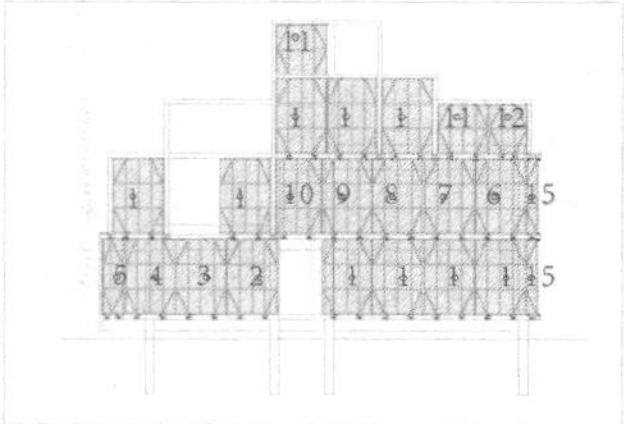	—
		北面排列顺序	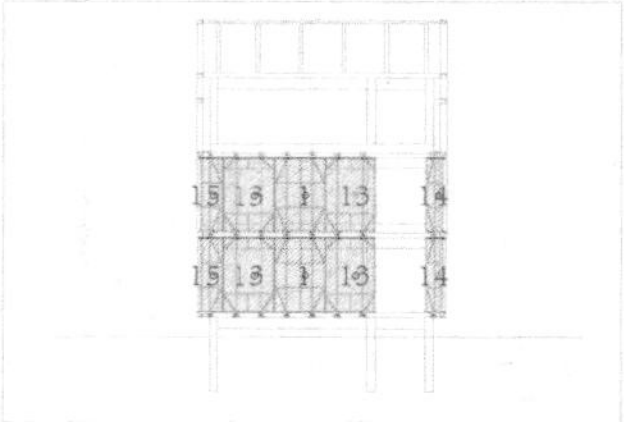	—
施工顺序	按顺序准备墙板	西面安装顺序：第一安装	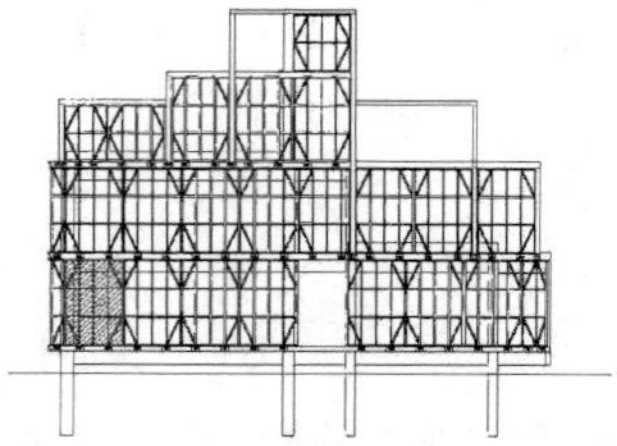	—
		第二安装	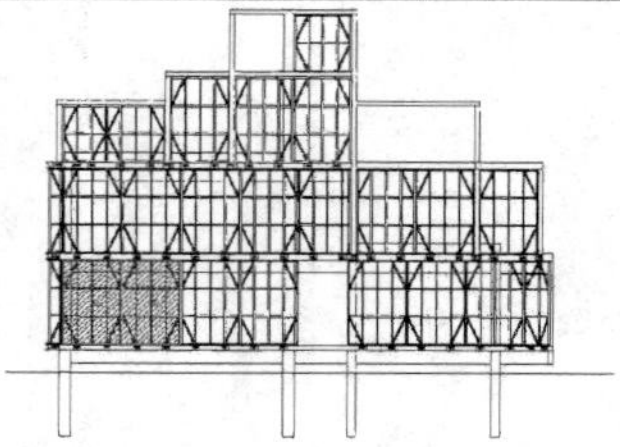	—
		第三安装	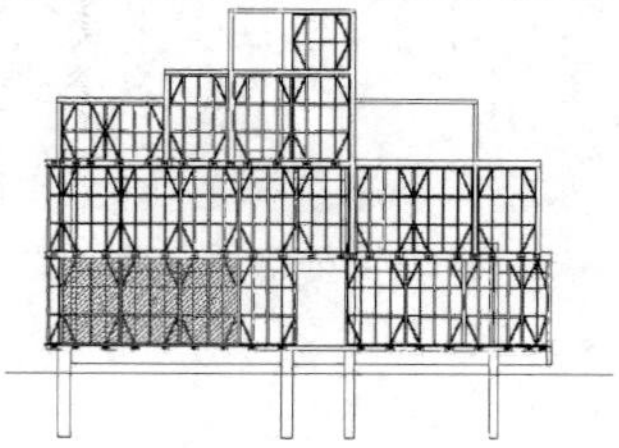	—
		第四安装	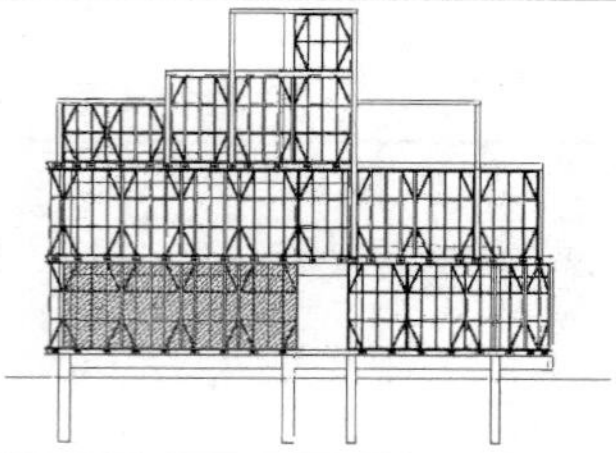	—

续表

主工序	分部工序	分项工序	图示	辅助工具
施工顺序	按顺序准备墙板	第五安装	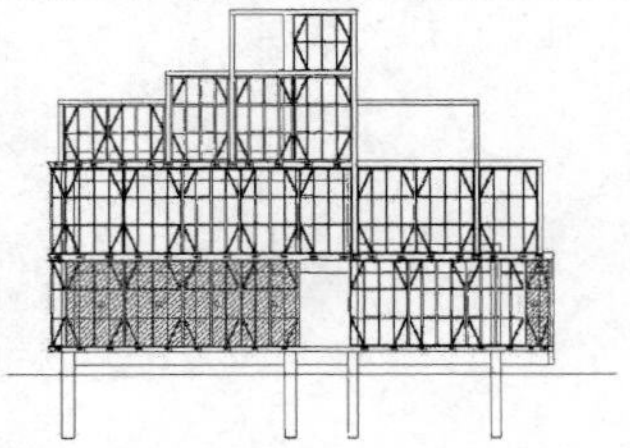	—
		第六安装	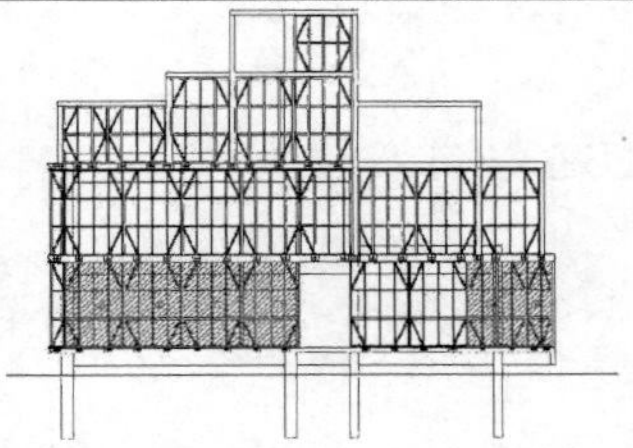	—
		第七安装	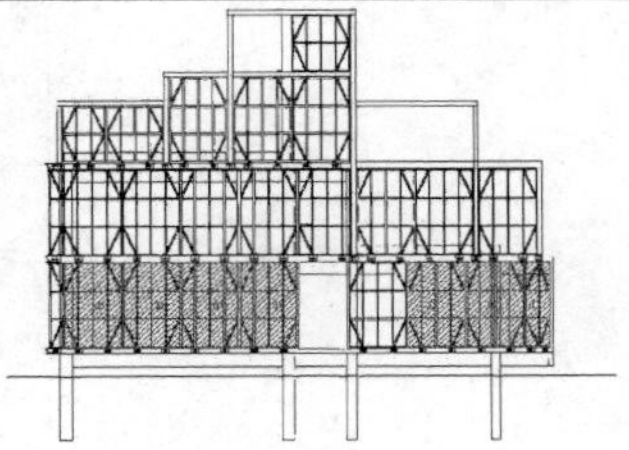	—
		第八安装	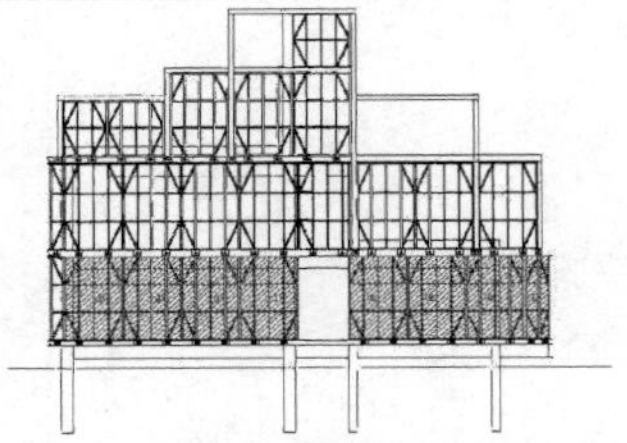	—
		其余同理类似安装	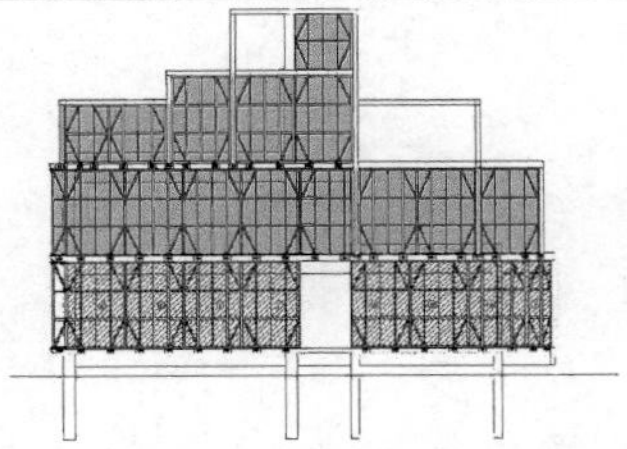	—
现场准备	工具准备	准备妥当一切工具，重点如下：2 t起重葫芦，25 t吊车，尼龙绳，扳手若干，安全绳	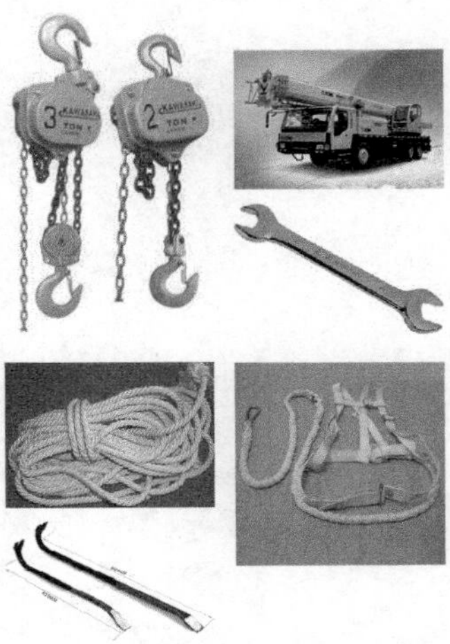	—

续表

主工序	分部工序	分项工序	图示	辅助工具
现场准备	板准备，核查数据	安装限位连接件	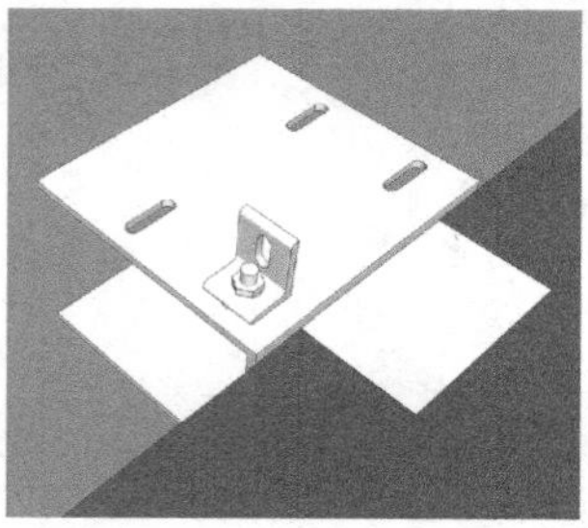	—
板起吊安装定位	板起吊安装定位	一次定位	吊锤同时连接钢丝绳和 2 t 手拉葫芦，均与墙板连接，将板运送到安装工位附近  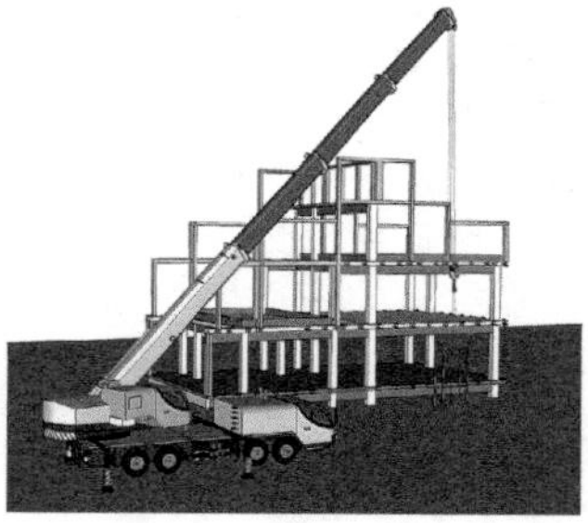 	—

续表

主工序	分部工序	分项工序	图示	辅助工具
板起吊安装定位	—	二次定位	手拉葫芦拉紧上劲，吊车钢丝绳稍送，利用手拉葫芦微调，同时配合绳索和撬棒将板送到预设位置   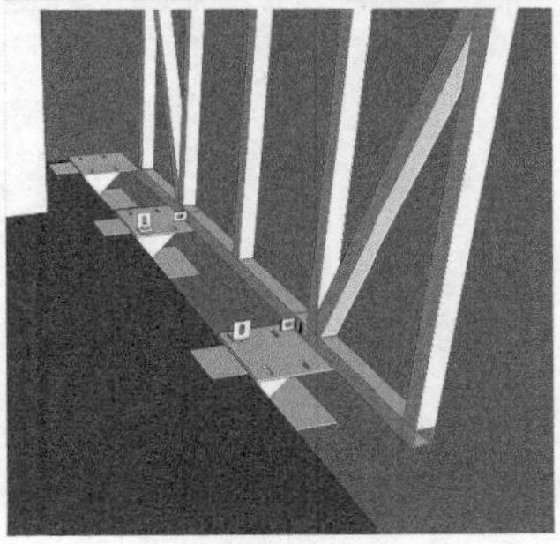 	—

续表

主工序	分部工序	分项工序	图示	辅助工具
板起吊安装定位	—	二次定位	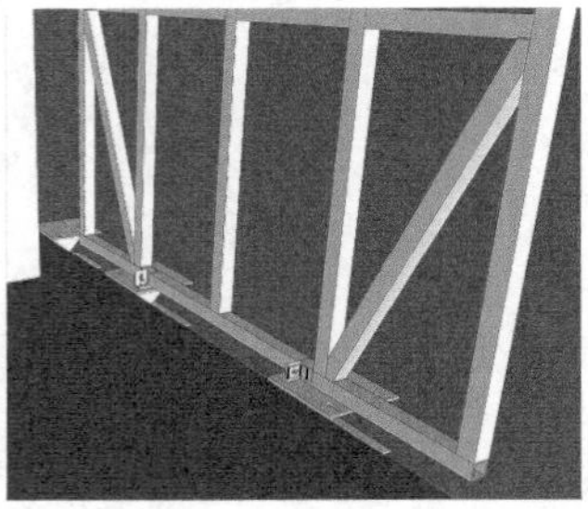	—
	—	三次定位	将螺丝彻底固定，松吊车连接  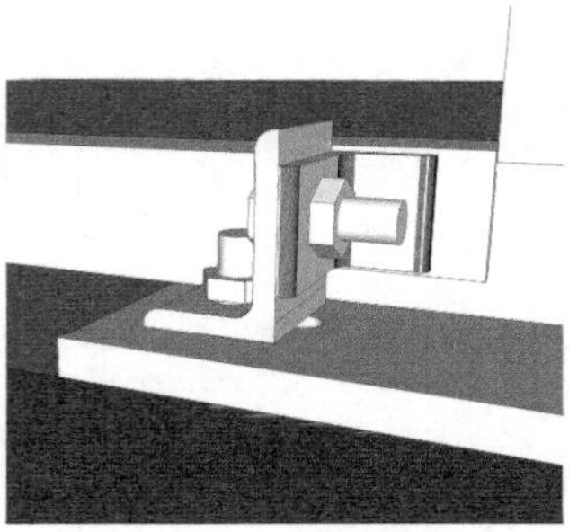 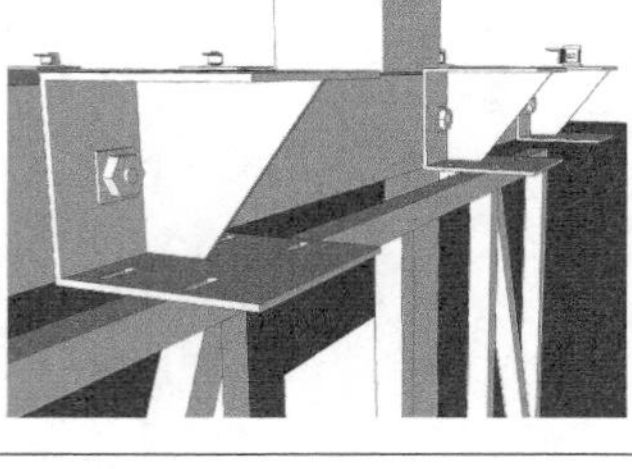	—
补齐外墙板空缺部分	—	—	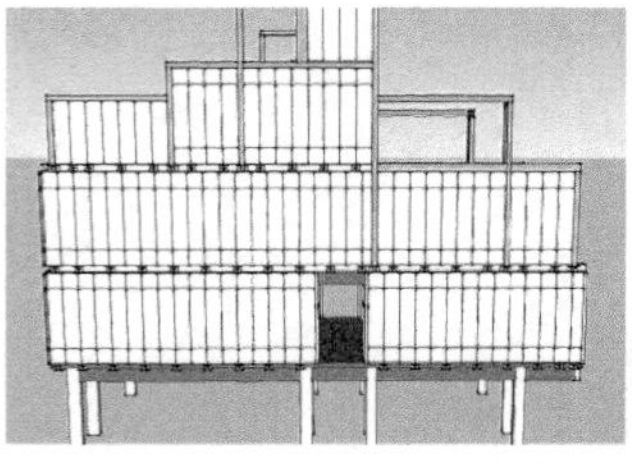	—

8.3.4　内隔墙系统的安装

内隔墙也选用尼高科技的尼高板系统，此尼高板作为内隔墙已应用过多次，尼高科技有着丰富的经验，如图 8–2 忆徽堂项目各个功能体拆分图中 3–1 内隔墙系统（尼高板）所示，按我们给出的墙体尺寸，尼高科技技术人员将面划分成块，如图 8–8 所示在其工厂组织生产，按照划分好的尺寸，运输到工地中，工人按一定的逻辑安装墙板，现场使用少量的水泥砂浆等，省掉大量砌筑时间。

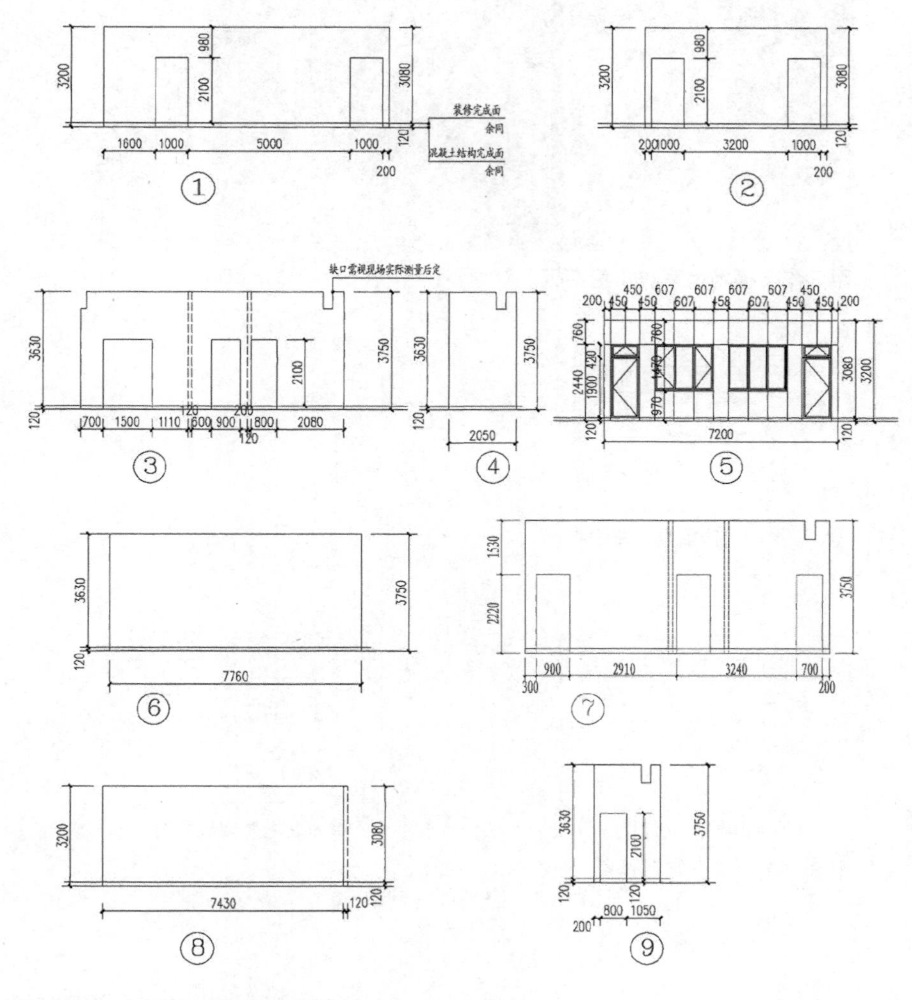

图 8–8　内隔墙系统（尼高板）

8.3.5　楼地面系统的安装

传统楼地面在保温隔热及防撞击声方面性能偏弱，忆徽堂项目在室内楼板结构完成面上，铺设一层 90 厚尼高板，沿墙角留 15 cm 管槽，其中作为电气走道，局部完成面留有检修口，方便未来检修使用（图 8–9，图 8–10）。

实际验证，这套尼高板楼地面系统整体是成功的。装修时管线铺设非常便捷高效。但也存在一些问题，经现场与装修工人及技术人员沟通，建议以后管槽预留 10 cm 更方便后面地板或瓷砖的铺贴作业。

图 8–9　楼地面系统（尼高板）

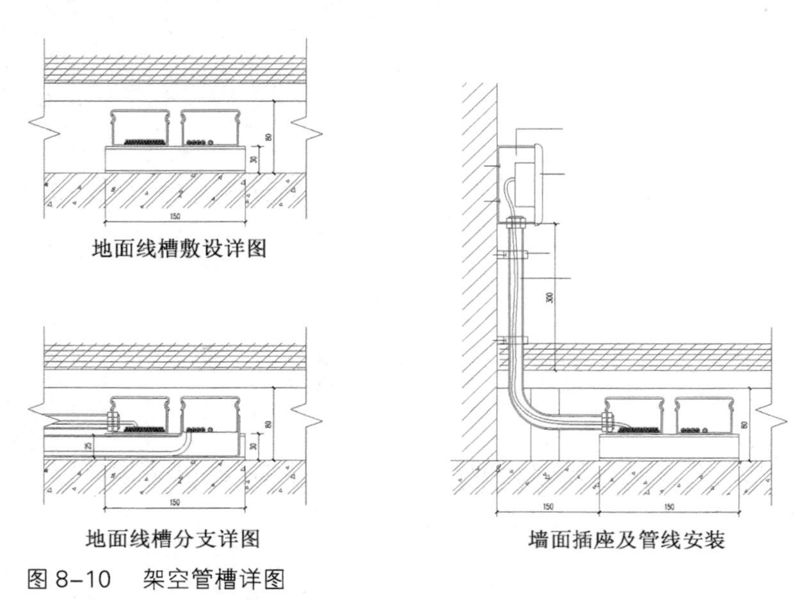

图 8–10　架空管槽详图

8.3.6　其他

本建筑采用产品化设计，建筑构件基本选用既有产品。与传统的“作品式”设计方式相比，选用既定产品使得建筑构件能够在工厂内预制加工完成，质量更有保障，并能在现场进行快速组装。同时形成标准化设计，运用协调模式方便推广和应用。如图 8–2 忆徽堂项目各个功能体拆分图中 1–3、1–5、2–2、2–4、3–2、3–3 所示，大量构件选用既有产品。

选用产品化成品包含思丹鼎公司提供的阳光房、天井、楼面花架（太阳能支架）、坡屋顶瓦下钢结构架；有圣乐机械提供的预埋件与连接件系统，常州金百合提供的外窗系统，苏州科逸常州分公司提供的整体卫浴系统，以及聚美家装提供的成品装修产品系列等。下面为与部分厂家协同设计一起出的部分图纸（图 8–11~ 图 8–13）。

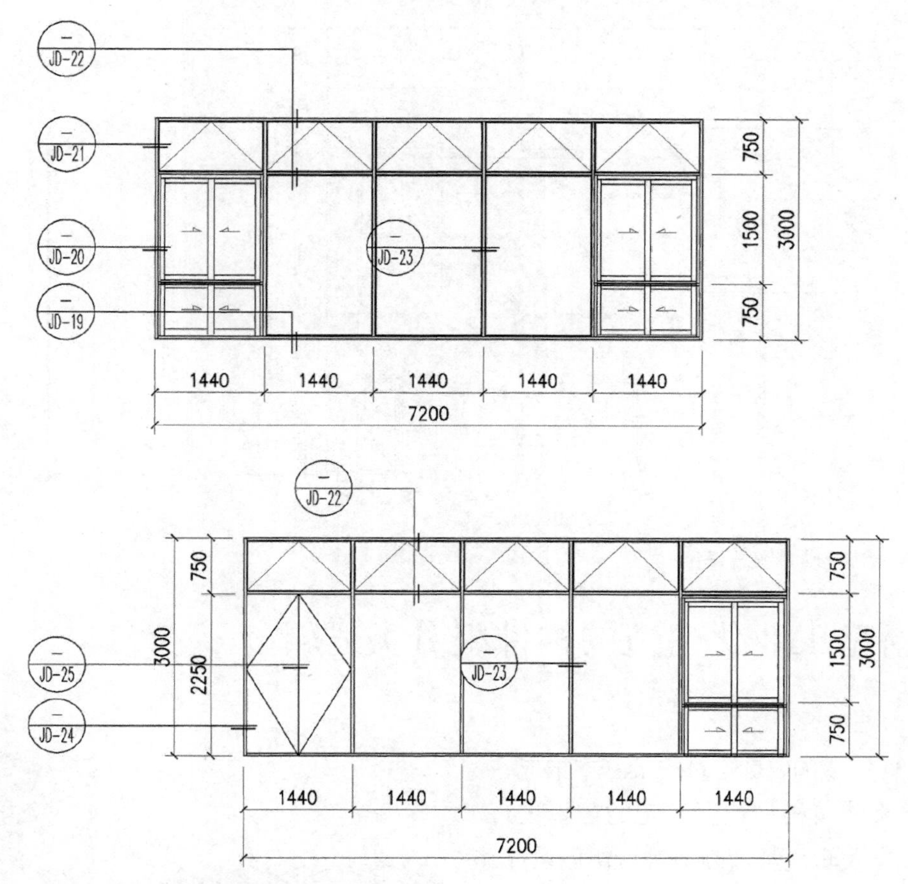

图 8-11　玻璃内隔墙详图

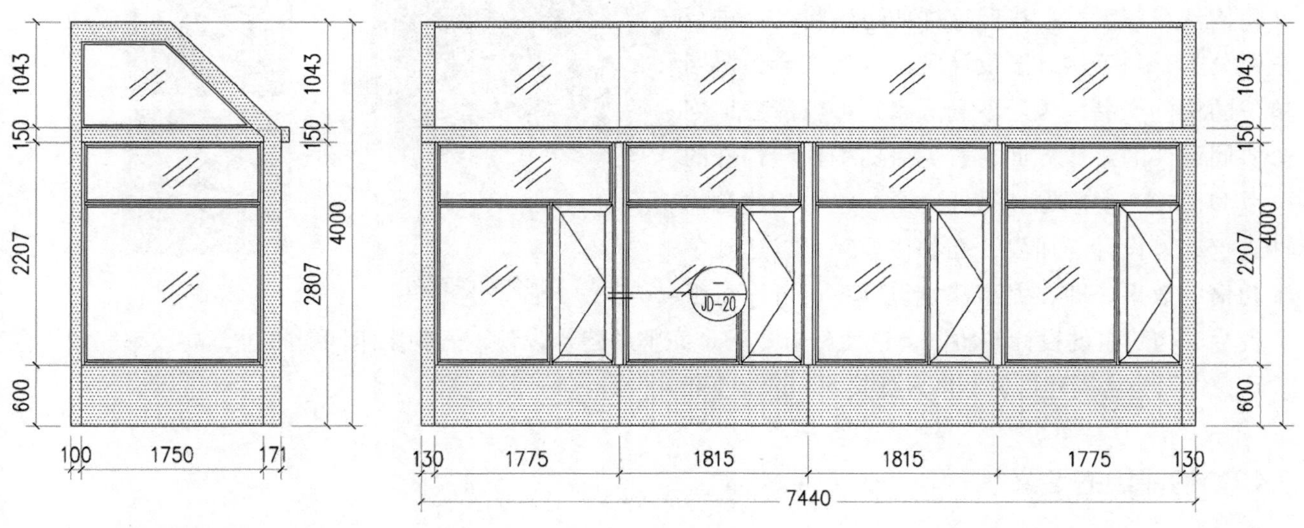

图 8-12　阳光房详图

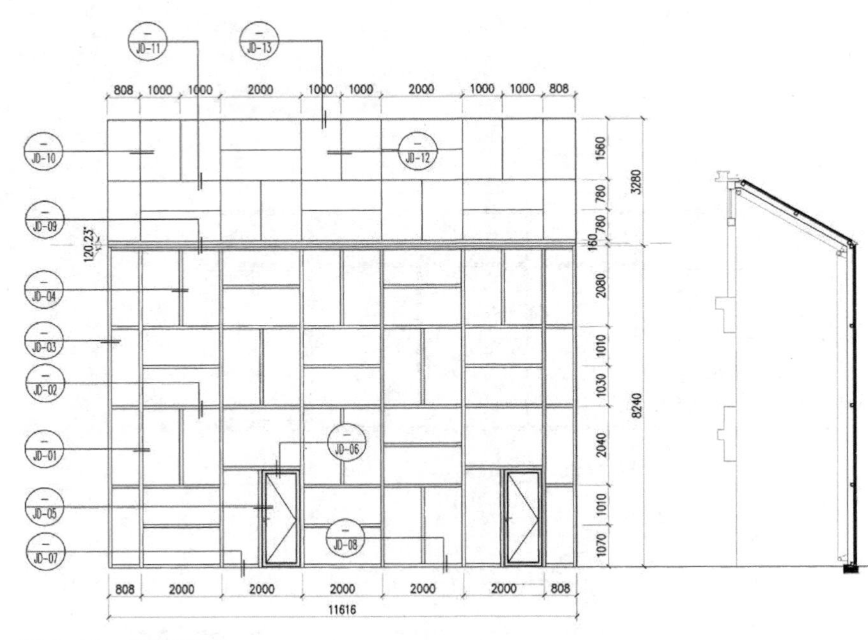

图 8–13　幕墙详图

8.4　适合新型工业化建造的构件组分类逻辑

建筑是由构件组成的，是建筑的最基本构成，是第一性的。要将建筑构件按照一定的逻辑进行组织，形成构件组，逻辑更加清晰地进行协同设计，是一种新型建筑设计方法。具体到忆徽堂，此栋建筑的构件可以分为功能构件组、性能构件组和文化构件组三大类。按照这样的逻辑将构件进行重组分类，利于从方案设计阶段开始整合各协同单位的构件产品，规避不利因素。可以清楚地划分协同设计的工作界面，避免后期构件与构件的关系和衔接产生问题。另外对同一组中的建筑构件进行统筹设计与研发，互相协调，可以达到事半功倍的效果。即在大型建筑设计中，可以每组负责一个构建组的设计与协同，进而整合成一个完整的建筑设计，做到多组同时推进，高效率完成协同设计，进而为协同建造奠定良好的技术和产品基础。

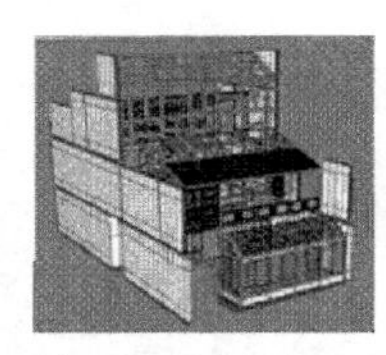
性能构件组

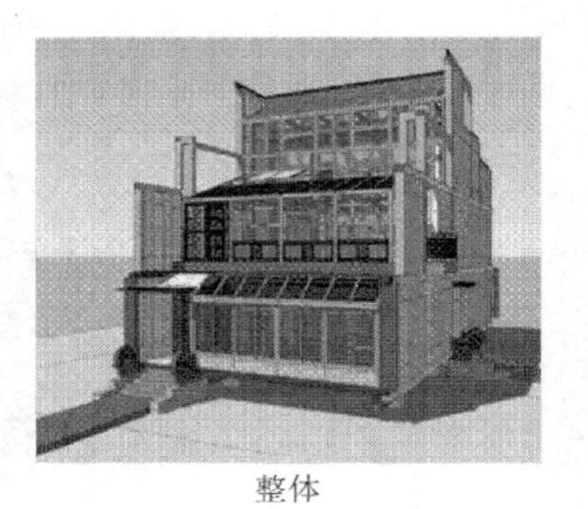
整体

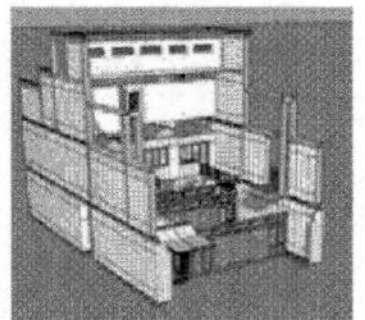
文化构件组

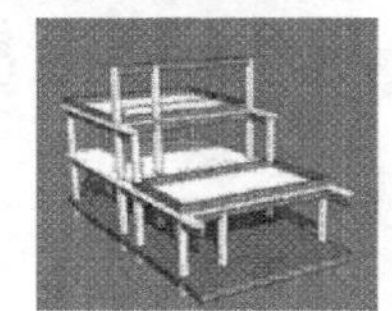
功能构件组

图 8–14　构件组关系图

8.4.1　构件组的定义

功能构件组：以本章列举的项目为例，整个建筑最基础的部分是钢筋混凝土结构部分，即把钢筋混凝土结构体构件组部分规整地组织起来，形成最基本的使用部分，大体限定与定义了建筑的空间与使用，即称为功能性构件组。

性能构件组：与性能相关的部分构件组的组合，例如天井、阳光房节能缓冲空间等。

文化构件组：把独立附加的钢结构构件组部分组合起来，在此基础上做建筑外形的变化，钢结构部分与文化寓意息息相关，表达了建筑文化寓意形象等，这些即是文化构件组。

将建筑拆分成构件，再进行构件法设计，不仅便于设计、建造、维护的一体化，同时，利于实现新型建筑工业化构件建筑产业现代化的目标。构件法建筑设计是协同设计的基础，亦是建筑工程管理的开端和基础。

8.4.2　交织关系与独立关系

忆徽堂功能构件组与性能构建组、文化构件组共同组成一个完整的建筑。三者是彼此交织的，例如外围护部分，既是性能构件组的部分，也是文化构件组的基础。钢结构可同时归为性能构件组和文化构件组。当然，它们也可以是另外的关系组合（图 8–15），这四种关系构成了构件组合成建筑的四种基本的设计方法。

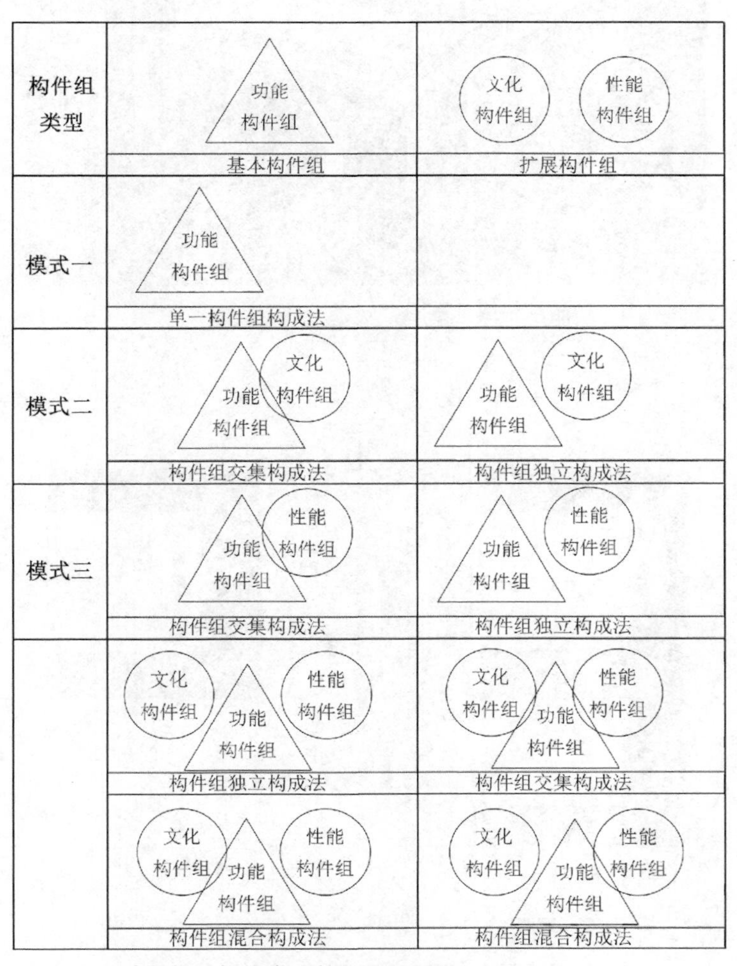

图 8–15　建筑构件组分类及其相互关系图

8.4.3 功能构件组

忆徽堂建筑功能构件组主要为主体钢筋混凝土结构体构件组部分。适合工业化建造最重要的就是结构、模数化两个方面。功能构件组限定的空间满足基本空间功能使用，形成通用空间，忆徽堂在一层设计了两个大空间（图 8–17 主使用空间），利用节能缓冲的 E 形空间将其包裹住（图 8–17 左图灰色部分）。二层一个大空间（图 8–17 右图节能缓冲空间和主使用空间），被一个 C 形空间包裹住（图 8–17 右图灰色部分）。

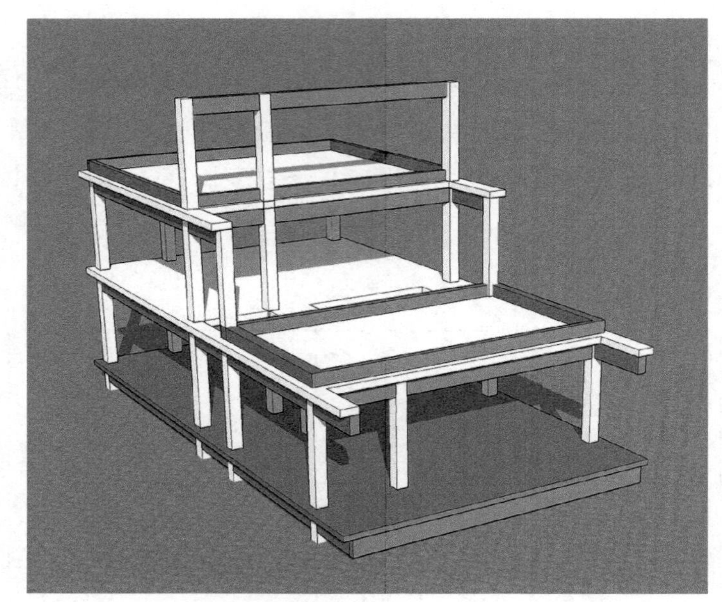

图 8–16 功能构件组示意图

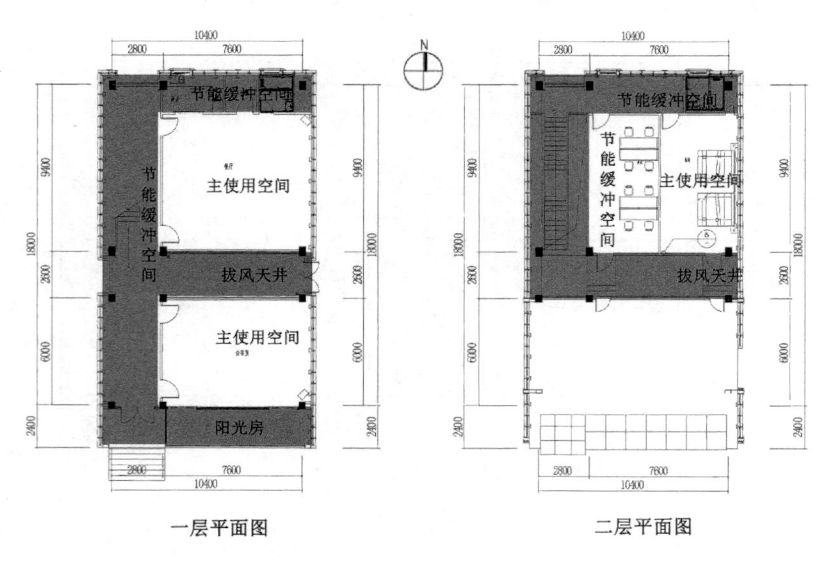

图 8–17 功能构件组平面图

柱网从左到右面宽方向依次是 2.8 m、7.6 m，进深方向从下到上依次是 6 m、2.6 m、9.4 m。空间大而规整，一层两个大空间分别为会客室与餐厅，二楼分别为一个办公空间与住宿空间。大而规整的主空间提供主要使用功能，并适合未来功能改变而进行的空间改造，进而延长建筑的可用时间，即使用寿命。

8.4.4　性能构件组

主空间与节能缓冲空间相辅相成，节能缓冲空间围合着主空间，提供功能辅助，例如走道、楼梯天井等。同时，节能缓冲空间与被动式节能相结合，稳定主空间的热工性能，保障主空间的舒适度。在一层两个主空间西侧、北侧各扩展一个 2.8 m、2.6 m 的走廊，中间加了一个拔风天井缓冲节能空间，南侧为阳光房缓冲节能空间，共同围合成一个 E 形空间，一方面作为功能划分。一层西侧是长长的走廊，隔绝主空间的西晒问题，同时也是主空间热稳定的保护屏障。中间 2.6 m 的天井，不仅视觉上使得建筑空间有趣活泼，更重要的是其可作为被动式节能中拔风的空间载体（图 8–18）。

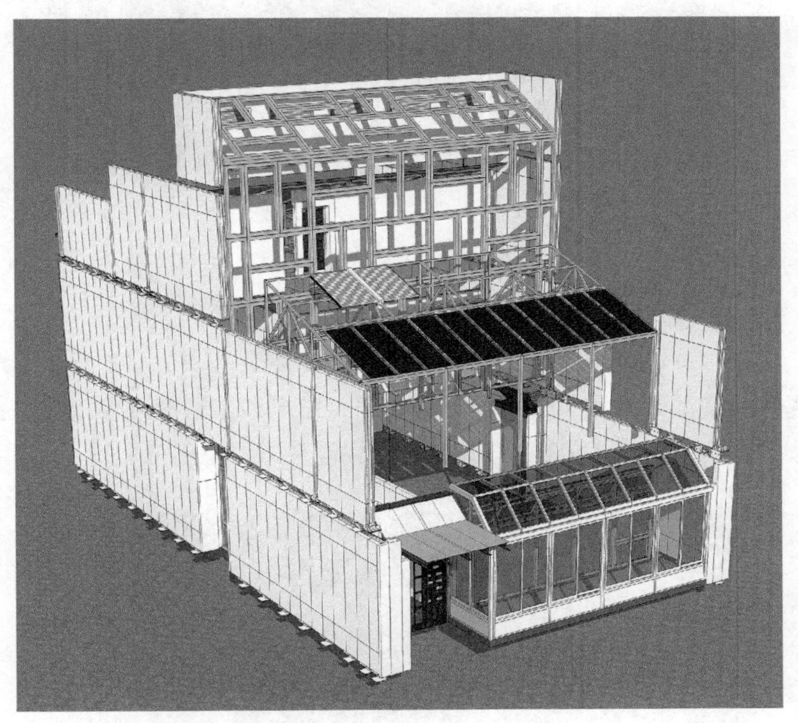

图 8–18　性能构件组示意图

1. 外围护构件组

外围护墙使用了基本围护体（尼高板）系统，利用标准化尼高板系统和局部特殊尼高板系统组织预制装配了整栋建筑的全部外围护体。双层尼高板加空气层以及铝膜保证了整个墙体性能的稳定与可靠。在此基础上外墙再铺设 3 cm 厚的尼采板，尼采板是一种保温防水装饰一体化新型板材，使外围护结构的性能更好。

钢结构连接件与功能构件组——钢筋混凝土结构体中的预埋件配合，可快速定位并施工安装到位，大大缩短了工人劳动时间。

2. 天井

忆徽堂节能被动式节能示范房屋中，最重要的就是天井。组成烟囱效应的天井，通过控制热压通风，调节室内环境的舒适度，从而使得被动式节能得以很好地实现（图 8-19）。

图 8-19　天井实景图

3. 阳光房

一层南面与会客室相接部分设置了一个玻璃阳光房。窗户和遮阳帘可控，需要蓄热时将窗户关闭，太阳辐射热进入室内，不需要蓄热时可将窗户打开，需要隔热时将遮阳帘关闭（图 8-20）。

图 8-20　阳光房实景图

4. 冷源与热源

参与调节室内舒适度的冷源来自于地下和架空层，热空气经过 1.2 m 的架空层，温度有所降低，通过可调气孔进入室内，再由天井和节能缓冲空间进入主空间，从而在夏天减少了空调的使用。

热源来自于阳光照射。太阳作为最佳热量来源，当太阳辐射阳光房与天井时，使得内部空气升温，进而进入主空间，使得在有阳光的冬季，室内温度更加宜人。

5. 节能缓冲空间

正如前面所述，功能构件组与性能构件组部分是相互交织在一起的，例如一层北面的厨房与卫生间，既是由功能构件组构成的主空间的一部分，同时也参与到性能构件组中，成为节能缓冲空间的一部分，使餐厅主空间的热工性能稳定，更加舒适。

6. 中国式被动节能

被动式节能房又可译为被动式房屋，是基于被动式设计而建造的节能建筑物。被动式房屋可以用非常小的能耗将室内调节到合适的温度，非常环保。被动式房屋的概念最早源于瑞典隆德大学的阿达姆森（Bo Adamson）教授和德国被动式房屋研究所（Passivhaus Institut）的沃尔夫冈・菲丝特（Wolfgang Feist）博士在 1988 年 5 月的一次讨论。通过一系列的研究和德国黑森州政府的资助，被动式房屋的概念逐步确立起来。1990 年最早的一批被动式房屋在德国达姆施塔特建成。1996 年被动式建筑研究所在达姆施塔特成立，致力于推广和规范被动式房屋的标准。此后有越来越多的被动式房屋落成[1]。

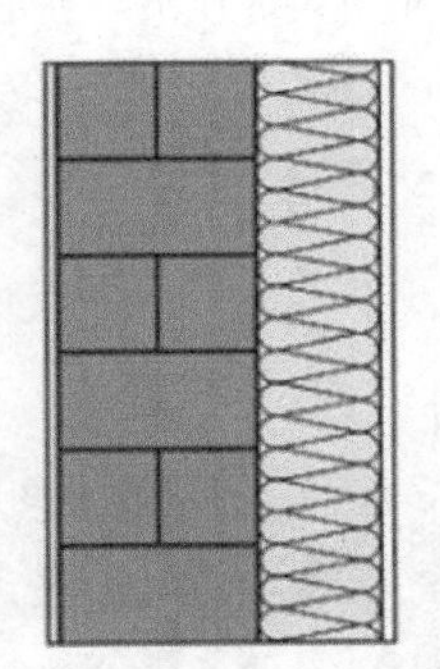

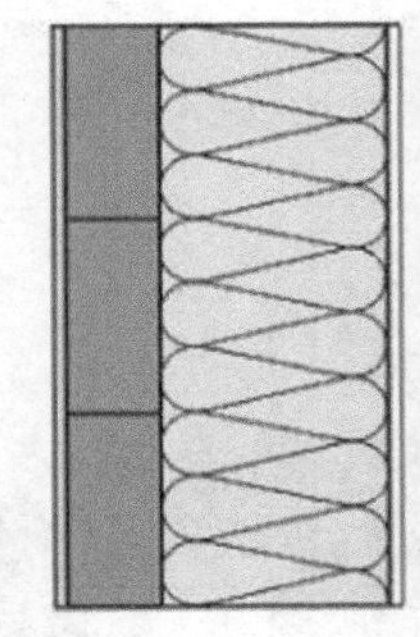

图 8–21　被动式节能房示意

但是符合德国的被动式节能房屋并不符合中国的国情，造价过高等因素限制了其在中国的普及应用。中国应有符合自身当下条件的被动式节能房屋标准，符合中国需求的被动式节能房屋应具有以下几个特点：

（1）具有良好性能

只有具有了良好性能的房子才可能是好房子，脱离开性能，空谈艺术、空间的建筑，完全不注重人的健康和舒适感受，注定会在未来被淘汰。随着中国经济飞速发展，必然越来越注重房子的性能，良好的采光通风、隔热保温、隔声降噪是未来建筑研究的方向。

（2）基于工业化具有文化内涵

往往一提工业化给人感觉就是冰冷的，缺乏创意的方盒子。此次我们在常州武进实现的被动节能房屋即突破了这一难题。钢筋混凝土构件组标准化，竖向添加次结构即钢结构来解决相对复杂的造型难题。

（3）适宜技术及被动节能方法的

忆徽堂是满足国家绿色二星标准并符合中国国情的被动式示范房，通过过渡空间系统节能技术应用、内天井拔风环境控制系统应用、阳光房节能系统应用、独立坡屋顶节能系统等技术应用，用被动式节能设计方法实现建筑节能减排目标。能够在现行现浇钢筋混凝土结构规范下，采用全工业化装配的建造模式高效建造建筑产品，适合城乡大规模应用。该被动式节能技术体系的房屋可形成低层、多层的被动节能住宅产品系列，具有良好性能及广泛的应用前景。

以上 3 条组合起来为中国式被动节能标准的基础。

1）空间被动式设计

建筑整体布局上，尽量减小体形系数。采用大进深以提高土地利用率。忆徽堂南侧设置有阳光房，在冬天提供热源。节能缓冲空间主要布置在西侧，其承担着多重功能，既是交通空间，又可以有效防止西晒，起到空间被动式节能的作用。

2）竖向热环境被动式设计

本建筑内部设置拔风天井，并配合智能电动高窗，根据季节和天气变化采用不同的自然通风方式。夏季利用热压差，让室内的热空气从天井上部通风口排出，室外新鲜的冷空气从地下通风口吸入，促进自然通风。冬季天井作为阳光房和南侧阳光房一起提高室内空气温度。地下风道也能利用地下热能与空气换热，达到预热空气的目的。天井处选用智能电动高窗（图 8–22），无线智能化控制，自动开启关闭；外开启设计保证更大的通风面积；预制纱窗，有效地防止蚊虫从电动高窗进入室内。详细分析篇见图 8–23~图 8–26。

图 8–22 电动高窗

被动式节能分析篇（夏）

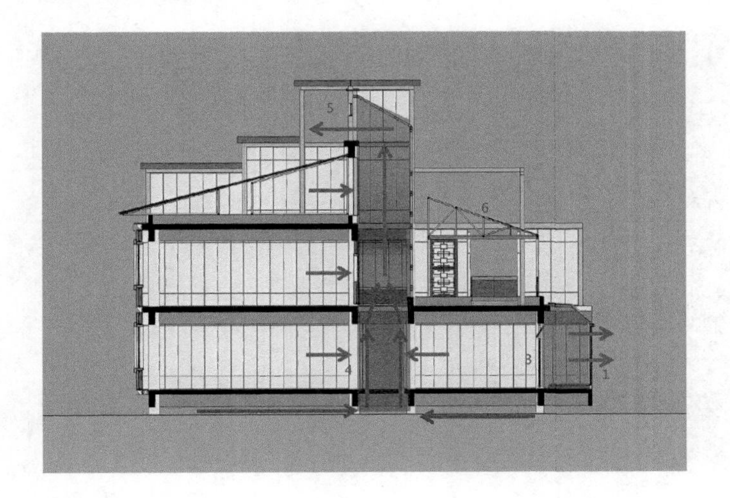

夏季晴天日间：
气候特点：外界太阳辐射强烈，空气温度高。
使用特征：二层卧室内活动较少，人员主要在一层起居室等活动。
工况简述：关闭朝向太阳房的门（3），打开太阳房开口（1），开启地下通风口（2），让冷空气从通风管道进入一层房间。开启天井高侧窗（5），天井上空温度被加热形成热压通风的动力，低温空气从一层面向天井的窗户（4）不断补充，降低室内气温，在室内形成微风，提供良好的舒适度。南向屋顶设置太阳能支架（6），提供太阳能的同时，也起到了遮阳的作用。

图 8-23　建筑夏季晴天自然通风示意图

被动式节能分析篇（夏）

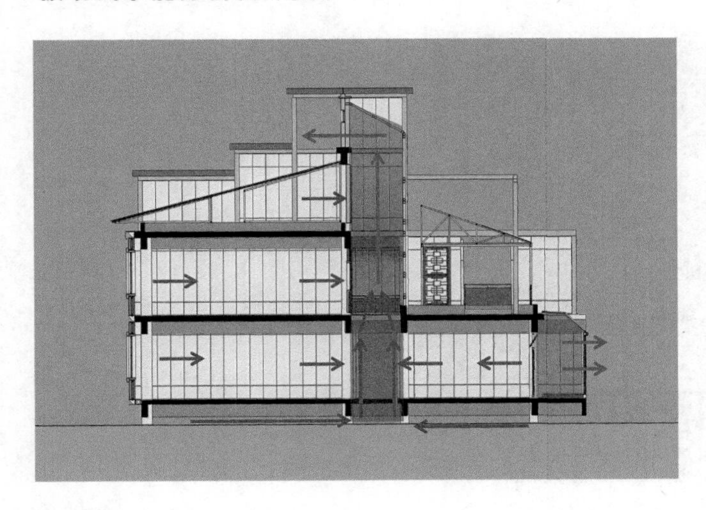

夏季雨后或夜间：
气候特点：外界气温降低，空气温度低于室内。
使用特征：二层卧室内活动增多，一层起居室也存在活动。
工况简述：开启所有对外门窗，争取最大限度的对外散热。

图 8-24　建筑夏季夜间自然通风示意图

被动式节能分析篇（冬）

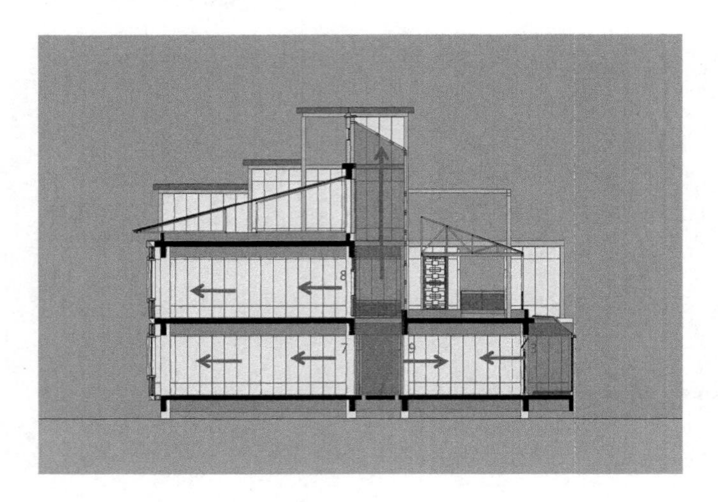

气候特点：室外气温较低，北风凛冽。
使用特征：日间主要在一层活动，夜间在二层活动。
工况简述：冬季开启地下通风道（2），将地下热量送至上部建筑。开启会议室和餐厅对太阳房的门窗（3），利用太阳房对会议室和餐厅进行加热。若白天主要在会议室和餐厅活动，则关闭卧室开向天井的门窗（8），开启会议室面向开井的窗户（7、9），天井也作为太阳房对客厅进行加热；若在卧室活动：关闭会议室和客厅开向天井的门窗（7、9），开启卧室开向天井的门窗（8），利用天井这个太阳房对卧室进行加热。
夜间无太阳辐射，外界气温急剧下降，关闭所有门窗。

图 8-25　建筑冬季日间自然通风示意图

被动式节能分析篇（春秋）

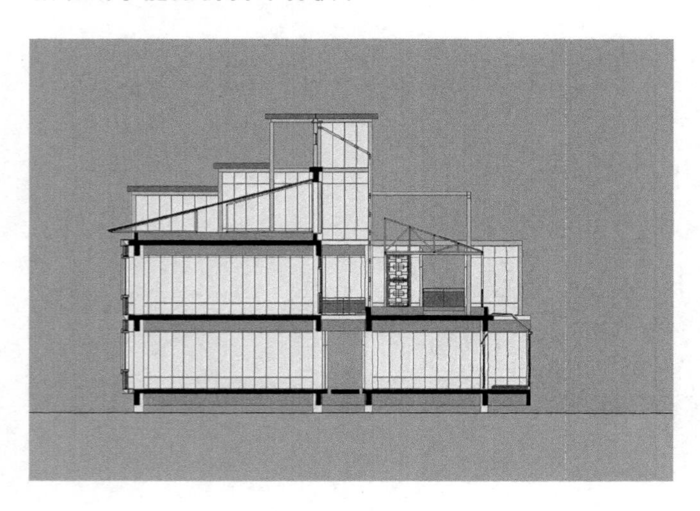

春秋天（舒适度）：
气候特点：全天气候宜人，人体舒适度高。
使用特征：日间主要一层活动，夜间主要二层活动。
工况简述：根据天气情况及使用者个人喜好，组合门窗开启情况。

图 8-26　建筑过渡季节自然通风示意图

8.4.5　文化构件组

文化构件组具有地方和传统文化意味，是建筑工业化在文化层面的提升，体现文化自信。本方案中添加了江南一带中国传统建筑的韵味，打造文化属性与新型工业化建造的融合。本方案中马头山墙与门头的现代演变，虽然手法是工业化构件实现的，却能让人立刻感受到文化的气息。

1. 门头构件

通过圆钢管与工字钢结合，上面做抓点玻璃，为传统门头的现代演变（图 8-27）。

图 8-27　门头构件实景与模型

图 8-28　徽式民居门头

2. 江南民居立面文化特征构件

从中国江南地区建筑中提炼建筑语汇，结合工业化用现代建筑手法再次设计，达到形变而文化韵味依存的效果（图 8–29，图 8–30）。

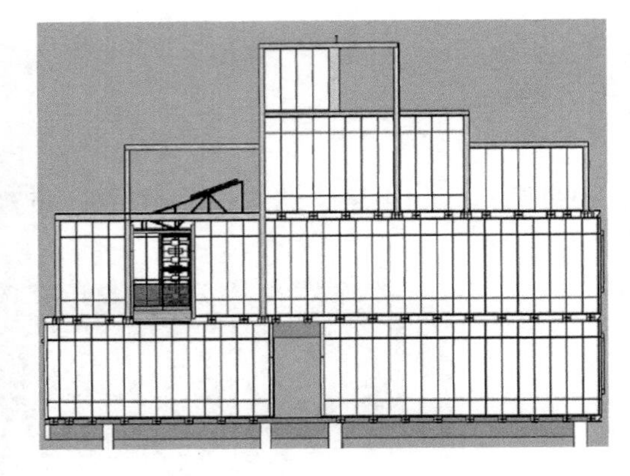

图 8–29　典型江南民族立面文化特征与本实例中的再次设计

图 8–30　山墙实景

8.5　绿色建筑评价

8.5.1　绿色建筑评估

忆徽堂被评为绿色二星建筑，见图 8-31 所示。

NO:3202015L0099

建筑能效测评等级证书

Jian zhu neng xiao ce ping deng ji zheng shu

建筑名称：江苏省绿色建筑博览园一忆徽堂

测评机构：南京工大建设工程技术有限公司

测评等级：★★

测评时间：2015年11月（有效期壹年）

二〇一五年十一月

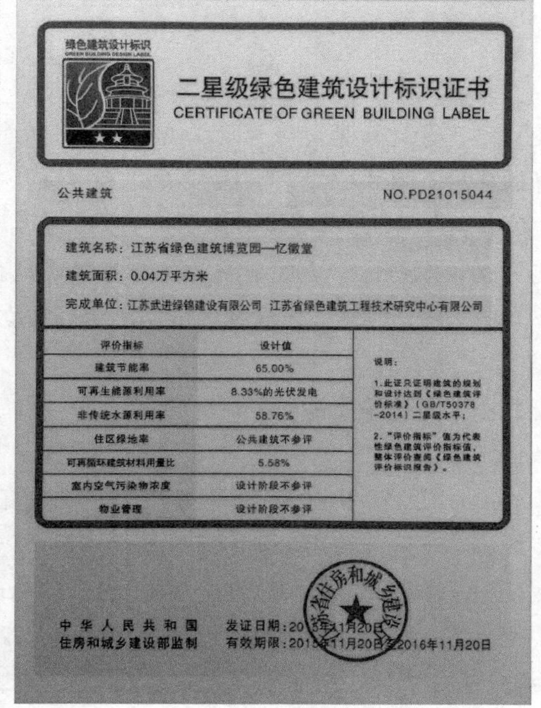

绿色建筑设计标识

二星级绿色建筑设计标识证书

CERTIFICATE OF GREEN BUILDING LABEL

公共建筑　　NO.PD21015044

建筑名称：江苏省绿色建筑博览园—忆徽堂

建筑面积：0.04万平方米

完成单位：江苏武进绿锦建设有限公司　江苏省绿色建筑工程技术研究中心有限公司

评价指标	设计值
建筑节能率	65.00%
可再生能源利用率	8.33%的光伏发电
非传统水源利用率	58.76%
住区绿地率	公共建筑不参评
可再循环建筑材料用量比	5.58%
室内空气污染物浓度	设计阶段不参评
物业管理	设计阶段不参评

说明：

1.此证只证明建筑的规划和设计达到《绿色建筑评价标准》（GB/T50378-2014）二星级水平；

2."评价指标"值为代表性绿色建筑评价指标值，整体评价查阅《绿色建筑评价标识报告》。

中华人民共和国住房和城乡建设部监制

发证日期：20[illegible]5年11月20日

有效期限：2015年11月20日至2016年11月20日

图 8-31　绿色二星标识证书

8.5.2　碳排放计算

1. 长寿命碳排放分析

在 100 年评价期内，分析对比建筑寿命分别为 30 年、50 年、100 年的全生命周期的碳排放量，见表 8-4。

表 8-4　全生命周期各阶段（30、50、100 年）——碳排放比例关系

生命周期	建材开采生产阶段 P1	物流阶段 P2	装配阶段 P3	使用和维护阶段 P4	拆卸和回收阶段 P5	总量（t）
30 年碳排放量（t）	305.31	58.70	2.65	432	55	853.66
50 年碳排放量（t）	305.31+20.42	58.70+0.004	2.65+0.02	432 × 1.6	55	1 133.30
	50 年期间，设备体更换一次					
100 年碳排放量（t）	305.31+20.42 × 3	58.70+0.004 × 3	2.65+0.02 × 3	432 × 3.3	55	1 908.59
	100 年期间，设备体更换三次；围护体与结构体同寿命					

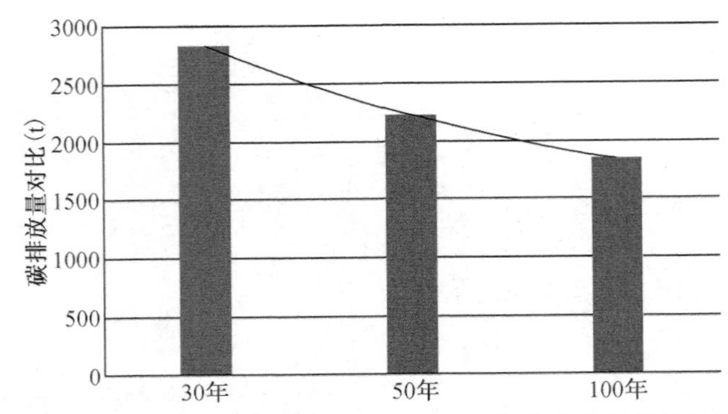

图 8-32　100 年评价周期内（30、50、100 年寿命）碳排放总量对比

分别统计“工业化示范屋”寿命为 30、50、100 年的碳排放量，在 100 年评价期内，其碳排放量呈抛物线下降的趋势（图 8-32）。原因分析：100 年内，寿命 30 年的住宅共完成 3 次全生命周期，50 年的住宅完成 2 次全生命周期，其中设备体更换 1 次；100 年的住宅完成 1 次全生命周期，其中设备体更换 3 次，而围护体与结构体同寿命。由此证明，长寿命建筑具有低碳性，当然这是建立在工业化建筑装配体系的基础之上，其结构体、围护体、设备体的功能相互独立，为长寿命设计提供了技术支持。

2. 预制装配式施工与传统建筑施工对比分析

①电节约：（工地节约用电量 – 工厂消耗电量）/ 建筑总面积 =（1 710+138–940）kW · h/320m^2=2.83kW · h/m^2;

②水节约：（工地节约用水量 – 工厂消耗水量）/ 建筑总面积 =（390–310）t/320m^2=0.25 t/m^2;

③模板节约 : 模板节约量 / 建筑总面积 =1.69 t/320 m^2=0.005 3 t/m^2;（模板消耗按消耗钢材量估算）

④脚手架节约：脚手架节约量 / 建筑总面积 =5 t/320 m^2=0.015 7 t/m^2;（脚手架消耗按消耗钢材量估算）

⑤废弃物节约：废弃物节约量 / 建筑总面积 =3 m^3/320 m^2=0.009 3 m^3/m^2;

表 8–5　预制装配式施工节能降耗测算表

项目	传统方式施工	预制装配式施工	节能情况	节能降耗率
电	17.1 kW · h/m^2	14.27 kW · h/m^2	2.83 kW · h/m^2	17%
水	0.686 t/m^2	0.436 t/m^2	0.25 t/m^2	36%
模板	0.012 3 t/m^2	0.007 t/m^2	0.005 3 t/m^2	43%
脚手架	0.022 6 t/m^2	0.006 9 t/m^2	0.015 7 t/m^2	69%
废弃物	0.014 4 m^3/m^2	0.005 1 m^3/m^2	0.009 3 m^3/m^2	65%

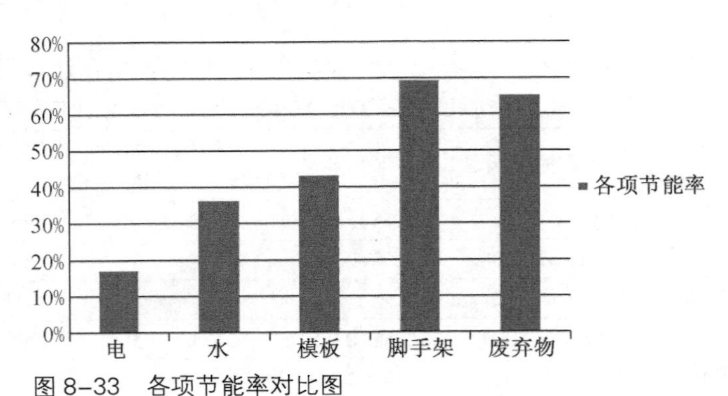

图 8–33　各项节能率对比图

8.6　工程管理

基于构件法建筑设计的协同设计使得施工管理得以实现，组织与任务界面划分清楚，使得工程管理内容清晰可控。本工程自 2015 年 7 月 5 日开工，7 月 15 日完成基础施工，7 月 30 日完成一层地坪浇筑，8 月 15 日混凝土主结构封顶，8 月 26 日次结构钢结构部分安装完工，9 月 1 日内墙板开始安装，9 月 16 日室内装修开始介入，9 月 22 日外墙尼采板开始施工，9 月 28 号阳光房等成品构件开始施工，10 月 11 日露台花架安装，10 月 20 日科逸卫浴进场安装，10 月 29 日门窗入场施工，11 月 10 日，遮阳入场施工。11 月 22 日竣工交付使用。

8.6.1　施工全过程记录

施工全过程记录实景图片见图 8–34 ～图 8–41。

图 8–34　基本结构体施工过程实景图片

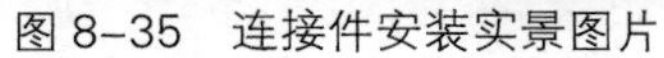

图 8–35　连接件安装实景图片

图 8-36　内墙板安装实景图片

图 8-37　扩展结构体安装实景图片

图 8–38　外围护体安装实景图片

图 8–39　尼高楼梯面系统及预留管槽实景图片

图 8-40　装饰施工实景图片

图 8-41　阳光房及天井幕墙施工实景图片

8.6.2　管理方式的缺陷

由于时间仓促，甲方项目管理上依然想实行传统建筑施工管理办法，造成这个项目在实施时不可避免产生一些遗憾，未能完全按照我们设想全部实现。一方面是我们自己经验欠缺，一方面也是传统施工管理与新型建筑工业化建造之间的矛盾已经不可调和。下一项目建造中，团队将着力突破以上问题，力求能完美展现协同建造。

8.7　协同设计与协同建造

8.7.1　协同设计

协同设计是协同建造的起始阶段，协同设计服务于协同建造。基于构件法建筑设计，从设计初期，调动各方力量参与到设计研发环节中来，在设计前端解决所有问题，过程中不断强化这种协同关系，目标是完整地控制建造过程，使协同建造最终顺畅进行。

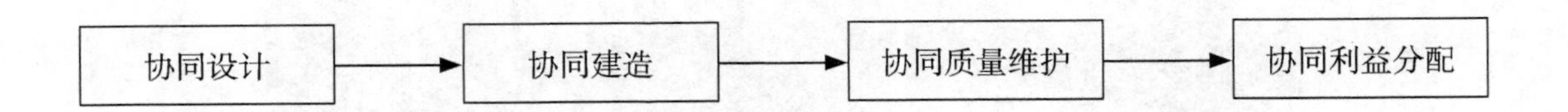

所有工作前移到方案阶段，方案设计起步，基于构件法设计及构件组逻辑，将建筑拆分成一个个构建件组，每个构件组请专业厂家参与，完善其全部内容，使得构件组或构件能在最终建造过程中得以实现。例如在方案设计伊始，便与甲方积极沟通，确立使用尼高板作为墙体材料。此板尚未在外墙中使用过，因此，首要任务是确定一种产品结构形式使得此板适用于外墙。

协同设计也始终贯穿在施工图阶段。施工图设计作为传统建筑设计审查的一个重要环节，在工业化建筑设计中也是不可缺少的一个必要环节。当下，一些工业化设计单位的施工图是一套流程，工业化设计往往又重起炉灶重新做另外一套图。忆徽堂项目将施工图作为最后建造图纸的一部分。在施工图设计阶段中，于前期方案阶段多轮协同的基础上，我们与设计院水、电、结构工种经过多轮讨论，提前确定水、电、结构的图纸内容与表达方式，从而避免多轮交叉互相干扰。

8.7.2　协同建造

1. 尼高预制装配外墙板系统

尼高预制装配外墙板是采用轻质复合夹芯板作为主体材料制备的模块化复合外墙体系，包括普通模块、转角模块、窗口模块等，可满足于建筑物外墙的装配式安装，不仅大大缩短施工工期，并具有良好的保温、隔热、隔声、防火、防水、装饰等特性，具有结构、节能、装饰一体化效果。

表 8-6 尼高预制装配外墙板技术参数

产品（或技术）名称	尼高预制装配外墙板系统	
产品参数	尺寸	根据不同外墙模块变化
	应用位置	建筑结构体外表面
	价格	150 元 /m^2
生产厂商		江苏尼高科技有限公司

图 8-42 工厂尼高板模拟图

尼高科技作为常州建科院的全资子公司，有着丰富的材料储备。最初共同商量决定采用尼高板作为外墙系统后，东南大学工业化住宅与建筑工业研究所与尼高科技的技术人员多次协作并多次试验。起初，定下来的设计为外侧采用 1 300 mm 和 2 440 mm 两块 120 mm 厚的板子，内侧为上下两块 650 mm 长，中间长 2 440 mm，共三块 90 mm 厚板子（图 8-43）。在工厂试验后，我们发现现场安装会比较困难，不易操作。故改为内外侧均为上下两块 650 mm 中间 2 440 mm 的模式。同时与施工技术人员交流后，我们发现公差预留的比较紧凑，现场安装间隙过小，工人难以操作，在此基础上，上下两块板减为 615 mm，预留较为充足的公差。最终事实证明，这个公差的预留非常有必要，钢筋混凝土施工必然不能做到分毫不差，施工精度较差的情况下，这个公差必须得留这么大，外围护墙板才能够顺利安装。

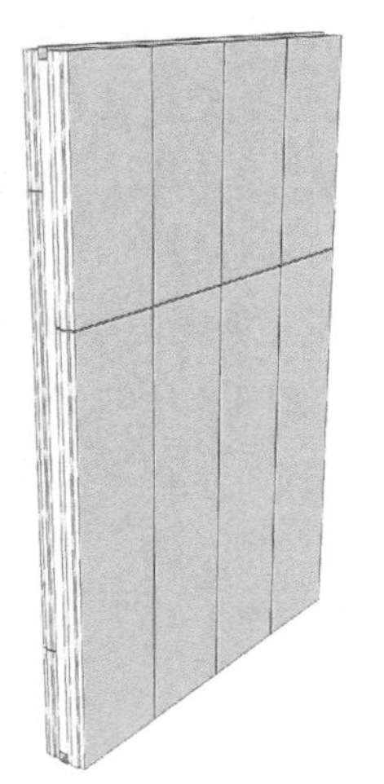

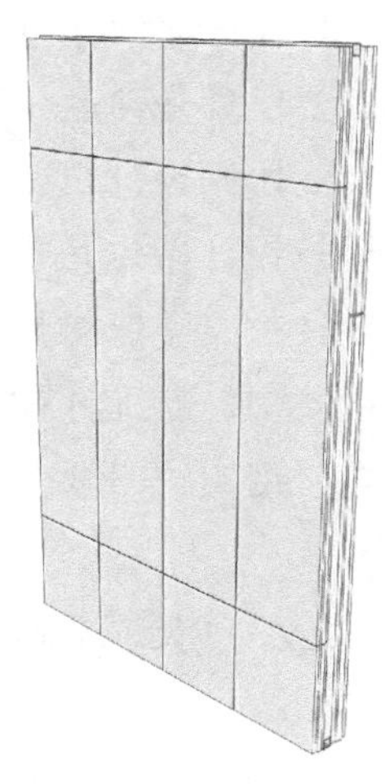

图 8-43 外围护墙板初始设计图

2. 预埋件及连接件的制造与安装

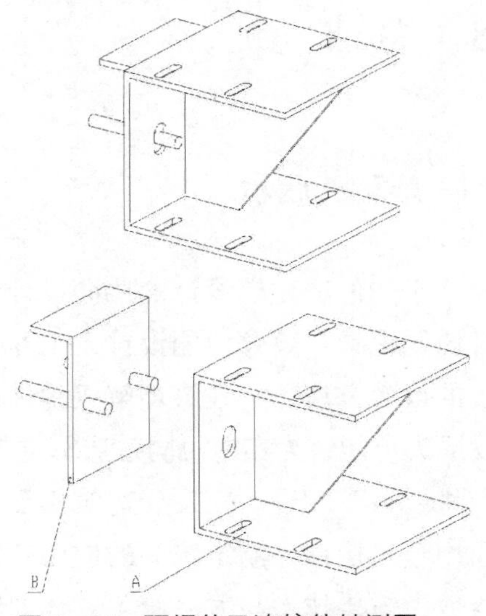

图 8-44　预埋件及连接件轴测图

预埋件及连接件（图 8-44，图 8-45）的设计是此项目的一个重要环节，第一轮试做到最终定稿经过三轮调整。其中包含了预埋件及连接件加工方——圣乐机械的智慧，也包含了施工方——南京思丹鼎建筑科技有限公司技术员的改进。最终证实多方协同设计、制作及建造才是解决此类问题的唯一解决方案。

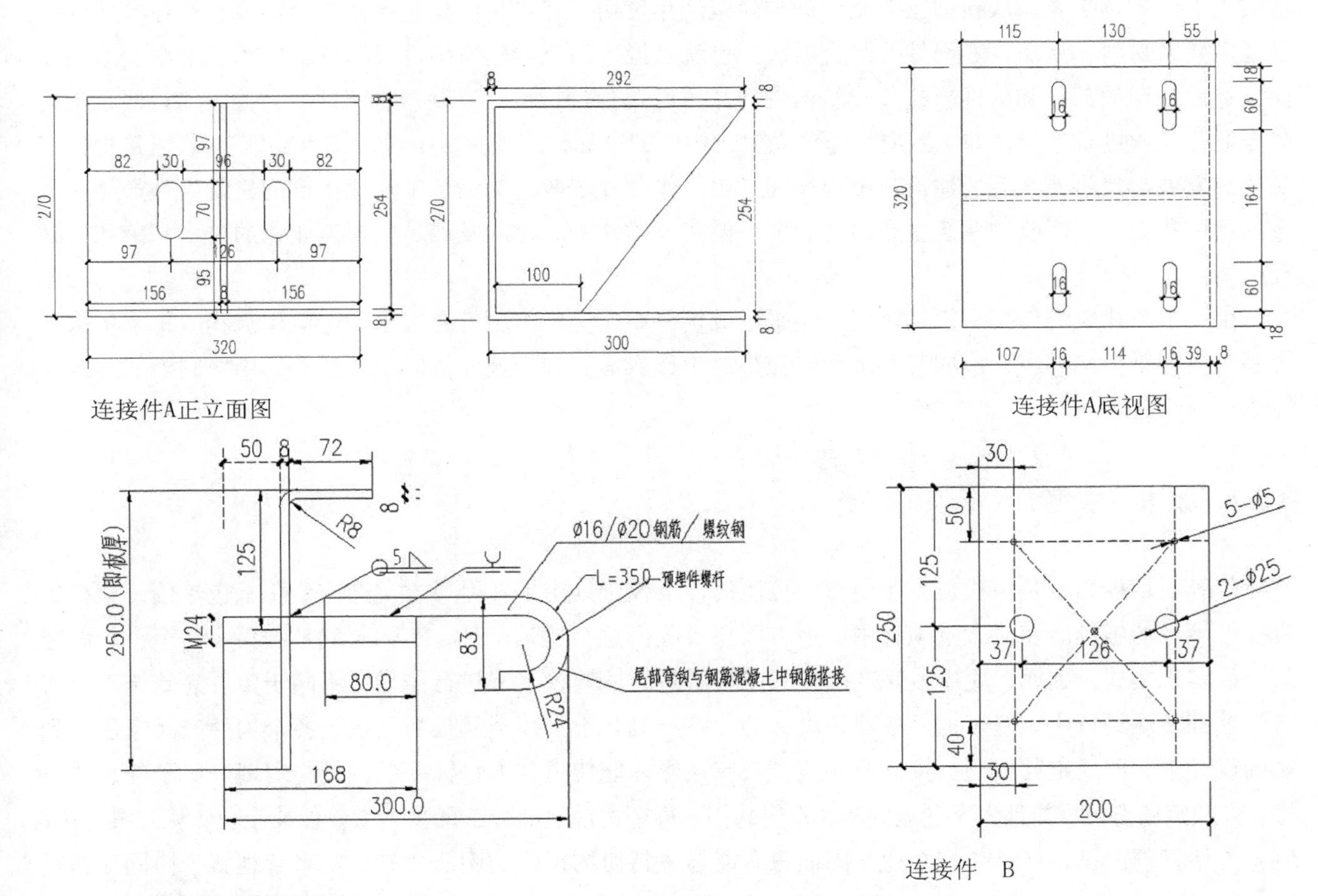

图 8-45　预埋件及连接件详图

8.8　总结

8.8.1　成功的启示

基于构件法建筑设计的协同设计作为这次新型建筑工业化的标准设计，实现新型建筑工业化建造离不开协同设计，离开协同设计，工业化建造就没法顺畅实现。构件法建筑设计提供一个针对工业化建造系统的设计方法，将建筑理解成构件，从而协同设计有了基础，让所有参建单位早期参与进来共同设计研发成为可能，为实施协同建造奠定基础，所以协同模式也是新型建筑工业化产业联盟的基础。下一步，我们将致力于配合厂家发展建筑构配件并形成适度的规模经营，为建筑市场提供各类建筑使用的系列化的通用建筑构件；制定统一的应用建筑数列和重要的设计规则（数列协调与控制、公差与配合、合理建筑参数、连接技术与方法等），合理解决标准化和多样化的关系，建立和完善分类建筑构件产品库，不断提高建筑标准化水平；采用现代化工程管理方法和手段，优化资源配置，实现科学的工程组织和管理，适应当下的市场需要。从新型工业化设计与建筑的角度讲，建筑是由建筑构件组合而成，而建筑构件产品是由建筑材料、制品、零配件等组合而成。也就是说产品化的建筑构件可以分解成为一个个相对独立而又标准协调的部品和部件，这些建筑构件产品可以单独进行设计、制造、调试、完善，并且便于不同的专业化企业进行生产，即“制成一个独立建筑构件的产品，用于完成一种或多种功能”。建筑构件产品化的发展必然将使今后的建设，由现场加工生产作业逐步改进为大量工厂化生产的建筑构件产品在现场的组装作业，从而改变建筑生产面貌。可以说建筑构件产品化的发展是实现工业化的技术基础和关键环节。

由一个个建筑构件按一定逻辑组织起来形成构件组，构件组更符合实际建造应用流程。每个厂家负责一个或若干个构件组，形成若干个独立完整的工作界面，利于彼此协同工作任务，用协同模式高效率完成现场建造。

8.8.2　改进的思考

传统项目控制权是由投资方（甲方）控制的，谁投资谁主导，由甲方挑选一个总承包单位，全权负责这个项目的施工。在忆徽堂项目中，甲方购买了我们这个建筑产品，实际上就是购买了一个全新的建筑产品实现模式，因而，应由建筑产品化的工程管理方法与模式来进行主导，不同于传统建筑施工，所有问题都在现场解决。基于构件法建筑设计的建筑产品化设计建造从最初开始，各个构件产品组进入到协同设计中，即规定其权利、责任及利益，只有这样才能使得各方目标一致，最终实现好房子的总体目标，得到市场认可，并且大家利益共享，责任共担。每个构件组的分工即是一家单位或企业，从方案阶段，就要开始管理协调这些单位和企业，因而只有能够主持协同设计的团队才有资格来管理整个协同建造过程，任一构件组提供方（厂家或施工队）不具有协同设计通盘控制的能力，也担当不起总体协调管理的责任。忆徽堂项目中途有一段时间陷入一场协同工程管理控制权的混乱状态，业主甲方依然以一个传统建筑的施工思路试图控制整个建设管理流程，最终发现不行，还是只有东南大学工业化住宅与建筑工业研究所（协同设计的发起和组织方）才是整个协同建造工程管理的唯一可信任和依赖方。这也验证了在工程管理上，建筑产品模式完全不同于传统的建筑建造模式。

8.8.3　特区推进模式

由国家住建部授牌的江苏省常州市武进区国家级绿色产业集聚区（以下简称绿建区）组织了江苏省绿色建筑博览园的建设，忆徽堂是 14 幢工业化绿色示范建筑中的一幢。绿建区从项目的策划、规划、技术的选择、建设运营企业的引进，及建设的过程管理等方面，践行了适合新型建筑工业推进的政府管理模式、质量控制方法、产品化准入机制、信息化社会公益宣传方式，为推进江苏省新型建筑工业化的进程，做了很多开创性的工作，通过体制机制的创新，探索出了符合城乡可持续发展的建筑产业现代化途径，形成了新型的政、产、学、研合作模式，实践了能让新型建筑工业化建筑产品落地生根的特区模式。这也是忆徽堂能在短短三个月内建成投入运营的基础。

因此，江苏省绿色建筑博览园的建成，标志着江苏省新型建筑工业化和建筑产业现代化的实践进程已进入到了金字塔的顶端（图 8-46，图 8-47）。

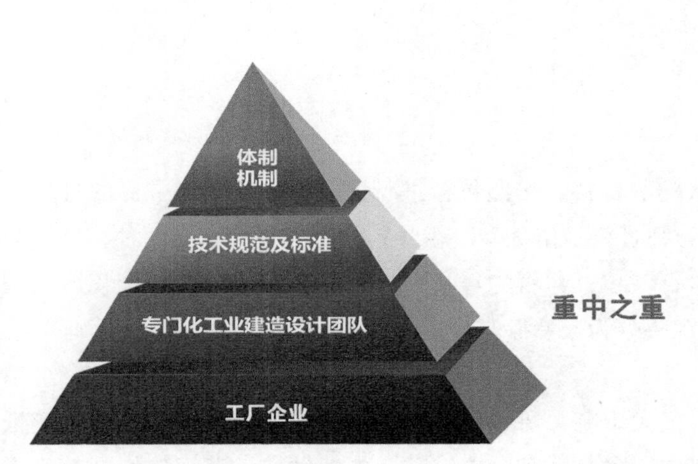

图 8-46　特区示范运营模式—先行先试—权、利、责新格局

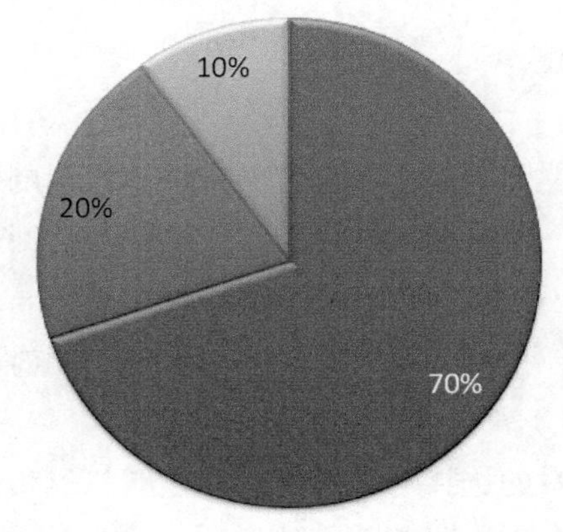

图 8-47　城市建筑建设模式（以南京市为例）

参考文献

[1] 被动式房屋 . 百度百科 .http://baike.baidu.com.

附录一　混凝土的成分与构成

混凝土一词“concrete”来源于拉丁文中的“concretus”，意为集中和浓缩，是意为“生长在一起”的动词“concrescere”的一种分词形式。它的成分为黏结剂材料、骨料和水组成，三种物质混合在一起形成流状物质，比较容易塑造及压制。经过几个小时后的水化作用，产生类似于石头状的紧凑固体，硬化后的混凝土为一种高度耐加工材料。混凝土为复合成分材料，它由以下五大部分组成。

一、水泥

混凝土中最重要的成分为水泥，它是混凝土的灵魂，其质量的好坏会严重影响混凝土的性能。水泥是含量复杂的混合物，以黏土、石灰石等为原料，在水泥回转窑中高温煅烧，再加入适量石膏后磨成细粉后即得到普通水泥。由于由不同物质混合而成，不同种类的水泥含有不同的成分，例如最普通的硅酸盐水泥熟料含有硅酸三钙、硅酸二钙、铝酸三钙、铁铝酸四钙、少量游离氧化钙、游离氧化镁及碱性氧化物和玻璃体等。

水泥根据其内部成分的配比不同，其种类分为：硅酸盐水泥、硅酸盐复合水泥、高炉水泥、火山灰水泥、复合水泥、钙铝水泥等。

二、骨料

骨料为混凝土中起骨架或填充作用的颗粒状松散材料。按照粒径进行区分，大于 4.75 mm 的骨料为粗骨料，俗称石。粒径在 4.75 mm 以下的骨料称为细骨料，俗称砂。粗骨料常有碎石和卵石两种，碎石为天然岩石经机械破碎筛分制成粒径满足要求的岩石颗粒；卵石为经过自然风化、水流搬动、堆积形成的无规定粒径的无棱角岩石颗粒。细骨料按照产生源头分为天然砂与人工砂两类。

（1）骨料的化学质量

骨料的选择对于混凝土的强度与耐久性具有很大影响，所选骨料不能与水泥发生反应，而且要能抵抗外力对于混凝土造成的侵蚀。因此在众多骨料中，多晶石英、白铁矿、磁黄铁矿、黄铁矿均被禁止或限制使用。

（2）骨料的级配

骨料的级配，即粒度分布对于混凝土的质量具有较大影响，错误或者不佳的级配分布会在加大混凝土成本的同时降低其质量。级配不佳的混凝土密实度欠佳，通常解决途径为加入更多水泥以弥补细骨料或者粗骨料的缺失，这意味着作为粘合剂的水泥仅仅充当了填充的角色，所带来后果为在增加成本的同时提高水化温度，这对于混凝土质量与强度形成是不利的。

三、外加剂

混凝土外加剂是加入量是水泥重量 5% 以下的起改型作用的物质，其用量虽然不多，但是却在改善混凝土性能方面具有显著的作用，现已在国内外得到了广泛的推广。

不同种类外加剂能达成以下功能：改善混凝土流动性、调节混凝土凝结时间及强度性能、调节混凝土含气量、增强混凝土物理力学性能、改进耐久性能、为混凝土提供特殊性能。常用外加剂为以下几类：

（1）早强剂

早强剂可促进混凝土凝结，提高混凝土早期强度，加快施工进度，常用于冬季施工或紧急抢修工程中。特别在主体结构的梁板施工中，提高早期强度可减少拆模等候时间，提高相应工装机具的使用效率。

（2）减水剂

减水剂在保证混凝土和易性及流动性的基础上，减少拌和水量。其为外加剂种类中子品种最多，应用最广的一种。减水剂的加入可以降低混凝土水灰比，减少凝固后孔隙数量，提高混凝土密实度，降低后期混凝土侵蚀破坏的风险。

（3）引气剂

引气剂加入混凝土能产生微小气泡，是一种憎水性表面活性剂，在混凝土中发挥起泡、分散、润湿等表面活性作用。它可以改善拌和物的和易性，改善凝固后的混凝土结构的特征，明显提高混凝土的抗渗性和抗冻性。引气剂适用于抗冻、防渗、抗硫酸盐、泌水严重的混凝土，轻骨料混凝土和对饰面有要求的混凝土，由于单掺入引气剂有可能使混凝土强度降低，故多使用引气减水剂。

（4）缓凝剂

缓凝剂能延缓混凝土凝结时间并对后期强度无显著影响，其多在炎热夏季混凝土施工、大体积混凝土工程或长距离运送的混凝土中掺用，对混凝土的抗渗、抗冻等耐久性也有所增强。

（5）速凝剂

速凝剂能使混凝土迅速凝结硬化，主要种类有无机盐类和有机物类。在矿山井、铁路隧道、引水涵洞、喷锚支护时的喷射混凝土或喷射砂浆工程中往往加入速凝剂，可以提高施工质量，节约材料、改善劳动条件。

（6）防冻剂

防冻剂能使混凝土在零摄氏度以下硬化，并在规定时间达到足够防冻强度。常用防冻剂是由多组分复合而成，主要组分有防冻组分、减水组分、引气组分、早强组分等，以上成分的集成作用为增强混凝土抵抗冰冻破坏的能力。

（7）膨胀剂

膨胀剂能使混凝土产生一定体积膨胀，施工中加入膨胀剂可避免或减少混凝土开裂破坏，防止混凝土的渗漏破坏，增强混凝土的体积稳定性。

（8）防水剂

防水剂能降低混凝土的透水性，提高混凝土的密实性、防渗性。多用于民用建筑的屋面、地下室、排水池、水泵站等防水抗渗要求的工程。

四、增强材料

由于混凝土中起黏结作用的水泥的抗拉强度仅为抗压强度的十分之一，因此早期的混凝土大多被用来当作竖向构件来承受压力。即使被用来制作水平构件，也是通过采用拱券的形式来转换受力模式，虽然带来了良好的形式感，但是却降低了空间使用的经济性及施工效率。因此在混凝土中加入主要承受拉力的增强材料成为解决该问题的主要途径。

早期的增强材料为植物纤维、竹子、金属等。现阶段大量使用的增强材料为钢筋，钢筋和混凝土组成的复合材料可以制作成墙、板、梁、柱等一般民用建筑所使用的所有构件，可以同时承受压力及拉力。两者结合在一起可以共同发挥各自的优势：首先，两者的线膨胀系数类似，共同受力时相互之间较少产生内部应力；其次，混凝土可以保护钢筋免受锈蚀和火灾影响。

后期随着化学工业及材料制备业的发展，一些人造材料也被加入到混凝土中作为增强材料使用。如现阶段广泛使用的玻璃纤维增强混凝土，其作为增强材料使用的同时可以提高混凝土的抗热性。随着高分子材料技术的发展，碳纤维也被用到混凝土中作为增强材料使用，由于碳纤维的轻质高强耐腐蚀的特性，作为增强材料使用可使其重量相对传统钢筋混凝土构件减少 50%，但是由于价格较高，目前应用较少。

五、其他特殊材料

其他特殊材料代指添加入混凝土中，在成型之后可以达到一些特殊视觉效果的物质。如随着光导纤维的加入，混凝土的艺术性得到了极大的体现。如 Litracon 透光混凝土是光导纤维与细混凝土的结合，由于纤维尺寸较小，它们会像小块骨料一样混入混凝土中。玻璃纤维会使光从明亮的一侧穿透到黑暗的一侧，而将对面的倒影清晰地传导过来。与普通混凝土相比，此种纤维的含量仅为 4%，因为纤维厚度在 20 m 内都几乎不会损失任何光，理论上透光混凝土的结构厚度可达数米。由于玻璃纤维抗压强度高，因此可用于承重结构中。

附录二　水泥的种类与用途

一、硅酸盐水泥

在所有的水泥类型中，此种类型的水泥是钢筋混凝土结构中最常用的。硅酸盐水泥由研碎的石灰石与黏土或其他挖掘出来的原料混合而成。这种混合物被放到窑中加热，当窑内一旦达到合适的温度，便会产生化学反应，生成硅酸钙。这种加热后的物质，又被称为“炉渣”，通常为黑灰色的小颗粒状。随后炉渣被冷却、碾碎，形成一种超细的粉末，再用少量石膏加固。

成品水泥的成分由主要成分及次要成分组成。主要成分为硅酸三钙、硅酸二钙、铝酸三钙、铁铝酸四钙，上述成分对于混凝土的特性和性能的增强有积极作用。次要成分由氧化钙、氧化镁、硫酸盐、碱等组成，与主要成分的作用相反，会对其产生消极影响，因此在水泥的制备中需尽量降低此类物质的含量。

硅酸盐水泥大量应用于普通混凝土结构中，同时也作为基础材料被添加到其他类型水泥中。其规格由 28 天龄期的最小抗压强度而定。该型水泥适用于地上、地下和水中的大部分混凝土结构工程，其早期强度发挥快，水化热高，干缩率较大，所以一般不适用于大体积工程。使用该型水泥可以配置出 C60 以下混凝土。

二、硅酸盐复合水泥

硅酸盐复合水泥由硅酸盐水泥熟料制成，由超过 80% 的硅酸盐水泥熟料和不大于 20% 的高炉矿渣组成，其规格由 28 天龄期的抗压强度决定。

复合硅酸盐水泥由于其混合材料的特性决定了其固有的特性，但是由于其标号过低，一般在民用工程中用于刷墙、砂浆拌和等，作为原料制作混凝土的标号为 C20~C30 之间。

三、高炉水泥

高炉水泥与硅酸盐复合水泥类似，也是主要由硅酸盐水泥熟料组成，但是占比为 20%~80%，高炉矿渣占比则超过 20%。

高炉水泥具有以下优点：①对硫酸盐类侵蚀的抵抗能力及抗水性较好；②耐热性好；③水化热低；④在蒸汽养护中强度发展较快。同时也具有以下缺点：①早期强度低，凝结较慢，特别在低温环境中；②抗冻性较差；③干缩性较大，有沁水现象。因此高炉水泥适用于：①地下、水中和海水中的工程及经常受到较高水压的工程；②大体积混凝土工程；③蒸汽养护工程；④受热工程。但是不适用于对早期强度要求高的工程和低温环境中施工而无保温措施的工程。

四、火山灰水泥

火山灰水泥由硅酸盐水泥熟料与水泥调凝剂组成，两者占比不超过80%，另外还含有不超过20%的火山灰。相对硅酸盐水泥来讲，由于其熟料减少，水化速度和水化热都较低，但总的硅酸钙凝胶数量比硅酸盐水泥水化时还多，所以后期强度具有较大的增长。普通水泥在水化过程中如遇水不足，就会使水泥水化物分解而破坏水泥石的结构，使其表面起霜。而加入火山灰之后，可以使得水泥具有较好的抗溶出性腐蚀能力。

火山灰水泥比重相对于普通硅酸盐水泥小，水化热低，耐硫酸盐侵蚀性比较好。与高炉水泥一样，火山灰水泥的抗冻性差，早期强度低，但后期强度增长大，需要较长时间的养护。火山灰水泥最显著的特点为需水量大，这是由火山灰质材料的多孔细颗粒特性决定的，标准坍落度的情况下，需水量随着火山灰掺加量增加而增加。

因此火山灰水泥适用于地下、水中及潮湿环境的混凝土工程，不宜用于干燥环境、冻融循环、干湿交替及需要早期强度高的环境。

五、复合水泥

此类水泥的硅酸盐水泥熟料占比不超过65%，其余部分为不与水和水泥发生反应的惰性成分，此类水泥一般不适用于主体结构中，而是作为建筑的维护填充体使用。

六、高铝水泥

高铝水泥由铝酸钙熟料研磨而成，该种物质具有水硬性质，铝酸钙通常由石灰石和矾土的混合物熔合而成。该种水泥在成分、生产及特性方面，与硅酸盐水泥完全不同。相对于硅酸盐水泥的28天龄期，高铝水泥由于强度形成速度较快，因此标号按照3天龄期来决定。

20世纪初，高铝水泥被发明用来解决地下水与海水工程中混凝土结构抗侵蚀问题，后期在实际使用中发现其具有极佳的早强性，因此在一战期间被大量用于军事工程。战后由于建设缺口巨大，高铝水泥又因为该原因被扩展应用于工业与民用建筑。30年代后使用该种水泥的工程不断发生事故，后经过研究发现，强度稳定后由于水化产物因晶型转变而使强度降低，因此此后在结构工程中应用均比较慎重。目前主要应用于耐热、耐火及膨胀水泥混凝土领域。

附录三　混凝土构件工厂生产成型设备

一、混凝土搅拌机

混凝土搅拌机是把水泥、砂石骨料和水混合并拌制成混凝土混合料的机械。主要由拌筒、加料和卸料机构、供水系统、原动机、传动机构、机架和支承装置等组成。按其搅拌原理可分为自落式搅拌机（图 F3-1）、强制式搅拌机（图 F3-2）和连续式搅拌机（图 F3-3）。

自落式混凝土搅拌机又称为自由落下式搅拌机，材料在自重作用下离开叶片自由坠落下来，这样反复地对材料进行搅拌，从而保证材料拌和的均匀性。强制式搅拌机是搅拌物料由旋转的搅拌叶片进行强制搅拌的搅拌机。连续式搅拌机可定量供料、给水，连续搅拌、推进，体积小、结构简单，能满足湿式混凝土喷射机的供料要求。

图 F3-1　自落式搅拌机

图 F3-2　强制式搅拌机

图 F3-3　连续式搅拌机

二、混凝土密实成型机械

将混凝土放入具有几何形状和尺寸的模具中，通过相关机械使之密实成型，是混凝土构件生产预制的重要工序。对于流动性差，无法依靠自身流动性就能很好地充满模具的混凝土，必须通过成型机械施加外力（如振动法、离心法、压制法、挤压法、真空法、混合法等）使之密实成型。

（一）常用振动成型机械

振动成型的机械通过电动、内燃机、气动或液压传动，将振动传给模具内的混凝土，使之产生强迫振动，实现密实。常见振动频率为高频（8 000~15 000 次 /min），中频（4 500~8 000 次 /min）和低频（1 500~4 500 次 /min）。

1. 振动台

图 F3-4　混凝土振动台

混凝土振动台（图 F3-4）主要由台底架、振动器弹簧等部件组成。台架承载模型和混凝土，模型紧固在台架面上，台架下面安装振动器，当振动器工作时，将振动传给模型内的混凝土。其一般载重量 1~3 t，大型 5~10 t。振动器提供振动源，由安装在轴上的偏心块产生离心力激振。振动台的主要类型见表 F3-1.

表 F3-1　振动台的主要类型

名称	特点	适用类型
水平定向共振振动台	激振器安装在模板侧面，利用共振实现混凝土的密实。偏心块质量和力矩小，从而减少功率和振动台质量；激振力垂直模板侧面，因模板纵向刚度大，故模板可制成轻一些，以节约材料；混凝土表面不吸空气，振动横向（水平）传递，气泡易排出，制成的混凝土构件质量好	大型细长混凝土构件和预应力混凝土构件
冲击振动台	功率消耗少，是一般振动台的 1/2 ~ 1/3，结构简单，使用可靠，制品表面光滑，无气泡	生产外墙板、内外阳台护板、装饰构件等
滚轮式脉冲振动台	将脉冲传给混凝土，改变转速即可调整脉冲频率，结构简单、坚固，噪音小	多品种混凝土构件

2. 内部振动器

混凝土内部振动器（图 F3-5）是将振动器插入混凝土内部进行振实的振动设备，可将振动波直接从振动器传给混凝土，振动部分质量小，功率消耗少。内部振动器适用于多种混凝土构件，如混凝土预制桩，特别是空心楼板，可提高振实效果，减轻设备自重，并在制品中形成空心。

3. 表面振动器

混凝土表面振动器又称平板式振动器（图 F3-6），将振动器直接安装在模板上，通过模板将振动传给混凝土，实现密实性。在成型机模板或成型机上可根据需要安装一定数量的附着式振动器，同时振捣。这种振动器适用于振实断面较小和钢筋较密的柱子、梁等。

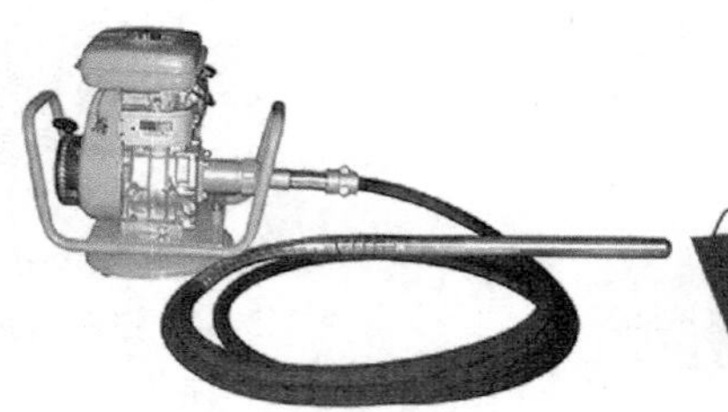
图 F3-5　混凝土内部振动器

图 F3-6　混凝土表面振动器

（二）常用压制成型机械

混凝土压制成型是以较大的压力迫使物料的颗粒产生移动，相互靠拢，并在颗粒之间产生变形，增加它们之间的接触面积，使之逐步形成整体的过程。常用的压制成型机械见表 F3-2。

（三）常用离心密实成型机械

离心脱水密实成型工艺是流动性混凝土混合料成型工艺中的一种机械脱水密实成型工艺（图 F3-7）。利用旋转模子的内壁带动混凝土运动，在离心力、重力、粘着力、摩擦力共同作用下，使混凝土沿管模内壁分布、捣实，并将多余水分挤出，形成制品。

图 F3-7　离心密实成型机械

表 F3-2　常用压制成型机械

名称	特点	适用范围	图片
混凝土挤压机	可连续生产、生产率高、构造简单、成型不需要加模，节约钢材；操作方便	空心楼板、工字型梁、双“T”型板等干硬混凝土构件	
振动冲压成型机	振动器外壳即为混凝土空心部分形状	制造槽型板、密肋型板	—
混凝土振动加压成型机	混凝土上下两面加压振动，还有液压油缸的静压力	干硬混凝土	

三、混凝土养护机械

混凝土养护设备专用于混凝土试块、水泥试块、砂浆、保温材料、涂料、结构胶等建筑材料的恒温恒湿标准养护（20±2℃，湿度为95%）。其设备主要包括：（1）恒温主机（工业变频制冷机组，具备制冷、制热、除湿功能）；（2）温湿度传感器（进口温湿度感应模块）；（3）工业级超声波加湿器；（4）系统控制箱；（5）大屏幕液晶显示温控仪（带485通信接口，可连接电脑打印机）；（6）送风与回风系统。

四、钢筋加工机械

钢筋加工机械是将盘条钢筋和直条钢筋加工成为钢筋工程安装施工所需要的长度尺寸、弯曲形状或者安装组件，主要包括强化、调直、弯箍、切断、弯曲、组件成型和钢筋续接等设备，钢筋组件有钢筋笼、钢筋桁架（如三角梁、墙板、柱体、大梁等）、钢筋网等。钢筋加工机械种类繁多，按其加工工艺可分强化、成型、焊接、预应力等四类。

（一）钢筋强化机械

钢筋冷加工是依靠机械使钢筋塑性变形时其位错交互作用的增强、位错密度提高和变形抗力增大这些方面的相互促进，很快导致金属强度和硬度的提高。一般说来，钢筋的冷加工强化包括：冷拉、冷拔、冷轧等。钢筋冷加工的设备主要包括钢筋冷拉机（图 F3-8）、钢筋冷拔机（图 F3-9）、钢筋冷轧扭机（图 F3-10）、冷轧带肋钢筋成型机（图 F3-11）等。

冷拉钢筋是在常温条件下，以超过原来钢筋屈服点强度的拉应力，强行拉伸钢筋，使钢筋产生塑性变形以达到提高钢筋屈服点强度和节约钢材的目的。钢筋冷拔是利用钢筋冷拔机将钢筋以强力拉拔的方式，通过用钨合金制成的拔丝模，而把钢筋拔成比原钢筋直径小的冷拔钢丝。钢筋经冷拔后，强度可大幅度提高，一般可提高 40% ~ 90%，但塑性降低，延伸率变小。冷轧带肋钢筋是用热轧盘条经多道冷轧减径，一道压肋并经消除内应力后形成的一种带有二面或三面月牙形的钢筋。冷轧带肋钢筋在预应力混凝土构件中，是冷拔低碳钢丝的更新换代产品，在现浇混凝土结构中，则可代换Ⅰ级钢筋，以节约钢材，是同类冷加工钢材中较好的一种。

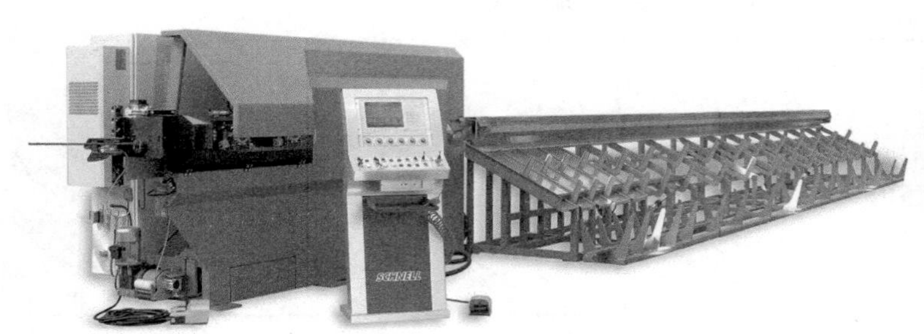

图 F3-8　钢筋冷拉机

图 F3-9　钢筋冷拔机

图 F3-10　钢筋冷轧扭机

图 F3-11　冷轧带肋钢筋成型机

（二）钢筋成型机械

钢筋成型机械：钢筋调直切断机（图 F3-12）、钢筋弯曲机（图 F3-13），它们的作用是把原料钢筋，按各种混凝土结构所需钢筋骨架的要求进行加工成型。

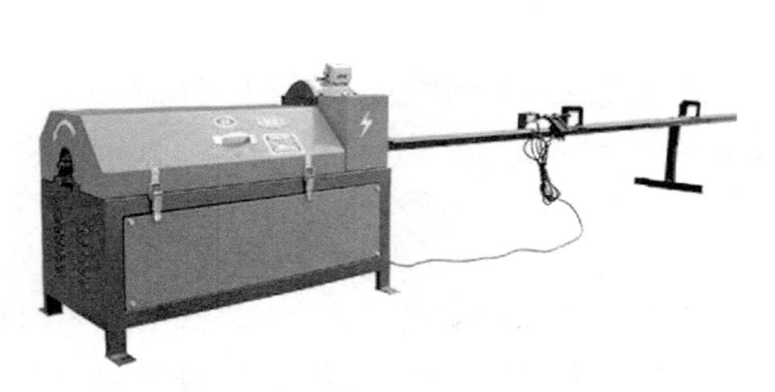

图 F3-12　钢筋调直切断机

图 F3-13　钢筋弯曲机

（三）钢筋焊接机械

主要有钢筋焊接机、钢筋点焊机、钢筋电渣压力焊机、钢筋网焊接机（图 F3-14）、钢筋桁架焊接机（图 F3-15）、钢筋弯箍机（图 F3-16）等，用于钢筋成型中的焊接。

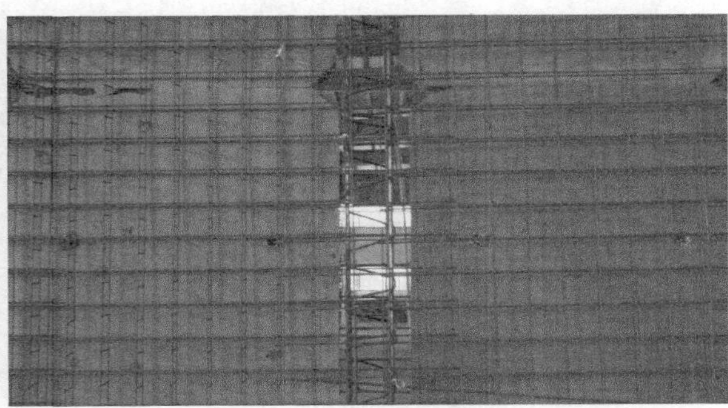

图 F3-14　钢筋网焊接机及钢筋网片

图 F3-15　钢筋桁架焊接机及钢筋桁架

图 F3-16　钢筋弯箍机及箍筋

（四）钢筋预应力机械

主要有电动油泵和千斤顶等组成的拉伸机（图 F3-17）和镦头机（图 F3-18），用于钢筋预应力张拉作业。

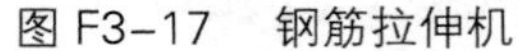
图 F3-17 钢筋拉伸机

图 F3-18 钢筋镦头机

五、免拆金属模板网加工机械

收口网生产设备（图 F3-19）将切割钢板并冲出网格，然后压出骨架，同时将中间部分材料拉伸形成斜向拉伸金属网。收口网是一种混凝土墙体的免拆模板网。当混凝土在模板后面浇注时，网眼上的余角片就嵌在混凝土里，形成一个与邻近浇注块相连的机械式楔。接缝的质量受到严格控制。其黏结及剪切方面的强度很高。二次浇注时可免去打孔、拉毛等工序，可缩短施工周期，同时增加了浇注体的强度。

图 F3-19 收口网生产线及收口网

附录四　RFID 技术简介

射频识别即 RFID(Radio Frequency Identification) 技术，又称电子标签、无线射频识别，是一种非接触式的自动识别技术。RFID 系统由电子标签、阅读器和微型天线组成，可通过无线电讯号识别特定目标并读写相关数据，识别工作无需人工干预，抗油、抗灰尘污染，可应用于各种恶劣环境与天气。

RFID 系统的基本工作流程为：阅读器通过射频信号读取 RFID 标签中的信息，然后传送到 RFID 中间件，在信息服务器 IS 处，可以通过对象名解析服务（ONS）机制获取所需信息，同时在网络上也可以满足厂家、分销商、用户等的访问和查询请求。RFID 技术是物联网应用中的一项关键技术，已广泛应用于汽车生产、物流、电子商务、仓储管理等行业。

一个最基本的 RFID 系统一般包括以下几个部分：

（1）载有目标物相关信息的 RFID 单元（应答机、卡或标签等）；

（2）读写器及 RFID 单元间传输 RFID 信号的天线；

（3）产生 RFID 信号的 RFID 收发器（RF Transceiver）；

（4）接收从 RFID 单元上返回的 RFID 信号，并将解码的数据传输到主机系统以供处理的读写器；

（5）相应的应用软件。

一、标签（Tag）

标签载有可用于认证识别其所附着的目标物的相关信息数据。标签可以是只读、读写兼具或写一个 / 读多个的形式，分为主动式（Active Tag）和被动式（Passive Tag）（表 F4-1）。通常主动式标签需要专用电池支持其传输器及接收器的工作。主动式标签要求能接收与转发多个频点的信号，以避免邻道干扰，卡的组成复杂，而且功耗也大。由此，主动式标签一般比被动式标签形体大，而且价格昂贵。另外，主动式标签的使用寿命与其电池寿命直接相关。目前市场上 80% 为被动式标签，不到 20% 为主动式标签。

表 F4-1　主动式标签与被动式标签的特点

类型	特点	优点	缺点
主动式标签	需要电池	读写距离较远（100~150m）	体积大、成本高、需更换电池
被动式标签	无需电池，在接收到阅读器发出的微波信号后，将部分微波能量转化为直流电供自己工作	成本低、寿命长、轻便、免维护	读写距离较近

按照工作频率的不同，RFID 标签可分为低频（LF）、高频（HF）和超高频（UHF）等不同种类。不同频段具有各自优缺点（表 F4-2），它既影响标签的性能和尺寸大小，还影响标签与读写器的价格。经过多年的发展，13.56 MHz 以下的 RFID 技术已经相对成熟。

表 F4-2 RFID 标签类型

系统	工作频率	阅读距离	典型应用	特点
低频系统（LF）	125 kHz 133 kHz	<0.8 m	动物识别 门禁管理	造价低；可穿透水、有机组织等；贮数据量少；适合低速、近距离识别应用
高频系统（HF）	3 MHz~30 MHz （典型 13.56 MHz）	<1.5 m	智能卡、单品级物品追踪、电子身份证、图书管理等	可以选用较高的数据传输速率；电子标签天线设计相对简单；标签一般制成标准卡片形状
超高频系统（UHF）	433 MHz 868 MHz 915 MHZ	<10 m	托盘级追踪 单品级物流 集装箱运输	电子标签及读写器成本均较高，标签内保存的数据量较大，阅读距离较远，适应物体高速运动，性能好
Microwave	2.45 GHz 5.8 GHz	有源 >10 m 无源 0.5 m	不停车收费 人员定位管理 行李处理	有源 2.45 GHz/5.8 GHz 在日本和欧洲有较为成熟应用，抗干扰性能强

中国 800/900 MHz RFID 使用频率：840~845 MHz；920~925 MHz，发射功率：2 W

表 F4-3 被动式 RFID 电子标签及相关参数

名称	读写器频率	功率	读取距离	芯片类型	尺寸	图片
PVC 白卡（ISO18000-6B、6C）	915 MHz	30 dBm	10 m	NXP	8.6 cm × 5.3 cm × 1.05 mm	
纸质防拆标签（ISO18000-6B）	915 MHz	30 dBm	10 m	NXP	8.55 cm × 5.4 cm	
陶瓷标签（ISO18000-6B）	915 MHz	30 dBm	10 m	NXP	8.8 cm × 5.3 cm × 1.05 mm	
纸质标签（ISO18000-6B）	915 MHz	30dBm	7~8 m	NXP	8.55 cm × 5.4 cm	
纸质标签（ISO18000-6C）	915 MHz	30 dBm	7~8 m	NXP	7.6 cm × 4.8 cm	
纸质标签（ISO18000-6C）	915 MHz	30 dBm	6~7 m	NXP	7.5 cm × 1.4 cm × 0.4 mm	
不干胶标签（ISO18000-6C）	915 MHz	30 dBm	5 m	NXP	9.2 cm × 2.4 cm × 0.2 mm	
抗高温电子标签（ISO18000-6C）	915 MHz	30 dBm	10 m	NXP	10 cm × 2.03 cm × 0.3 mm	
轮胎电子标签（ISO18000-6C）	915 MHz	30 dBm	5 m	NXP	1.6 cm × 7.4 cm × 0.3 mm	
AWID 纸质电子标签（ISO18000-6B）	915 MHz	30 dBm	4~5 m	NXP	10.8 cm × 2.77 cm	
Alien 不干胶电子标签（ISO18000-6C）	915 MHz	20 dBm	5~6 m	Alien	8.98 cm × 1.17 cm	

续表

名称	读写器频率	功率	读取距离	芯片类型	尺寸	图片
Alien 不干胶标签（ISO18000-6C）	915 MHz	30 dBm	5~6m	Alien	7.5 cm × 1.4 cm × 0.4 mm	
圆形不干胶标签（ISO18000-6B）	915 MHz	30 dBm	9~10m	UPM	—	
纽扣形电子标签（ISO18000-6C）	915 MHz	30 dBm	—	—	直径 2.45 cm	
抗金属电子标签（ISO18000-6B）	915 MHz	30 dBm	6~7m	NXP	13.8 cm × 3 cm × 6.3 mm	
	915 MHz	30 dBm	7m	NXP	22.4 cm × 2.4 cm × 8 mm	
	915 MHz	30 dBm	5~6m	NXP	13.8 cm × 3 cm × 6.3 mm	
	915 MHz	30 dBm	10~11m	NXP	22.8 cm × 1.45 cm × 1.83 cm	

二、收发器（Transceiver）

RFID 收发器产生和接收 RFID 信号并支持被动式标签的工作。它可以集成封装于读写器内，也可以作为独立设备存在。其作用是对由天线发射和接收的电频进行控制及调制解码；对被动式标签上的信号进行过滤及放大。

三、读写器（Reader）

RFID 读写器是 RF 系统中非常重要的组成部分，其作用是控制 RF 接收器发射的信号，即通过接收器接收来自标签上的已编码 RF 信号，对标签的认证识别信息进行解码，将认证识别信息和其他相关信息传输到主机以供处理。读写器的工作频率决定了 RF 系统的工作频率，读写器的功率决定了整个系统的工作距离。其主要功能为：

（1）实现与电子标签的通讯：对标签进行读数、写入；

（2）给标签供能；

（3）实现与计算机网络的通讯：利用接口实现与上位机的通讯，并提供必要信息；

（4）实现多标签识别；

（5）实现移动目标识别；

（6）实现错误信息提示。

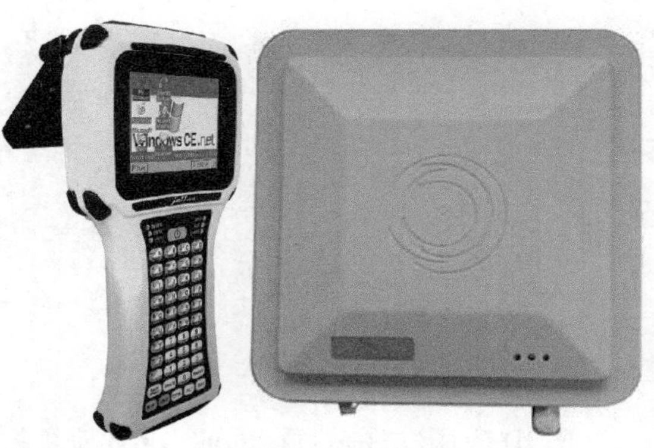

图 F4-1 手持式 RFID 读写器和固定式 RFID 读写器

按其外形分，RF 读写器可分为固定式读写器和手持式读写器（图 F4-1）。也可以结合电脑和通讯设备（如手机）

使用。按照工作频率的不同，读写器可分为低频（LF）、高频（HF）（表 F4-4）和超高频（UHF）。按读写性能分为只读和读写式。

表 F4-4　高频（HF）读写器分类

	近距离读写器	中距离读写器	远距离读写器	手持终端
标签接口协议	ISO/IEC 15693（13.56 MHz）			
尺寸（mm）	70 × 70 × 19	天线：214 × 300 × 17 调节器：110 × 220 × 48	天线：420 × 298 × 25 调节器：110 × 220 × 48	53 × 150 × 26
通讯距离（cm）	0~10	0~30	0~60	0~5 （外接天线：0~20）
天线接口（ch）	1	1	3	内置
连接	USB	USB 或 RS232C	USB 或 RS232C	USB 适配器，无线局域网（IEEE802.11b）
图片				

四、中间件（Middle Wave）

RFID 中间件（图 F4-2）是一种面向消息的、可以接收应用软件端发出的请求、对指定的一个或者多个读写器发起操作，并接收、处理后向应用软件返回结果数据的特殊化软件。中间件是位于平台（硬件和操作系统）和应用之间的通用服务，这些服务具有标准的程序接口（API）和协议。针对不同的操作系统和硬件平台，它们可以有符合接口和协议规范的多种实现。

RFID 中间件从架构上分为两种：

（1）以应用程序为中心（Application Centric）的设计概念，通过 RFID 厂商提供 API，以 Hot Code 方式直接编写特定读写器读取数据的接口（Adapter），并传送至后端系统的应用程序或数据库，从而达成与后端系统或服务串接的目的。

（2）以架构为中心（Infrastructure Centric），不用以 Hot Code 方式为每个应用程序配置接口，同时面对对象标准化问题，可以采用厂商所提供的标准格式的 RFID 中间件。

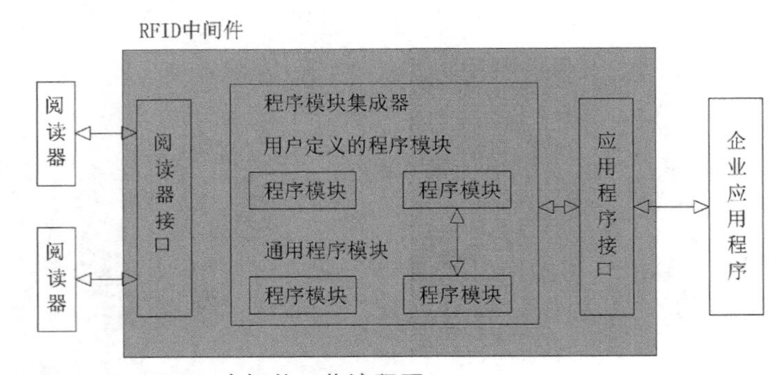

图 F4-2　RFID 中间件工作流程图

五、应用软件

RFID 应用软件是直接面向 RFID 应用最终用户的人机交互界面，协助使用者完成对读写器的指令操作以及对中间件的逻辑设置，逐级将 RFID 原子事件转化为使用者可以理解的业务事件，并使用可视化界面进行展示。

附录五　新型工业化建造施工方式节能减排分析与测算
——以“江苏绿色建筑博览园示范项目——揽青斋”为例

一、传统现场建造模式与工业化建造模式区别

工业化预制装配建筑遵循现代产品“产品—商品—用品—废品”的循环过程，其对应的活动即“生产—流通—使用—回收”，在不同的子系统中有不同的对象，例如：在产品系统中它是设计和生产；在商品系统中它是销售和推广；在用品系统中它是用户；在废品系统中它是可回收再利用的物质。随着现代化的发展，它们之间的界限越来越模糊，走向产品设计、制造、流通、市场连接的紧密化、一体化。

表 F5-1　传统现场建造模式与工业化建造模式区别

系统	产品	传统现场建造模式	工业化建造模式
产品系统	设计和生产	设计：建筑设计院	设计：以科研院所为代表、承担可装配工业化建筑体系研发、标准化系列化各类部品研发、基础理论研究、设计标准制定、技术咨询和服务等的技术支撑产业
		生产 / 施工：施工单位或总承包商	生产：材料供应商、部品制备商、房屋的集成商
商品系统	销售和推广	—	营销商、物流商、部品营销商、零配件商、授权的房屋营销商、维护商等
用品系统	用户	房地产商	建筑使用者
废品系统	可回收利用的物质	可回收利用的建筑材料	可回收利用的建筑材料、构件、组件、模块等

二、工业化预制装配模式的特点

（一）层级化（构件—组件—模块）

构件、组件、模块的分类用来描述在现场装配前工厂生产阶段预制集成度的高低。

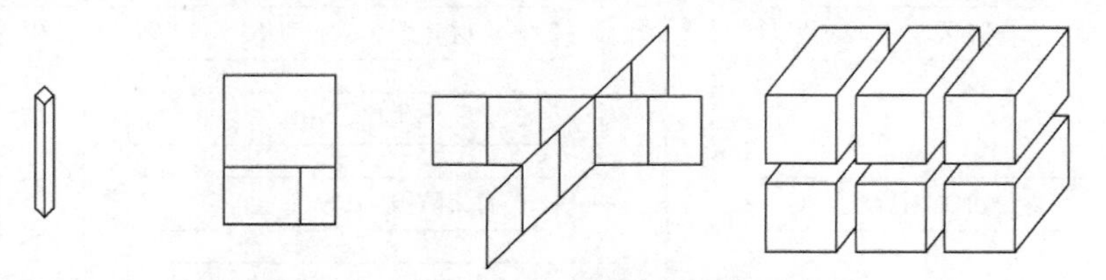

图 F5-1　材料—构件—组件—模块（预制集成度越来越高）

（二）工厂化（“现场—工厂”转移）

遵循工厂加工及施工装配工艺的规律和特点，碳排放周期随之改变，由“建筑施工阶段碳排放”细化扩展为“工厂生产阶段碳排放”＋“物流阶段碳排放”＋“装配阶段碳排放”3 个阶段。

（三） 循环的全生命周期

可回收利用的对象存在于全生命周期的各个阶段，且对象的形式也变得更加多元，包括：材料回收、构件（组件、模块）再利用、构件（组件、模块）更新、置换等。

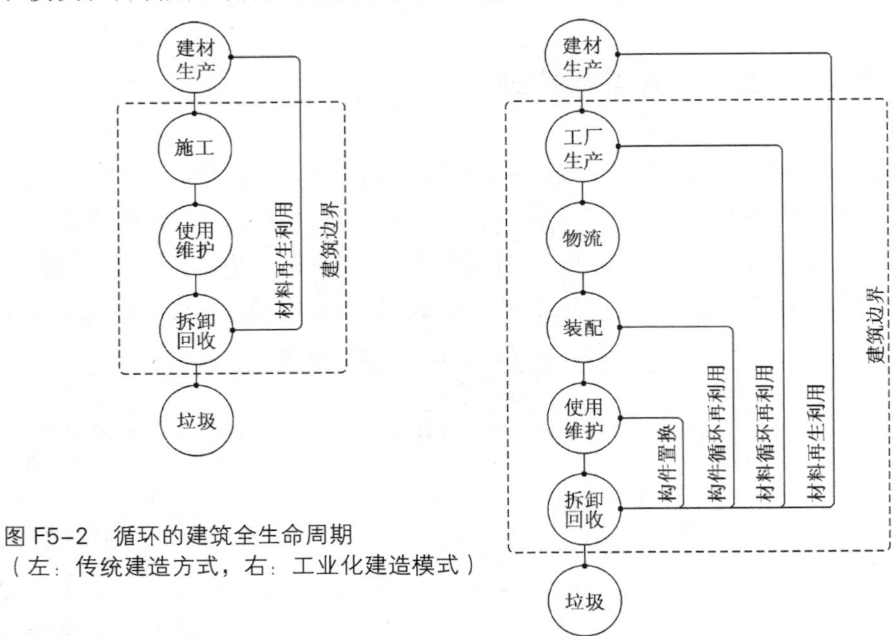

图 F5-2 循环的建筑全生命周期
（左：传统建造方式，右：工业化建造模式）

三、工业化预制装配建筑的全生命周期划分

结合上面阐述的工业化预制装配模式的三大特点，对比传统建造方式与工业化预制装配模式的区别，归纳出工业化预制装配建筑的全生命周期的6个阶段：（1）建材开采、生产阶段，该阶段与传统模式一致；（2）工厂化生产阶段，实现零散构配件的现场生产到集成化构件、组件、模块的工厂加工的转变；（3）物流阶段，由单一的建材运输过渡到商品化的物流；（4）装配阶段，由传统的以湿作业为主转变为以干作业为主；（5）使用和维护更新阶段，通过构件、组件、模块的置换更新实现建筑使用寿命的延长；（6）拆卸与回收阶段，可以完成材料回收、构件（组件、模块）循环再利用等，真正实现节能减排。

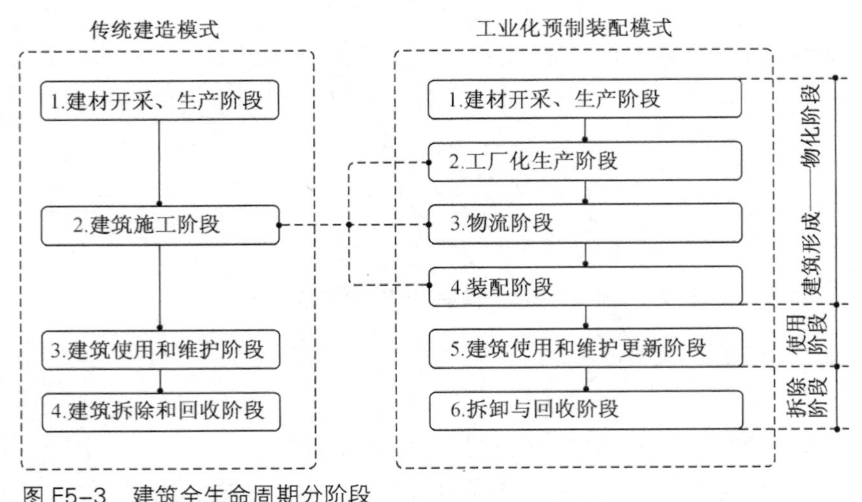

图 F5-3 建筑全生命周期分阶段

四、工业化预制装配建筑全生命周期碳排放评价模型

（一）理论基础——全生命周期评价理论框架（SETAC/ISO）

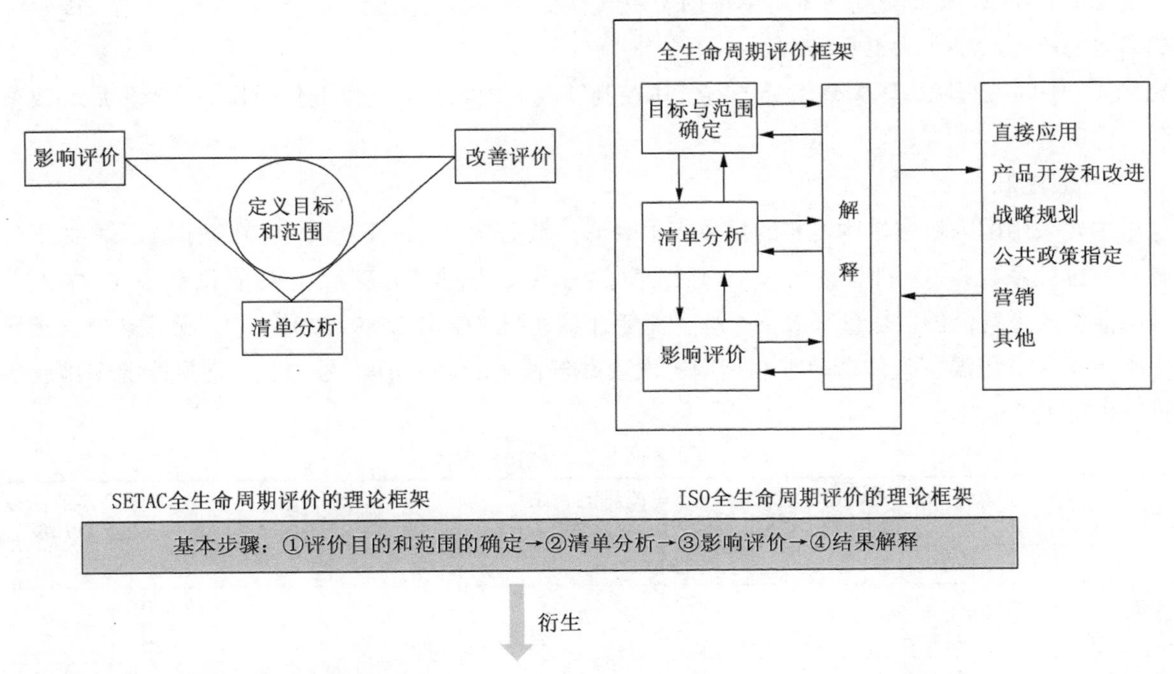

图 F5-4　全生命周期评价的理论框架

（二）工业化预制装配建筑全生命周期碳排放评价模型

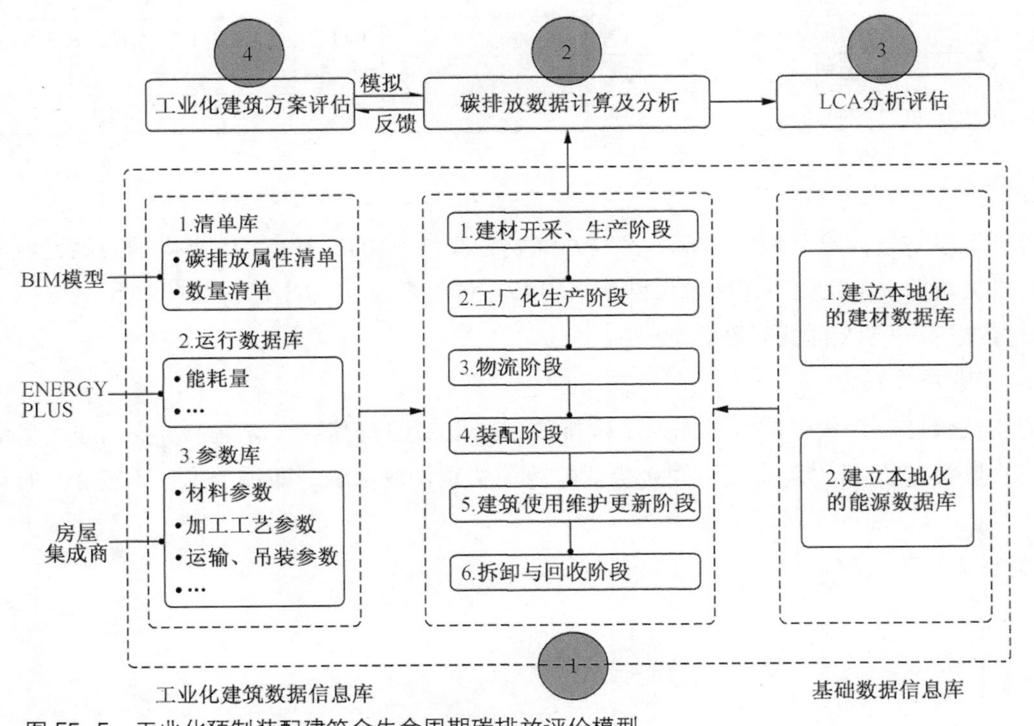

图 F5-5　工业化预制装配建筑全生命周期碳排放评价模型

1. 基础数据信息库

1）能源数据库

*《2006 年 IPCC 国家温室气体清单指南》由气候变化专门委员会（IPCC）发布，日本 Hayama 全球环境战略研究所（IGES）为 IPCC 出版。

* 国内：中国工程院、国家环境局温室气体控制项目、国家科委气候变化项目、国家发展和改革委员会能源研究所等。

（1）化石能源

这里主要采用国内权威机构发布的排放因子数据，数据缺失情况下选择 IPCC 数据。采用如下公式计算能源 CO_2 排放系数：CO_2 排放系数 = 平均低位发热量 × 单位热值含碳量 × 碳氧化率 ×（44/12）

其中能源的平均低位发热量来源于《综合能耗计算通则（GB/T 2589-2008）》，单位热值含碳量及碳氧化率来源于《省级温室气体清单编制指南（发改办气候〔2011〕1041 号）》。常见能源碳排放参考系数计算结果见表 F5-2：

表 F5-2　能源二氧化碳排放系数[1]

能源（单位）	平均低位发热量（kJ/ 单位）	单位热值含碳量（kg C/GJ）	碳氧化率	CO2 排放系数（kg CO_2/ 单位）
原煤（kg）	20 908	26.37	0.94	1.900 3
焦炭（kg）	28 435	29.5	0.93	2.860 4
原油（kg）	41 816	20.1	0.98	3.020 2
燃料油（kg）	41 816	21.1	0.98	3.170 5
汽油（kg）	43 070	18.9	0.98	2.925 1
煤油（kg）	43 070	19.5	0.98	3.017 9
柴油（kg）	42 652	20.2	0.98	3.095 9
液化石油气（kg）	50 179	17.2	0.98	3.101 3
炼厂干气（kg）	46 055	18.2	0.98	3.011 9
油田天然气（m^3）	38 931	15.3	0.99	2.162 2

（2）电力

采用《省级温室气体清单编制指南（发改办气候〔2011〕1041 号）》中提供的我国区域电网单位供电平均 CO_2 排放数据，南京属华东区域电网，平均 CO_2 排放系数为 0.682 6 kg/kW·h[2]。

2）建材数据库→（人材机）数据库

（1）人工碳排放系数

普遍的建筑碳排放计量中鲜有考虑人工碳排放，这里考虑将其纳入清单中。我国居民生活能源消费人均碳排放总量为 0.8 t/ 年 [3]（直接、间接生活能源消费碳排放量），即每个工日（按 8 小时计算）碳排放量约为 0.7 kg。

（2）建材碳排放系数

建筑材料的碳排放应该包括建筑生产碳排放、回收建材的负碳排放和废弃物处理三个部分。

（1）目前使用的数据库

欧盟 ELED、瑞士 Ecoinvent；

中国 CLCD（Chinese Life Cycle Database，是由四川大学建筑与环境学院和亿科环境共同开发的中国本地化的生命周期数据库）。

（2）《省级温室气体清单编制指南》（发改办气候〔2011〕1041 号）》（包括能源、建材）

由国家发展和改革委员会（简称国家发改委）组织国家发改委能源研究所、清华大学、中科院大气所、中国农科院环发所等单位编写。这里参考《省级温室气体清单编制指南》，总结了主要建材碳排放系数：

表 F5-3　主要建材生产阶段碳排放系数

建材	单位	碳排放系数（kg CO_2/ 单位）
钢材 *	kg	1.722
钢丝 *	kg	2.208
水泥	kg	0.894
混凝土	m^3	551
加气混凝土砌块	m^3	291
石灰	kg	1.2
木材	m^3	73.9
建筑玻璃	kg	2.91
黏土砖	千块	504
灰砂砖	千块	459

注：表中带有 * 的考虑了建材回收利用率

表 F5-4　各区域电网覆盖省份

电网名称	覆盖省市	电力碳排放因子（2009 年）kg CO_2/kW · h
华北区域电网	北京市、山东省、天津市、内蒙古自治区、河北省、山西省	0.780 2
东北区域电网	辽宁省、吉林省、黑龙江省	0.724 2
华东区域电网	上海市、福建省、安徽省、江苏省、浙江省	0.682 6
西北区域电网	山西省、甘肃省、新疆维吾尔自治区、青海省、宁夏回族自治区	0.643 3
华中区域电网	河南省、湖北省、湖南省、江西省、四川省、重庆市	0.580 2
南方区域电网	广东省、贵州省、广西省、云南省	0.577 2
海南电网	海南省	0.729 7

（3）施工机械碳排放系数

参照《全国统一施工机械台班费用定额》中各类机械台班消耗能源量，结合能源碳排放系数，计算机械碳排放系数。

2. 工业化建筑数据信息库

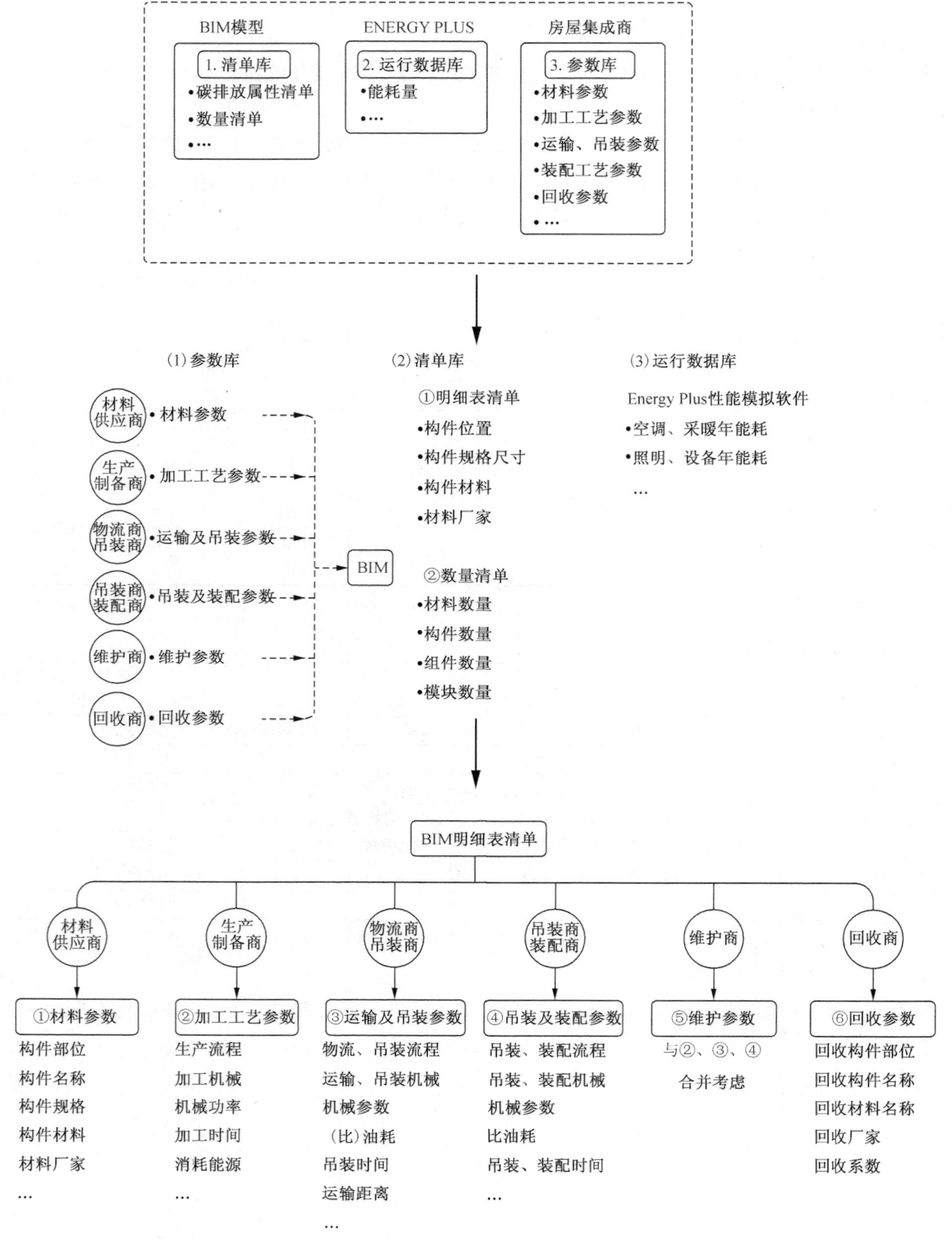

图 F5-6 工业化建筑数据信息库

五、建筑全生命周期碳排放计算

以江苏绿色建筑博览园示范项目——揽青斋为例。

工程概况：本工程为工业化试点工程，总建筑面积为 721 m^2，地上 3 层，无地下室。工程设防烈度为 7 度，基础采用钢筋混凝土独立基础。其中建筑一、二层为办公研发部分，属于基本功能体，采用钢筋混凝土框架结构，框架柱抗震等级为三级，层高 4.0 m，标准层建筑面积为 283 m^2。三层为厨房和员工餐厅部分，属于扩展功能体，采用钢结构，层高 6.0 m，建筑面积为 155 m^2。平面呈正方形，建筑物总长和总宽均为 17.04 m，总建筑高度 15.05 m。

图 F5-7　“揽青斋”建筑组成部分

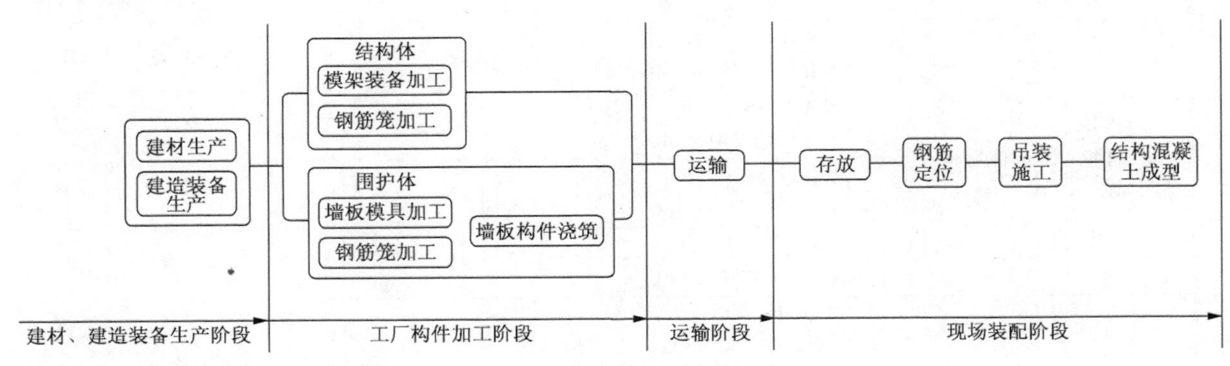

图 F5-8　“揽青斋”施工工艺流程

（一）建筑全生命周期各阶段碳排放统计、对比

1. 建材开采、生产阶段的碳排放

表 F5-5　建筑构件参数表

构件部位		构件名称	构件规格、尺寸（mm）	重量（t）	构件数量	总量（t）	材料
（1）基本功能体	柱	钢筋混凝土柱构件	KZ-1 500×500×4 000	2.5	18	45	钢筋混凝土
		柱构件模架装备	5050 型开合柱模板 620×620×4 000	0.42（单组）	3 组	1.26	钢材
			L 型定位稳定架 2 060×2 060×3 800	0.40（单组）	3 组	1.2	钢材
	梁	钢筋混凝土梁构件	KL-1 300×800×7 600	4.56	26	118.56	钢筋混凝土
		梁构件模架装备	3080 型开合梁模板 3 000×420×800	0.24（单组）	26 组	6.24	钢材
			1180 型可调段开合梁模板 1 100×420×800	0.08（单组）	26 组	2.08	钢材
			梁定位稳定架 2 400×800×1 800	0.11（单组）	26 组	2.86	钢材
	板	钢筋混凝土板构件	KB-1 8 415×8 415×200	35.4	6	212.4	钢筋混凝土
			KB-2 8 415×8 415×200	24.3	2	48.6	钢筋混凝土
		板构件模架装备	3333 型板模板 3 300×3 300×240	0.29（单组）	16 组	4.64	钢材
			2424 型定位稳定架 2 400×2 400×180	0.30（单组）	16 组	4.80	钢材
	围护体墙板	围护体墙板	WB-1 1 985×3 740×180	2.22	31	68.82	水泥
			WB-2 1 785×3 740×180	2.00	23	46	水泥
			WB-3 1 722×3 740×180	1.93	8	15.44	水泥
			WB-4 1 528×3740×180	1.71	7	11.97	水泥
（2）扩展功能体	阳光房	钢构件	ZGZ-1 L6 000，300×300×12 方形钢管	0.678	6	4.068	钢材
			FGZ-1 L5 300，250×250×10 方形钢管	0.416	4	1.664	钢材
			ZGL-1 L7 000，100×200×6 方形钢管	0.197	6	1.182	钢材
			FGL-1 L2 235，100×200×6 方形钢管	0.063	4	0.252	钢材
			HJ-1 L6 000，16C 型钢	0.044	20	0.88	钢材
	消防疏散楼梯	钢构件	XFLT-1 9 700×1 200×4 160	5	1	5	钢材

2. 工厂构件加工阶段的碳排放

表 F5-6　工厂构件加工阶段的碳排放参数

构件参数				加工工艺参数				碳排放量Σ（$kg\ CO_2$）
构件部位		构件名称	重量 (t)	加工机械参数				
				功率 P（kW）	产量 (t/h)	用电量 (kW·h/t)	用电量 Q(kW·h)	
结构体	柱	柱构件模架装备	2.46	1.556	0.01	10.2	25.092	17.13
	梁	梁构件模架装备	11.18	30.2	0.479	113.048	1 263.34	858.84
	板	板构件模架装备	9.44	15.56	0.1	102.190 4	962.88	654.16
围护体		预制外墙板	142.23	252	5.30	1 200.5	17 040	11 631.50
$\Sigma=Q\times E$　（E: 电力碳排放系数，取 0.682 6 kg/kW·h）								13 160 kg ≈ 13.1 t

目前，南京附近地区从事建筑工程混凝土构件模具生产的厂家很少，其中知名度最高的是江苏圣乐机械有限公司，该公司成立于 1987 年，坐落在江苏省常州市湟里镇东安工业园区，公司占地面积 50 000 m^2，厂房及其他设施近 30 000 m^2，公司员工 150 多人。由于本工程模架规格多且需要制作新的模具，经过洽谈该公司成为建设运营单位和协同建造单位。

考虑本工程的工期要求，我们对外墙板预制构件的加工制作进行了分析，明确构件生产周期、模具数量、日生产量等，最终确定结果如下：

预制外墙板构件的生产供应应满足 1 天一层的进度要求，预制外墙板构件模具制作 23 套，每套模具重复利用 3 次。预制外墙板构件加工制作周期为 1 天，经过自然养护 7 天后，可达到设计强度 80%，满足运输要求。21 天可生产预制板 69 块，能够满足现场施工进度要求。

3. 物流运输阶段的碳排放

表 F5-7　物流运输阶段的碳排放参数

“揽青斋”工业化建造方式	
机械	载重汽车
额定载重（t）	10
运输距离（km）	同城按 20~30
碳排放因子 $kg\ CO_2$ /（t·km）	0.055 6
重量（t）	305.6
Σ（$kg\ CO_2$）	305.6 t × 30 km × 0.055 6 ≈ 509 kg ≈ 0.5 t

4 现场装配阶段的碳排放

传统施工方式与工业化建造方式的对比情况见表 F5-8~ 表 F5-11。

表 F5-8 传统施工方式与“揽青斋”工业化建造方式对比

构件部位		传统施工方式			“揽青斋”工业化建造方式		
		工艺流程	材料	设备能耗	工艺流程	材料	设备能耗
结构体	竖向构件	1. 起吊钢筋、外围护脚手架 2. 搬运模板、内支撑脚手架（人力） 3. 泵车浇筑混凝土 4. 卸内支撑脚手架、外围护脚手架→地面 5. 搬运模板、内支撑脚手架（人力） (1 层→ 2 层→…的相应工位) 装→拆→装	木板、扎丝、扎勾、脚手架、钢筋、箍筋、混凝土	人、切割机、混凝土搅拌机、混凝土运输车、电焊机、汽车吊、载重汽车	1. 钢筋笼吊装 2. 稳定架吊放 3. 合模、安装抱箍、安装临时安全设施 4. 泵车浇筑混凝土 5. 振动棒振捣混凝土 6. 拆离抱箍、垫圈、临时安全设施 7. 稳定架等整体吊离并周转至下工位	脚手架、钢筋、箍筋、混凝土、柱构件模架装备	人、电焊机、混凝土搅拌机、混凝土运输车、电焊机、汽车吊、载重汽车
	横向构件	1. 起吊钢筋、外围护脚手架 2. 搬运模板、内支撑脚手架（人力） 3. 泵车浇筑混凝土 4. 卸内支撑脚手架、外围护脚手架→地面 5. 搬运模板、内支撑脚手架（人力） (1 层→ 2 层→…的相应工位) 装→拆→装	木板、扎丝、扎勾、脚手架、钢筋、箍筋、混凝土	人、切割机、混凝土搅拌机、混凝土运输车、电焊机、汽车吊、载重汽车	1. 施工顺序构件编号、模架准备 2. 梁构件模架定位 3. 板构件模架定位 4. 后装先拆带模板定位、角部模板定位 5. 钢筋绑扎、混凝土浇筑 6. 拆模准备 7. 模架周转 8. 横向构件成型	脚手架、钢筋、箍筋、混凝土、梁板构件模架装备	人、电焊机、混凝土搅拌机、混凝土运输车、电焊机、汽车吊、载重汽车
围护体		1. 找平、弹线 2. 摆砖 3. 立皮数杆、砌筑 4. 勾缝、清理	砖、脚手架	人、汽车吊、载重汽车	1. 预埋件安装 2. 定位件安装 3. 一、二、三次定位 4. 移除定位件 5. 墙板连接	脚手架、混凝土墙板	撬棒、锤子、电焊机、汽车吊、载重汽车

表 F5-9　传统施工方式对比工业化建造方式——“柱”施工耗能分析

柱

（柱规格尺寸 500 mm × 500 mm × 3 800 mm　$0.95m^3 \times 18 \approx 17\ m^3$）（建筑面积 $17\ m \times 17\ m \times 2 = 578\ m^2$）

传统施工方式

类别	名称	数量 a	单位	单位耗量	系数 Ca（$kgCO_2$/单位）	合计∑（$kg\ CO_2$）
人工	普工	93.5	工日		0.73	68
	$1m^3$ 混凝土需 5.5 人工（含混凝土、模板、钢筋）					
∑ =68 $kg\ CO_2$						
类别	名称	数量 m_a	单位	单位耗量	系数 Cm_a（$kgCO_2$/单位）	合计∑（$kg\ CO_2$）
材料	1.5 cm 木模板（周转 3 次）	137	m^2	搭设面积 $7.6 \times 18=137$	2.18	299
	钢筋	2 125	kg	矩形柱 125 kg/m^3	0.923	1 961
	混凝土	17	m^3		551	9 367
	内脚手架　钢管 $\phi 48 \times 3.5$	1 908	kg	$1.37 \times 1\ 393=1\ 908$	1.722	3 286
	内脚手架　钢管扣件	296	个	$1.37 \times 270/1.25=296$	1.381	409
∑ =15 322 $kg\ CO_2$						

“揽青斋”工业化建造方式

类别	名称	数量 a	单位	单位耗量	系数 Ca（$kgCO_2$/单位）	合计∑（$kg\ CO_2$）
人工	普工	9	工日	—	0.73	6.57
	技工	9	工日	—	0.73	6.57
∑ =13 $kg\ CO_2$ 相比较于传统施工方式减少 80.8%						
类别	名称	数量 m_a	单位	单位耗量	系数 Cm_a（$kgCO_2$/单位）	合计∑（$kg\ CO_2$）
材料	钢筋	2 125	kg	矩形柱 125 kg/m^3	0.923	1 961
	混凝土	17	m^3		551	9 367
	柱构件模架装备　5050 型开合柱模板	1 260	kg	钢材	1.722	2 170
	柱构件模架装备　L 型定位稳定架	1 200	kg	钢材	1.722	2 066
∑ =15 564 $kg\ CO_2$ 相比较于传统施工方式增加 1.5%						

续表

柱 （柱规格尺寸 500 mm × 500 mm × 3 800 mm　0.95m^3 × 18 ≈ 17 m^3）（建筑面积 17 m × 17 m × 2= 578 m^2）													
传统施工方式							“揽青斋”工业化建造方式						
类别	名称	数量 m_e	单位	单位耗量	系数 Cm_e（$kgCO_2$/单位）	合计 $\sum$（$kg\ CO_2$）	类别	名称	数量 m_e	单位	单位耗量	系数 Cm_e（$kgCO_2$/单位）	合计 $\sum$（$kg\ CO_2$）
机械	切割机小 Φ40 mm	1.5	台班	32.10 kW · h	21.91	33	机械	切割机小 Φ40 mm	1	台班	32.10 kW · h	21.91	22
	直流电焊机（功率 40 kW）	1.5	台班	96.94 kW · h	66.17	99		直流电焊机（功率 40 kW）	1	台班	96.94 kW · h	66.17	66
	混凝土搅拌机中料容量 1000 L（30 m^3/ 台班）	1	台班	151.55 kW · h	103.45	103		混凝土搅拌机中料容量 1000 L（30 m^3/ 台班）	1	台班	151.55 kW · h	103.45	103
	混凝土输送泵车 100 m^3/h	1	台班	108.00 kg 柴油	334.36	334		混凝土输送泵车 100 m^3/h	1	台班	108.00 kg 柴油	334.36	334
	汽车式起重机 25 t	3	台班	40.73 kg 柴油	126.10	378		汽车式起重机 25 t（徐工 QY25K5–I 型汽车吊）	1	台班	40.73 kg 柴油	126.10	126
	载重汽车 10 t	3	台班	40.03 kg 柴油	123.93	372		载重汽车 10 t	1	台班	40.03 kg 柴油	123.93	124
$\sum$ = 1 319 kg CO_2							$\sum$ =775 kg CO_2 相比较于传统施工方式减少 41.2%						
$\sum$ =68 kg CO_2+15 322 kg CO_2+1 319 kg CO_2=16 709 kg CO_2 ≈ 17 t CO_2							$\sum$ =13 kg CO_2+15 564 kg CO_2+775 kg CO_2=16 352 kg CO_2 ≈ 16 t CO_2 相比较于传统施工方式共减少 2%						

* 其中人工、材料、机械数量可以查询相关定额标准，碳排放系数参考前文所总结的数据库。电力 0.682 6 kg/kW · h；柴油 3.095 9 kg/kg。
* 垂直运输机具使用台班消耗量（台班数量，8 小时为一个机械工作台班）与建筑物体量（层高、面积、高度）、工程量和采用机具数量相关，还与其所运送的目的地的位置，即运送距离、时间有关，还与装载、卸放、安装停滞的等待时间及空载返回的时间有关……
* 人工碳排放＝$\sum$（单位工程人工工日量 a × 碳排放系数 Ca × 实物工程量）

a: 单位工程人工工日量 ; Ca: 单位工程人工的碳排放系数

材料碳排放＝$\sum$（单位工程材料量 m_a × 碳排放系数 Cm_a × 实物工程量）

m_a: 单位工程材料量 ; Cm_a: 单位工程材料的碳排放系数

机械碳排放＝$\sum$（单位工程机械量 m_e × 碳排放系数 Cm_e × 实物工程量）

m_e: 单位工程材料量 ; Cm_e: 单位工程材料的碳排放系数

表 F5-10　传统施工方式对比工业化建造方式——“梁”施工耗能分析

梁

（梁规格尺寸 300 mm × 800 mm × 7 600 mm　1.824 m^3 × 26 ≈ 47 m^3）（建筑面积 17 m × 17 m × 2= 578 m^2）

传统施工方式

类别	名称	数量 a	单位	单位耗量	系数 Ca（$kgCO_2$/单位）	合计Σ（$kg CO_2$）
人工	普工	260	工日		0.73	190
	1m^3 混凝土需 5.5 人工[2]（含混凝土、模板、钢筋）					

Σ =190 kg CO_2

类别	名称		数量 m_a	单位	单位耗量	系数 Cm_a（$kgCO_2$/单位）	合计Σ（$kgCO_2$）
材料	1.5 cm 木模板（周转 3 次）		435	m^2	搭设面积 16.7 × 26=435	2.18	948
	钢筋		5 875	kg	矩形柱 125 kg/m^3	0.923	5 423
	混凝土		47	m^3		551	25 897
	内脚手架	钢管 ϕ48 × 3.5	6 060	kg	4.35 × 1 393=6 060	1.722	10 435
		钢管扣件	940	个	4.35 × 270/1.25=940	1.381	1 298

Σ =44 001 kg CO_2

“揽青斋”工业化建造方式

类别	名称	数量 a	单位	单位耗量	系数 Ca（$kgCO_2$/单位）	合计Σ（$kg CO_2$）
人工	普工	12	工日	—	0.73	8.76
	技工	12	工日	—	0.73	8.76

Σ =18 kg CO_2

相比较于传统施工方式减少 90.8%

类别	名称		数量 m_a	单位	单位耗量	系数 Cm_a（$kgCO_2$/单位）	合计Σ（$kg CO_2$）
材料	钢筋		5 875	kg	矩形柱 125 kg/m^3	0.923	5 423
	混凝土		47	m^3	—	551	25 897
	梁构件模架装备	3080 型开合梁模板	6 240	kg	钢材	1.722	10 745
		1180 型可调段开合梁模板	2 080	kg	钢材	1.722	3 582
		梁定位稳定架	2 860	kg	钢材	1.722	4 925

Σ = 50 572 kg CO_2

相比较于传统施工方式增加 14.9%

续表

梁 （梁规格尺寸 300 mm×800 mm×7 600 mm　1.824 m^3×26 ≈ 47 m^3）（建筑面积 17 m×17 m×2= 578 m^2）													
传统施工方式							“揽青斋”工业化建造方式						
类别	名称	数量 m_e	单位	单位耗量	系数 Cm_e（$kgCO_2$/单位）	合计∑（kg CO_2）	类别	名称	数量 m_e	单位	单位耗量	系数 Cm_e（$kgCO_2$/单位）	合计∑（kg CO_2）
机械	切割机小 Φ40 mm	3	台班	32.10 kW·h	21.91	66	机械	切割机小 Φ40 mm	1	台班	32.10 kW·h	21.91	22
	直流电焊机（功率 40 kW）	3	台班	96.94 kW·h	66.17	198		直流电焊机（功率 40 kW）	1	台班	96.94 kW·h	66.17	66
	混凝土搅拌机 中料容量 1000 L（30m^3/台班）	1.5	台班	151.55 kW·h	103.45	155		混凝土搅拌机 中料容量 1000 L（30 m^3/台班）	1.5	台班	151.55 kW·h	103.45	155
	混凝土输送泵车 100 m^3/h	1.5	台班	108.00 kg 柴油	334.36	502		混凝土输送泵车 100 m^3/h	1.5	台班	108.00 kg 柴油	334.36	502
	汽车式起重机 25 t	4	台班	40.73 kg 柴油	126.10	504		汽车式起重机 25 t（徐工 QY25K5–I 型汽车吊）	1.5	台班	40.73 kg 柴油	126.10	189
	载重汽车 10 t	4	台班	40.03 kg 柴油	123.93	496		载重汽车 10 t	1.5	台班	40.03 kg 柴油	123.93	186
∑ = 1 921 kg CO_2							∑ =1 120 kg CO_2 相比较于传统施工方式减少 41.7 %						
∑ = 190 kg CO_2+44 001 kg CO_2+1 921 kg CO_2=46 112 kg CO_2 ≈ 46 t CO_2							∑ =18 kg CO_2+50 572 kg CO_2+1 120 kg CO_2= 51 710 kg CO_2 ≈ 52 t CO_2 相比较于传统施工方式共增加 13%						

表 F5-11　传统施工方式对比工业化建造方式——“板”施工耗能分析

板

（板规格尺寸 8 415 mm × 8 415 mm × 200 mm　14 m^3 × 8=112 m^3）（建筑面积 17 m × 17 m × 2= 578 m^2）

传统施工方式

类别	名称	数量 a	单位	单位耗量	系数 Ca（$kgCO_2$/单位）	合计∑（kg CO_2）
人工	普工	616	工日	—	0.73	450
	1m^3 混凝土需 5.5 人工（含混凝土、模板、钢筋）					

∑ =450 kg CO_2

类别	名称		数量 m_a	单位	单位耗量	系数 Cm_a（$kgCO_2$/单位）	合计∑（kg CO_2）
材料	1.5cm 木模板（周转 3 次）		568	m^2	搭设面积 71 × 8=568	2.18	1 238
	钢筋		14 000	kg	矩形柱 125 kg/m^3	0.923	12 922
	混凝土		112	m^3	—	551	61 712
	内脚手架	钢管 ϕ48×3.5	7 884	kg	5.66 × 1 393=7 884	1.722	13 577
		钢管扣件	1 222	个	5.66 × 270/1.25=1 222	1.381	1 688

∑ =91 137 kg CO_2

“揽青斋”工业化建造方式

类别	名称	数量 a	单位	单位耗量	系数 Ca（$kgCO_2$/单位）	合计∑（kg CO_2）
人工	普工	12	工日	—	0.73	8.76
	技工	12	工日	—	0.73	8.76

∑ =18 kg CO_2

相比较于传统施工方式减少 96%

类别	名称		数量 m_a	单位	单位耗量	系数 Cm_a（$kgCO_2$/单位）	合计∑（kg CO_2）
材料	钢筋		14 000	kg	矩形柱 125 kg/m^3	0.923	12 922
	混凝土		112	m^3	—	551	61 712
	梁构件模架装备	2424 型定位稳定架	4 640	kg	钢材	1.722	7 990
		3333 型板模板	4 800	kg	钢材	1.722	8 266

∑ = 90 890 kg CO_2

相比较于传统施工方式减少 0.2%

续表

板（板规格尺寸 8 415 mm × 8 415 mm × 200 mm　14 m³ × 8=112 m³）（建筑面积 17 m × 17 m × 2= 578 m²）													
传统施工方式							“揽青斋”工业化建造方式						
类别	名称	数量 m_a	单位	单位耗量	系数 Cm_a（$kgCO_2$/单位）	合计Σ（kg CO_2）	类别	名称	数量 m_a	单位	单位耗量	系数 Cm_a（$kgCO_2$/单位）	合计Σ（kg CO_2）
机械	切割机小 Φ40 mm	3	台班	32.10 kW · h	21.91	66	机械	切割机小 Φ40 mm	1	台班	32.10 kW · h	21.91	22
	直流电焊机（功率 40 kW）	3	台班	96.94 kW · h	66.17	198		直流电焊机（功率 40 kW）	1	台班	96.94 kW · h	66.17	66
	混凝土搅拌机 中料容量 1000 L（30 m³/ 台班）	4	台班	151.55 kW · h	103.45	414		混凝土搅拌机 中料容量 1000 L（30 m³/ 台班）	4	台班	151.55 kW · h	103.45	414
	混凝土输送泵车 100 m³/h	4	台班	108.00 kg 柴油	334.36	1 337		混凝土输送泵车 100 m³/h	4	台班	108.00 kg 柴油	334.36	1 337
	汽车式起重机 25 t	4	台班	40.73 kg 柴油	126.10	504		汽车式起重机 25 t（徐工 QY25K5–I 型汽车吊）	1.5	台班	40.73 kg 柴油	126.10	189
	载重汽车 10 t	4	台班	40.03 kg 柴油	123.93	496		载重汽车 10 t	1.5	台班	40.03 kg 柴油	123.93	186
Σ = 3 015 kg CO_2							Σ =2 214 kg CO_2 相比较于传统施工方式减少 26.6%						
Σ =450 kg CO_2+91 137 kg CO_2+3 015 kg CO_2=94 602 kg CO_2 ≈ 95 t CO_2							Σ =18 kg CO_2+90 890 kg CO_2+2 214 kg CO_2= 93 122 kg CO_2 ≈ 93t CO_2 相比较于传统施工方式共减少 1.6%						

注：吊装机械的选型、吊重分析、吊次分析详见下文。

5. 吊装机械选型、吊重分析、吊次分析

1）吊装机械选型和定位

本工程预制外墙板最重为 2.22 t，预制室外疏散钢楼梯最重为 5 t，由于预制构件的重量超出全现浇混凝土结构常规材料，因此，在起重机械选型时重点考虑满足最大吊重的要求，同时兼顾吊机的经济性，故选用汽车吊完成吊装作业工作。

首先在选择确定汽车吊位置时，考虑外墙板易施工性，将汽车吊设置在靠近建筑主体西南侧和东北侧，可以有效减小汽车吊臂长度（图 F5–9）。同时预制构件堆放场地随之设在南侧和北侧，在汽车吊 16 m 吊臂范围内覆盖整个吊装作业区和堆放区。根据臂长、最大吊重及市场情况，我们选择了徐工 QY25K5–I 型汽车吊。

2）吊重分析

QY25K5–I 型汽车吊起重性能见表 F5–12。

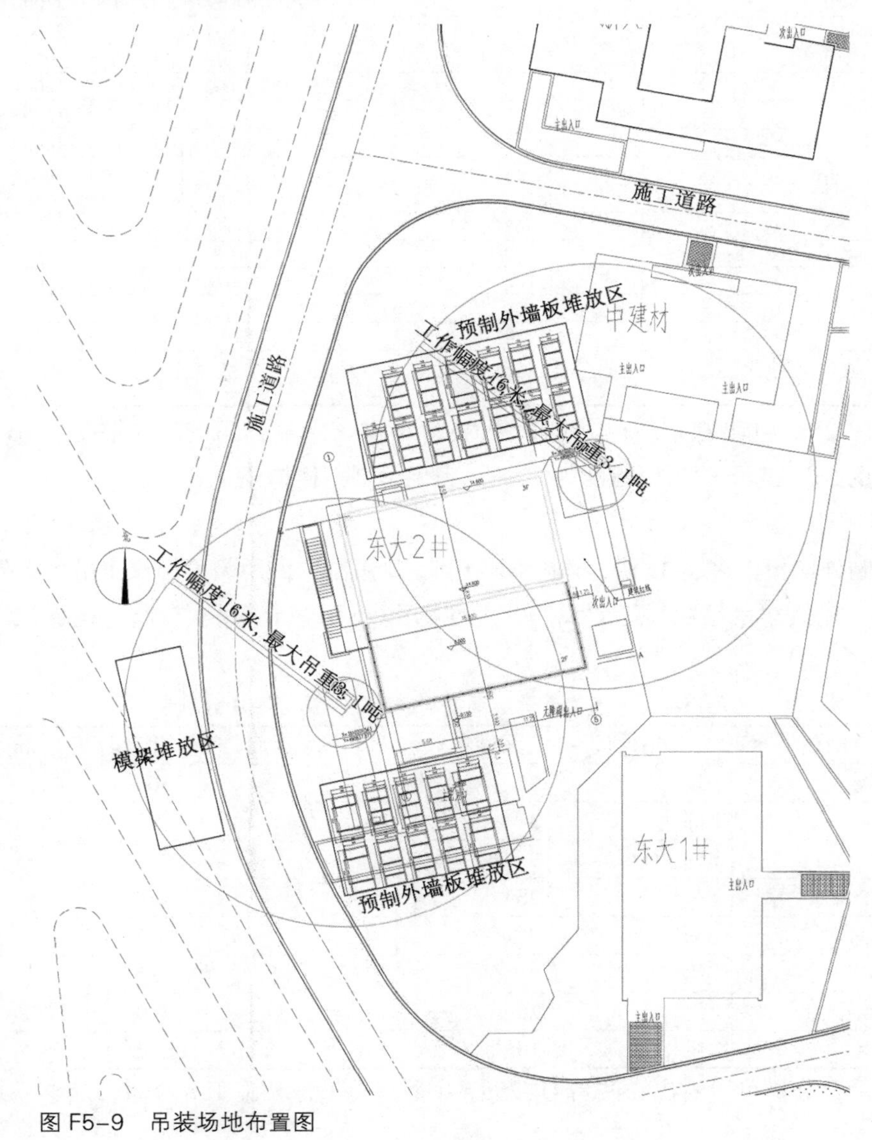

图 F5–9　吊装场地布置图

表 F5-12 QY25K5-I 型汽车起重机主臂起重性能表

工作幅度（m）	全伸支腿，侧方、后方作业											
	基本臂 10.40 m			中长臂 17.60 m			中长伸臂 24.80 m			全伸臂 32.00 m		
	起重量（kg）	吊臂仰角（°）	起升高度（m）	起重量（kg）	吊臂仰角（°）	起升高度（m）	起重量（kg）	吊臂仰角（°）	起升高度（m）	起重量（kg）	吊臂仰角（°）	起升高度（m）
3	25000	68.00	10.5	14700	76.00	18.11						
3.5	25000	64.59	10.25	14700	75.42	17.98						
4	24000	61.43	9.97	14700	73.72	17.82	9100	78.00	25.28			
4.5	21500	58.15	9.64	14700	72.00	17.65	9100	77.36	25.16			
5	18700	54.74	9.28	14200	70.26	17.47	9100	76.17	25.03			
5.5	17200	51.16	8.86	13500	68.51	17.26	9100	74.97	24.89	6500	78.00	32.32
6	15700	47.37	8.39	13000	66.73	17.04	8800	73.76	24.74	6500	77.50	32.2
7	12100	38.88	7.22	12000	63.08	16.54	8200	71.33	24.41	6500	75.65	31.95
8	9600	28.00	5.54	9000	59.31	15.95	7500	68.85	24.02	6100	73.79	31.66
9				8100	55.37	15.27	7100	66.33	23.59	5500	71.91	31.33
10				6800	51.23	14.48	6400	63.76	23.1	5000	70.00	30.97
12				5000	42.02	12.49	5060	58.42	21.94	4300	66.12	30.13
14				3800	30.00	9.6	3900	52.74	20.51	3800	62.10	29.12
16							3100	46.57	18.74	3100	57.93	27.93
18							2530	39.67	16.52	2500	53.55	26.52
20							2000	31.49	13.61	1960	48.90	24.95
22							1650	20.00	9.29	1600	43.88	22.9
24										1290	38.34	20.54
26										1020	31.98	17.6
28										810	24.14	13.71
29										700	19.00	11.07
各节臂伸缩率% Ⅱ	0			33%			66%			100%		
各节臂伸缩率% Ⅲ	0			33%			66%			100%		
各节臂伸缩率% Ⅳ	0			33%			66%			100%		
倍率	10			6			4			3		
主臂最小仰角	28°			30°			20°			19°		
主臂最大仰角	68°			76°			78°			78°		
吊钩重量	250 kg											

从上表看出，QY25K5-I 型汽车吊在全伸臂 32.00 m 吊重 3.1 t 状态下的工作幅度为 16 m，满足最重外墙板施工要求；吊重 5 t 状态下的工作幅度为 10 m，满足预制钢楼梯施工要求。

3）吊次分析

本工程每层预制外墙板件多达 35 块，预制楼梯 1 部，除预制构件吊装占用汽车吊吊次外，现场用模架、钢筋、模板等还需占用汽车吊吊次，为此我们针对现场汽车吊进行了吊次分析，确保汽车吊满足施工工期要求。

表 F5-13 揽青斋单层钢筋混凝土结构施工吊次分析

构件名称	数量	每吊数量	吊装次数	平均吊装时间（min）	累计时间（min）	总时间（h）
预制外墙板	35 块	1 块	35	16	560	约 52.9
预制钢楼梯	1 部	1 部	3	60	180	
柱钢筋笼	9 个	1 个	9	30	270	
梁钢筋笼	13 个	1 个	26	40	1 040	
板钢筋	14 t	1.6 t	9	40	360	
柱模架	3 组	1 组	9	15	135	
梁模架	26 组	1 组	26	15	390	
板模架	16 组	1 组	16	15	240	

从吊次统计结果经分析可以看出，两台 QY25K5-I 型汽车吊每天施工 8 小时，能够满足 4 天一层的进度计划要求。

表 F5-14　脚手架材料一次使用量表

钢管脚手架材料一次使用量表						脚手架材料	
材料名称		单位		每 100 m^2（搭设面积）		材料名称	耐用期限
				单排	双排	钢管	60 个月
钢管（钢管 Φ48：3.5–3.84 kg/m)	立杆	m		57.3	109.3	扣件	50 次
	大横杆	m		87.7	168.4	脚手杆（杉木）	24 个月
	小横杆	m		74.8	65.1	木脚手架	14 个月
	斜杆	m		18	20	竹脚手架	10 个月
	小计	kg		931	1 393	毛竹	10 个月
扣件	直角扣件	个	1.32 kg/ 个	85	155.5	铁丝	一次
	对接扣件	个	1.84 kg/ 个	20	41.2	安全网（尼龙）	10 个月
	旋转扣件	个		4.5	5	安全网（尼龙）	16 个月
	底座	个		4.3	5.5		
	小计	kg		147	270		

(1) 外脚手架、里脚手架均按墙面垂直投影面积以平方米（m^2）计算，门窗洞口及空洞面积均不扣除，凡砌筑高度（除定额注明者外）在 1.5 m 以上的各种砖石砌体均需计算脚手架。

(2) 外墙脚手架的垂直投影面积以外墙的长度乘室外地面至墙中心线的顶面高度计算。内墙脚手架的垂直投影面积以内墙净长乘内墙净高计算，有山墙者以 1/2 高度为准。

F5-15　热轧无缝钢管的规格重量表

外径（mm）	壁厚（mm）						
	2.5	3.0	3.5	4.0	4.5	5.0	5.5
	理论重量（kg/m）计算公式：（钢比重 7.85），W=0.02466×S×(D–S) W—理论重量（kg/m）；D—外径（mm）；S—壁厚（mm）；						
32	1.82	2.15	2.46	2.76	3.05	3.33	3.59
38	2.19	2.59	2.98	3.35	3.72	4.07	4.41
42	2.44	2.89	3.35	3.75	4.16	4.56	4.95
45	2.62	3.11	3.58	4.04	4.49	4.93	5.36
50	2.93	3.48	4.01	4.54	5.05	5.55	6.04
54	—	3.77	4.36	4.93	5.49	6.04	6.58
57	—	4.0	4.62	5.23	5.83	6.41	6.99
60	—	4.22	4.88	5.52	6.16	6.78	7.39
63.5	—	4.48	5.18	5.87	6.55	7.21	7.87
68	—	4.81	5.57	6.31	7.05	7.77	8.48
70	—	4.96	5.74	6.51	7.27	8.01	8.75
73	—	5.18	6.00	6.81	7.6	8.38	9.16
76	—	5.4	6.26	7.1	7.93	8.75	9.56

6. 物化阶段

物化阶段包括建材开采生产、工厂构件加工、物流运输和现场装配四个阶段。

F5-16　物化阶段浮动数量与比率——传统施工方式对比工业化建造方式

全生命周期		传统施工方式 ∑（tCO_2）	“揽青斋”工业化建造方式∑（tCO_2）	浮动数量（tCO_2）	浮动比率
建材开采、生产阶段	柱	15.3	15.6	+0.3	+1.5%
	梁	44	51	+7	+14.9%
	板	91	90	–1	–0.2%
	围护体	—	127	—	—
	阳光房、消防疏散楼梯	—	22	—	—
工厂构件加工阶段		—	11.5	+11.5 t	—
物流运输阶段		—	0.5	—	—
现场装配阶段	柱	1.3	0.7	–0.6	–41.2%
	梁	1.9	1.1	–0.8	–42.1%
	板	3	2.2	–0.8	–26.6%

7. 使用和维护更新阶段的碳排放

总建筑面积：710 m^2。

通过 Sketch–Up 建模软件得到简易模型，由插件导入 Energy–Plus 性能分析软件，对建筑性能进行精细化控制和量化分析，模拟结果确定，得到 E_{CY}、E_{HY}、E_{IY}、E_{EY}　4 个参数，见表 F5–17。

表 F5–17　“揽青斋”模拟结果（全年）

冷负荷 E_{CY}	热负荷 E_{HY}	照明耗电 E_{IY}	设备耗电 E_{EY}	总能耗 $E_{CY}+E_{HY}+E_{IY}+E_{EY}$	实际总能耗 $(E_{CY}+E_{HY})/n_C(3.5)+E_{IY}+E_{EY}$
45 225 kW·h /163 GJ	5 575 kW·h /20 GJ	12 553 kW·h /46 GJ	23 993 kW·h /86 GJ	87 347 kW·h /315 GJ	51 060 kW·h /185 GJ
$P_{CH}=(E_{CY}+E_{HY})/n_C(3.5)\times E_e$=10 457 $kgCO_2$		$P_I=(E_{IY}+E_{EY})\times F\times E_e$=26 400 $kgCO_2$		$P_{CH}+P_I$=36 857 $kgCO_2$	

注：（1 kW·h=3 600kJ　1TJ=10^9 kJ　1GJ=10^9J=10^6kJ）1 kW·h=3.6×10^{-3}GJ，电力碳排放因子 E_e=0.72$kgCO_2$/kW·h

根据任务书，暂将该建筑的使用寿命定为 30 年，由冷热负荷、照明、设备能耗所产生的碳排放量，代入公式 $P=(P_{CH}+P_I)\times N$=36 857 kg × 30=1 105 710 $kgCO_2$ ≈ 1 105 tCO_2，其中 N 为建筑的使用年限。

8. 拆卸和回收阶段的碳排放

由于建筑拆除处置阶段使用能源数据匮乏，故参照现有研究成果。日本 AIJ–LCA 中建筑拆除处置阶段能耗占建造阶段的 10% 左右，仲平的研究成果中这一数值为 10.1% [4]。因此选取经验数据，建筑拆除处置阶段的碳排放量为建造施工阶段的 10%。

表 F5–18　“揽青斋”全生命周期各阶段（30 年）——碳排放比例关系

生命周期	建材开采生产阶段 P1	工厂构件生产 P2	物流阶段 P3	装配阶段 P4	使用和维护阶段 P5	拆卸和回收阶段 P6	总量（t）
碳排放量（t）	305.6	11.5	0.5	8.75	1011	1.0	1 338.35
比例	22.9%	0.86%	0%	0.65%	75.5%	0%	100

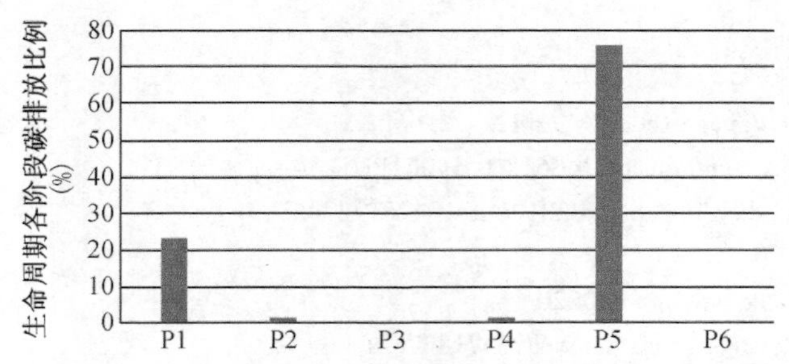

图 F5-10　全生命周期（30 年）各阶段碳排放比例关系

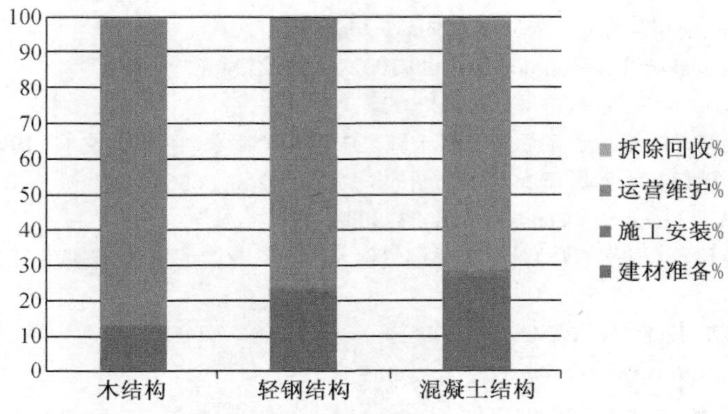

图 F5-11　建筑生命周期各阶段能耗比例

木结构：建材准备（12.5%）、施工安装（0.7%）、运营维护（86.6%）、拆除回收（0.2%）
轻钢结构：建材准备（23%）、施工安装（0.8%）、运营维护（76.1%）、拆除回收（0.1%）
混凝土结构：建材准备（27%）、施工安装（1.6%）、运营维护（70.8%）、拆除回收（0.6%）

参考文献

[1] 陈冲 . 基于 LCA 的建筑碳排放控制与预测研究 [D]. 武汉 : 华中科技大学 ,2013：27

[2] 阴世超 . 建筑全生命周期碳排放核算分析 [D]. 哈尔滨 : 哈尔滨工业大学 ,2012：23

[3] 智静，高吉喜 . 生活能源消费及对碳排放的影响——以北京市为例 [C]//Proceedings of 2010 International Conference on Remote Sensing, 2010

[4] 沈孝庭 , 朱家平 . 产业化住宅绿色施工节能降耗减排分析与测算 [J]. 建筑施工 ,2007(12):83-85

图片来源

图 1-1　源自网络：http://xholiday.cn/image/xholiday_article_12966.jpg
图 1-2　源自网络：http://www.zzebjx.com/uploads/140618/1-14061PUJ1A4.jpg
图 1-3　源自网络：http://www.ccccltd.cn/jtjs/upload/2010/4201042817224583.jpg

图 2-1　源自网络：http://www.casto.cc/newsitem/10220
图 2-2　源自网络：http://lygmbzm.ebdoor.com/Products/27471867.aspx
图 2-3　源自网络：http://www.xianaoyu.com/Casesintroduce.asp?id=43
图 2-4　源自网络：http://www.mc361.com/u-zjkx001/productdetail-293048.html
图 2-5　北京冀龙京达商贸有限公司官网：http://www.jilongjingda.com
图 2-6　源自网络：http://china.makepolo.com/product-detail/100226494721.html
图 2-9　源自网络：http://www.eante58.com/plus/list.php?tid=11
图 2-10　杨嗣信 . 现浇混凝土结构中模板、钢筋及混凝土施工中的几个问题 [J]. 建筑技术 , 1994(02)：76-80
图 2-11　糜嘉平 . 国内外早拆模板技术发展概况 [J]. 建筑技术 , 2011, 42(8)：686-688
图 2-12　源自网络：http://jiancai.huangye88.com/xinxi/18633738.html
图 2-14　初明进，冯鹏，侯建群，等 . 钢网构架混凝土复合结构多层住宅墙体抗震性能试验研究 [J]. 土木工程学报，2009(07): 36-45
图 2-15　《聚苯模板混凝土结构技术规程 (CECS 194:2006)》
图 2-16　源自泰锗石官网：https://www.styrostone.cn/
图 2-17　源自泰锗石官网：https://www.styrostone.cn/
图 2-18　源自网络：http://www.jsjlgg.com
图 2-19　源自网络：http://precast.com.cn/index.php/gongying_detail-id-519.html
图 2-20　源自网络：http://precast.com.cn/index.php/subject_detail-id-28.html
图 2-21　源自网络：http://precast.com.cn/index.php/gongying_detail-id-8.html
图 2-22　源自网络：http://baike.baidu.com
图 2-23　源自昆山生态屋建筑技术有限公司官网：http://www.livingbuilding.cn/Index.asp
图 2-29　源自徕卡（Leica）测量系统 TCA 跟踪定位系统说明书
图 2-30　源自网络：http://3ddisto.leica-geosystems.us/
图 2-34　Ergen E, Akinci B, Sacks R. Life-cycle data management of engineered-to-order components using radio frequency identification[J]. Advanced Engineering Informatics, 2007, 21(4)
图 2-35，图 2-36　Chin S., Yoon S. Choi C. And Cho C. (2008). RFID+4D CAD for progress management of structural steel works in high-rise buildings, Journal of Computing in Civil Engineering, 22(2)
图 2-37　Jaselskis E. J. and El-Misalami T. (2003). Implementing radio frequency identification in the construction process, Journal of Construction Engineering and Management, 121(2)
图 2-7 ~ 图 2-8，图 2-13，图 2-24 ~ 图 2-27，图 2-31 ~ 图 2-33　张莹莹拍摄；图 2-28　张宏拍摄
图 2-38 ~ 图 2-39　张莹莹绘制；图 2-40 ~ 图 2-43　刘聪、张莹莹绘制

图 3-1 ~ 图 3-9，图 4-1 ~ 图 4-8，图 5-1 ~ 图 5-2，图 5-8，图 6-1 ~ 图 6-10　王海宁拍摄
图 6-11　王海宁绘制；图 5-6 ~ 图 5-7　圣乐机械绘制
图 5-3　源自网络：http://pigimg.zhongso.com/space/gallery/2013/04/26/15/b2b_20130326031918213215.jpg
图 5-4　源自网络：http://www.zgjlsteel.com/capp/ngjg/files/zx02.jpg
图 5-5　源自网络：http://img1.jc35.com/2/20120529/634738805433437500.jpg

图 7-0，图 7-35 ~ 图 7-36　张军军拍摄；图 7- 3　张宏绘制；图 7-18　江苏省住房和城乡建设厅
图 7-1~ 图 7-2，图 7-4~ 图 7-8，图 7-13 ~ 图 7-15　刘聪绘制
图 7-16 ~ 图 7-17，图 7-21 ~ 图 7-22，图 7-28~ 图 7-32，图 7-37　刘聪拍摄
图 7-9~ 图 7-12，图 7- 25 ~ 图 7-27　圣乐公司提供

图 7–19~ 图 7–20，图 7–23 ~ 图 7–24　段伟文拍摄；
图 7–33　孟斌拍摄；图 7–34　韩春楠拍摄

图 8–1 ~ 图 8–4，图 8–6，图 8–8，图 8–10 ~ 图 8–18，图 8–22 ~ 图 8–27，图 8–29，图 8–43，图 8–45　张李瑞绘制
图 8–5，图 8–7，图 8–9，图 8–19~ 图 8–20，图 8–28，图 8–30 ~ 图 8–31，图 8–34 ~ 图 8–42，图 8–44　张李瑞拍摄；
图 8–32 ~ 图 8–33 王玉绘制；图 8–46 ~ 图 8–47　张宏绘制
图 8–21　源自网络：http://baike.baidu.com

图 F3–1　源自网络：http://www.bmlink.com/pro/proimg7397845.html
图 F3–2　源自网络：http://baike.so.com/doc/6296637–6510157.html
图 F3–3　源自网络：http://www.5648.cc/offer_sale/detail/143969.html
图 F3–4　源自网络：http://detail.net114.com/chanpin/1020539869.html
图 F3–5　源自网络：http://www.zhmro.cn/html/329.html
图 F3–6　源自网络：http://product.11467.com/info/647218.htm
图 F3–7　源自网络：http://www.lyzhiguanji.com/zhiguanji/26.html
图 F3–8　源自网络：http://cn.pedeall.com/baike/view/645.html
图 F3–10　源自网络：http://www.007swz.com/Guoguo12/products/fangdaobiaoqian_2506.html
图 F3–11　源自网络：http://www.qihuiwang.com/product/q31584/29193.html
图 F3–12　源自网络：http://cn.made–in–china.com/gongying/cgskjj–TqnJKGmksiVZ.html
图 F3–13　源自网络：http://www.jnhengchang.com/Product/ly/gjwqj/2015/0516/81.html
图 F3–17　源自网络：http://121418.jgjw.com/co_sell/2956131.shtml
图 F3–18　源自网络：http://www.hengdongjx.com/supply/1.html
图 F4–1　源自网络：http://product.rfidworld.com.cn/RFID_Product_2012.htm
http://www.1688.com/pic/–72666964B8DFC6B5B6C1D0B4C6F7.html
图 F4–2　源自网络：http://www.iot–online.com/RFID/zhongjianjian/2011/082711045.html
图 F3–9，图 F3–14 ~ 图 F3–16，图 F3–19　张莹莹拍摄
图 F5–1 ~ 图 F5–6，图 F5–10 ~ 图 F5–11　王玉绘制
图 F5–7 ~ 图 F5–9　刘聪绘制

表格来源

表 2–1，表 2–3 ~ 表 2–5，表 F3–1 ~ 表 F3–2，表 F4–1 ~ 表 F4–2，表 F4–4　张莹莹绘制
表 2–2　李云峰，李军，张亚琴 . CL 结构体系特点及应用 [J]. 建设科技 , 2008 (08): 79–83
表 3–1~ 表 3–2 王海宁绘制
表 7–1，表 7– 3，表 7– 5，表 7– 6，表 7– 9，表 F5–5，表 F5–13 ~ 表 F5–15　刘聪绘制
表 7– 4　刘聪、张军军绘制；表 7– 7 ~ 表 7– 8　张诺绘制
表 8–4 ~ 表 8–5，表 F5–1，表 F5–6 ~ 表 F5–11，表 F5–16 ~ 表 F5–18　王玉绘制
表 7– 10 ~ 表 7– 12　朱宏宇、刘聪绘制；表 8–1 ~ 表 8–3　张李瑞绘制
表 F5–2　陈冲 . 基于 LCA 的建筑碳排放控制与预测研究 [D]. 武汉 : 华中科技大学，2013：27
表 F5–3，表 F5–4　参考《省级温室气体清单编制指南（发改办气候〔2011〕1041 号）》，王玉绘制
表 7– 2　徐工集团公司网站，http://www.xcmg.com/
表 F4–3　源自网络：http://wenku.baidu.com/link?url=uCKDCnaflnijR7nMvBP4XbJJVGT_UPMs6lpVDYtMWerou01LfCazWNXDxqqD7fg3BDbF6C1BiQo0iYWS8NpdXEk8SHR_h3PFcd7iLtkQdrW
表 F5–12　徐工集团公司网站，http://www.xcmg.com/

后记

建筑构件的制作、生产、装配，及建造成各种类型建筑的方法、模式和过程，不仅涉及到过程中获取和消耗自然资源和能源的量（碳排放控制），而且通过产业链与经济发展模式高度关联，更与在建筑建造、营销、运营、维护等建筑全寿命周期各环节中的社会个体和社会群体的权力、利益和责任相关联。所以，以基于信息化的绿色建材工业化生产——建筑构件、设备和装备的工业化制造——建筑构件机械化装配建成建筑——建筑的智能化运营、维护——最后安全地拆除建筑构件、材料再利用的新知识体系，不仅是建筑工业化发展战略目标的重要组成部分，而且构成了新型建筑学的内容。换言之，经典建筑学知识体系长期以来主要局限在为建筑施工而设计的形式、空间与功能层面上，需要进一步扩展，才能培养出支撑城乡建设在社会、环境、经济三个方面可持续发展的新型建筑学人才，实现我国建筑产业现代化转型升级，从而推动新型城镇化的进程，进而通过“一带一路”战略影响世界的可持续发展。

建筑工业化发展战略目标是将经典建筑学的知识体系扩展为新型建筑学的知识体系，在如下五个方面拓展研究：

（1）开展基于构件分类组合的标准化建筑设计理论与应用研究。

（2）开展建造、性能、人文与设计的新型建筑学知识体系，拓展理论与人才培养方法研究。

（3）开展装配式建造技术及其建造设计理论与应用研究。

（4）开展开放的 BIM（Building Information Modeling，建筑信息模型）技术应用和理论研究。

（5）开展从 BIM 到 CIM（City Information Modeling，城市信息模型）技术扩展应用和理论研究。

本书涉及的内容，将研究初步拓展到了（1）至（3）方面，（4）、（5）方面有待继续拓展研究。

本书作为国家“十二五”科技支撑计划项目（2012BAJ16B00）“保障性住房工业化设计建造关键技术研究与示范”的研究成果，凝聚了以中国建设科技集团股份有限公司为首的科研项目大团队的智慧和力量，得到了科技部、住房和城乡建设部有关部门的关心、支持和帮助。江苏省住房和城乡建设厅和常州武进区及江苏省绿色建筑博览园，在示范工程的建设和科研成果的转化、推广方面给予了大力支持。“保障性住房新型工业化建造施工关键技术研究与示范”课题（2012BAJ16B03）参与单位南京建工集团有限公司、常州市建筑科学研究院有限公司，及课题合作单位南京长江都市建筑设计股份有限公司、深圳市建筑设计研究总院有限公司、南京兴华建筑设计研究院股份有限公司、江苏省邮电规划设计院有限责任公司、北京中外建建筑设计有限公司江苏分公司、江苏圣乐建设工程有限公司、江苏省建设集团有限公司、中国建材（江苏）产业研究院有限公司、江苏生态屋住工股份有限公司、南京大地建设集团有限公司、南京思丹鼎建筑科技有限公司、江苏大才建设集团有限公司、南京筑道智能科技有限公司、苏州科逸住宅设备股份有限公司，给予了课题研究在设计、研发和建造方面的全力配合。东南大学各相关管理部门以及由建筑学院、土木工程学院、材料学院、能源与环境学院、交通学院、机械学院、计算机学院组成的课题高校研究团队紧密协同配合，高水平地完成了国家支撑计划课题研究。最终，整个团队的协同创新科研成果：“基于钢筋构件法配筋的刚性钢筋笼网模混凝土保障性住房工业化建造技术”，参加了国家“十二五”科技创新成就展，得到了社会各界的高度关注和好评。在此对以上所有部门和单位表示衷心的感谢!

最后感谢我的导师齐康院士为本书写序，并高屋建瓴地提出了新型建筑学的概念和目标。感谢东南大学出版社及戴丽老师在本书出版上的大力支持，并共同策划了《建造·性能·人文与设计》丛书，相信通过系统的出版工作，必将推动新型建筑学的发展，培养支撑城乡建设可持续发展的新型建筑学人才。

东南大学建筑学院建筑技术科学研究所
东南大学工业化住宅与建筑工业研究所
东南大学 BIM 技术研究所

张宏

2016 年 3 月 1 日于容园 · 南京

内容提要

钢筋混凝土材料出现后，迅速应用到大量房屋的建造中，深刻地影响着建筑的进程。混凝土也成为中国改革开放后城市化发展中房屋结构建造的主要建材。本书基于国家“十二五”科技支撑计划的科研成果，研究了钢筋混凝土结构构件成型、定位、连接和装备技术的国内外发展及现状，以构件成型、定位、连接技术和外墙板预制装配技术为主要研究对象，通过建造示例，展示了自主研发的成套混凝土构件成型定位装备的应用实况。结合结构空间的限定和使用，从建筑学和工程学的角度，研究了建筑工业化产品模式的构成和实现方法。初步建立了基于构件的、适合装配式建造要求的工业化建筑设计方法，补充了建筑产品模式的内容，推进了经典建筑学的发展，为培养社会急需的大量性工业化建筑设计人才做了基础性的工作。

本书可作为建筑学、土木工程学、工程管理学、建筑材料学的科研、教学参考书，也可作为建筑设计、施工和构件生产企业科研团队的用书，以及建筑产业工人培训用书。

图书在版编目（CIP）数据

构件成型·定位·连接与空间和形式生成：新型建筑工业化设计与建造示例 / 张宏等著 .—南京：东南大学出版社，2016.3（2018.6重印）
（建造·性能·人文与设计系列丛书 / 张宏主编）
ISBN 978-7-5641-6422-5

Ⅰ.①构… Ⅱ.①张… Ⅲ.①钢筋混凝土结构－研究 Ⅳ.① TU37

中国版本图书馆 CIP 数据核字（2016）第 053649 号

书　　名：构件成型·定位·连接与空间和形式生成：新型建筑工业化设计与建造示例
著　　者：张　宏　朱宏宇　吴　京　等
责任编辑：戴　丽
文字编辑：贺玮玮　陈东方
责任印制：张文礼
出版发行：东南大学出版社
社　　址：南京市四牌楼 2 号　　邮编：210096
网　　址：http://www.seupress.com
出 版 人：江建中

印　　刷　江苏凤凰数码印务有限公司
排　　版：南京新洲制版有限公司
开　　本：889mm×1 194mm　1/16　　印张：12.75　　字数：343 千字
版　　次：2016 年 3 月第 1 版　2018 年 6 月第 2 次印刷
书　　号：ISBN 978-7-5641-6422-5
定　　价：49.00 元

经 销：全国各地新华书店
发行热线：025-83790519　83791830
